BYWYD NORMAL

BYWYD NORMAL

TUDOR ELLIS

ISBN 978-1-907424-18-2

Argraffwyd gan
Wasg y Bwthyn, Caernarfon

CYNNWYS

Cyflwynedig i Val ac i
gyn-fyfyrwyr a staff yr hen Goleg

RHAGAIR

Bu'r Coleg Normal yn drwm ei ddylanwad ar addysg yng Nghymru am 138 o flynyddoedd, o'i sefydlu yn 1858 hyd nes iddo integreiddio gyda Choleg Prifysgol Gogledd Cymru (CPGC) yn 1996. Bu hefyd yn ddylanwad arbennig ar ddatblygiad addysg drwy gyfrwng y Gymraeg. Nod y gyfrol hon yw cyflwyno braslun o brofiadau'r miloedd o fyfyrwyr y Normal dros y gwahanol gyfnodau yn hanes y sefydliad.

Y man cychwyn ar gyfer casglu gwybodaeth am brofiadau myfyrwyr oedd yr amrywiol ffynonellau ysgrifenedig, gan gynnwys cofiannau a hunangofiannau, nifer ohonynt wedi'u cyhoeddi ac eraill yn llawysgrifau. Yn ogystal, anfonodd nifer o gyn-fyfyrwyr a'u teuluoedd ddeunydd gwerthfawr mewn ymateb i apêl am atgofion. Gwneir defnydd helaeth o'r ffynonellau hyn, sydd bellach wedi'u cynnwys mewn archif arbennig ym Mhrifysgol Bangor. Cysylltir rhif gyda phob cyfraniad i'r archif a dynodir y cyfraniad ar y ffurf 'ACN36' i ddangos y cedwir y gwreiddiol fel ffeil 36 yn Archif y Coleg Normal (ACN). Cyfeirir hefyd at gynnwys cylchgrawn swyddogol y Coleg, sef *The Normalite / Y Normalydd*. Cyhoeddwyd rhifyn cyntaf y cylchgrawn yn 1896, a bu'r myfyrwyr yn ei gynhyrchu'n ddi-dor tan 1968.

Aethpwyd ati, wedyn, i gyfweld rhai cyn-fyfyrwyr er mwyn cofnodi eu hargraffiadau a'u profiadau yn y Normal. Oni nodir yn wahanol, y cyfweliadau hyn yw ffynhonnell y dystiolaeth a gynhwysir. Cyfrannodd nifer o gyn-fyfyrwyr atgofion difyr iawn trwy'r dull hwn gan gwmpasu cyfnodau'n ymestyn yn ôl mor bell â'r 1920au. Y broblem fwyaf oedd penderfynu pa gyn-fyfyrwyr y dylid eu holi i gynrychioli cyfnodau mwy diweddar yn hanes y Coleg. Sut oedd yn bosib gwneud cyfiawnder â'r llu o fyfyrwyr, yn wŷr a merched o wahanol ardaloedd yng Nghymru – heb sôn am Loegr a thu hwnt – a fu'n mynychu'r amrywiol gyrsiau yn y Normal? Bydd cyn-fyfyrwyr yn sicr o weld bylchau yn y driniaeth ond hyderir fod y detholiad yn briodol gynrychiadol.

Mae'r testun yn dilyn themâu sy'n cynrychioli profiadau amrywiol y myfyrwyr a fynychodd y Normal ar wahanol gyfnodau yn ei hanes:

- Argraffiadau'r myfyrwyr o'r cyrsiau y buont yn eu dilyn, yn arbennig eu prif bynciau, a'u hatgofion am rai o'r darlithwyr oedd wedi dylanwadu arnynt.

- Atgofion am gyfnodau Ymarfer Dysgu, a hynt a helynt myfyrwyr mewn ysgolion.

- Bywyd yn y neuaddau preswyl ac ymateb myfyrwyr i'r ddisgyblaeth lem a nodweddai'r drefn dros nifer o flynyddoedd.

- Bywyd diwylliannol y myfyrwyr: cystadlu mewn eisteddfodau, actio mewn dramâu, areithio mewn cymdeithasau dadlau, barddoni, difyrru mewn Nosweithiau Llawen, dawnsio a chanu i gyfeiliant grwpiau roc a rôl.

- Bywyd crefyddol y myfyrwyr, gan gynnwys eu cyfraniadau i gapeli Bangor, a'r newidiadau yn natur y bywyd hwnnw dros y blynyddoedd.

- Cyfraniadau'r myfyrwyr at y mudiad iaith a'u cefnogaeth, yn arbennig, i wrthdystiadau Cymdeithas yr Iaith Gymraeg.

- Bywyd cymdeithasol y myfyrwyr y tu allan i'r Coleg, mewn caffis, pictiwrs, neuaddau dawnsio, ac, yn fwy diweddar, yn nhafarndai Bangor.

- Prysurdeb gweithgareddau'r myfyrwyr ar y maes chwarae a phwysigrwydd yr elfen hon yn eu profiadau colegol.

Er mwyn ymdrin â datblygiad y themâu hyn dros y 138 o flynyddoedd o fodolaeth y Normal, rhennir y cyfnod yn dair rhan:

- Y 'cyfnod cynnar' o 1858 tan 1910. Dros y cyfnod hwn roedd y Normal yn goleg bach, yn hyfforddi dynion yn unig, y mwyafrif ohonynt wedi dod i'r coleg drwy gynllun y disgybl-athro.

- Y 'cyfnod canol' o 1910 tan 1957. Ar ddechrau'r cyfnod hwn derbyniwyd merched yn fyfyrwyr am y tro cyntaf; er, am flynyddoedd wedyn, bu awdurdodau'r Coleg yn ceisio cadw'r dynion a'r merched ar wahân! Gwellhawyd yr adnoddau addysgu a'r amodau preswyl ond gadawodd y ddau Ryfel Byd eu hôl ar y Coleg hefyd.

- Y 'cyfnod olaf' o 1957 tan 1996. Dechreuwyd addysgu trwy gyfrwng y Gymraeg yn ogystal â'r Saesneg, a gwelwyd ehangu sylweddol ar y cyrsiau, yn arbennig yn y 1980au. Ychwanegwyd yn sylweddol dros y cyfnod hwn at y neuaddau preswyl a'r cyfleusterau dysgu.

Cydnabyddir yn ddiolchgar iawn gyfraniadau nifer fawr o gyn-fyfyrwyr, cyn-staff a chyfeillion eraill at gynnwys y llyfr hwn. Casglwyd ganddynt lu o atgofion a lluniau. Pan ddynodir enw myfyriwr ar y ffurf "John Jones, Aberllan (1936–38)" dangosir mai myfyriwr yn hannu o Aberllan oedd John Jones ac iddo dreulio'r blynyddoedd 1936–38 yn y Normal. Defnyddir llythrennau mewn print trwm – **John Jones** – i ddynodi enw myfyriwr a gyflwynodd dystiolaeth uniongyrchol ar ffurf llythyr neu drwy gyfweliad neu a gyhoeddodd atgofion am y Coleg. Defnyddir llythrennau mewn print italeg – *Jonsi* – i ddynodi llysenw myfyriwr neu aelod o staff.

Manteisiwyd ar awgrymiadau gwerthfawr gan aelodau panel o gyn-staff wrth i'r gwaith ddatblygu: Wendy Davies, y diweddar Bryn Lloyd Jones, y diweddar Dai Rees Jones, Gwyn Lloyd, Bob Morris, Hywel Wyn Owen, Gareth Roberts a Maldwyn Thomas. Elwodd y panel hefyd ar gymorth a chefnogaeth gyson Cymdeithas Cyn-Staff y Coleg Normal. Hoffai'r awdur fynegi ei ddiolch hefyd i Endaf Jones, Catherine Jones ac Elwyn Jones Griffith am eu cefnogaeth a'u cyngor gwerthfawr.

Diolch yn arbennig i Wasg y Bwthyn am ymgymryd â'r gwaith cyhoeddi ac am ei chefnogaeth a'i chymorth ar hyd y daith. Cafwyd cymorth parod hefyd gan weinyddwyr a thechnegwyr Prifysgol Bangor, yn arbennig wrth baratoi'r lluniau. Yn ogystal, rwyf yn ddiolchgar i Gareth Roberts, Prifathro olaf y Coleg, am lunio'r rhagymadrodd.

Clytwaith cymhleth yw profiadau coleg ac mae unrhyw ymdrech i gwmpasau'r cyfanwaith yn sicr o syrthio'n fyr. Serch hynny, hyderir bod y darlun a gyflwynir yma yn deyrnged deilwng i goleg a fu mor annwyl yng nghof cynifer o'i fyfyrwyr.

Mai 2011   *TUDOR ELLIS*
                                                   Y Groeslon

BYRFODDAU

ACN   Archif y Coleg Normal, Prifysgol Bangor

BNC   Bangor Normal College

CN   Y Coleg Normal

CPGC   Coleg Prifysgol Gogledd Cymru

RHAGYMADRODD

Fel hyn y mae Dr Richard Thomas, Prifathro'r Coleg Normal ar achlysur ei ganmlwyddiant yn 1958, yn gorffen ei ragair i gyfrol sy'n cofnodi hanes y Coleg dros ei gan mlynedd gyntaf:

> Enillodd y Coleg Normal le cynnes a sicr yn serchiadau ysgolion a lle uchel ym marn Awdurdodau Addysg ar hyd a lled y wlad – nid yn unig yn yr amser a fu, ond yn ein dyddiau ninnau hefyd; ac yn arbennig le teilwng yng nghalon cenedl y Cymry. Yma y derbyniodd llu mawr o'i phlant, yn feibion ac yn ferched, eu haddysg a'u hyfforddiant. Lawer tro, bu aelodau o'r un teulu, yn frodyr a chwiorydd o'r un genhedlaeth, yn fyfyrwyr yma, a chafwyd aelodau o rai teuluoedd, droeon, o gynifer â thair cenhedlaeth yn olynol. I'r rhai hyn i gyd, ac i'n darllenwyr yn gyffredinol, hyderir y bydd i'r gyfrol goffa hon gynnig pennod ddiddorol o Hanes Addysg yng Nghymru, ac y bydd ei darllen yn eu dwyn i sylweddoli fwyfwy bwysigrwydd yr athro a'i hyfforddiant yng ngwead amryfal ein cyfundrefn addysg.[1]

Nid rhywbeth statig yw unrhyw sefydliad addysg; mae'n ymateb i amgylchiadau, yn cael ei ddylanwadu gan y meddylfryd cyfoes, gan ofynion y wladwriaeth, a chan ffactorau crefyddol a chymdeithasol. Mae deall hanes y Coleg Normal yn gyfystyr â deall cyfnod o 138 o flynyddoedd yn ei lawnder. Nid hynny yw diben y gyfrol hon. Yn hytrach, mae corff y llyfr yn olrhain hanes y Coleg trwy lygaid ei fyfyrwyr – plant y genedl, chwedl Richard Thomas – er mwyn cyfleu peth o flas y Normal a sut y datblygodd profiad ei fyfyrwyr dros y blynyddoedd. Yn y rhagymadrodd hwn nodir rhai yn unig o'r prif ddylanwadau a luniodd y profiad hwnnw.

CYCHWYNIADAU

Bydd ymwelydd â Bangor heddiw yn cael ei syfrdanu gan ysblander rhai o hen adeiladau'r Coleg Normal. Yn eu plith ceir adeilad a adwaenir bellach fel Adeilad Hugh Owen[2] i goffáu un o'r arloeswyr pwysicaf yn hanes datblygiad addysg yng Nghymru. Yn frodor o Ynys Môn, bu Syr Hugh Owen (1804–81) yn drwm ei ddylanwad ar sefydlu'r Coleg Normal, ac, wedi hynny, yn yr ymgyrch i sefydlu prifysgol yng Nghymru.[3]

Erbyn dechrau'r bedwaredd ganrif ar bymtheg gwelwyd cychwyn ar agor ysgolion yng Nghymru a Lloegr gan y Gymdeithas Ysgolion Brytanaidd a Thramor (*British and Foreign School Society*), cymdeithas a sefydlwyd yn 1808. Roedd yr ysgolion hyn yn anenwadol ond yn Anghydffurfiol eu naws, o'u gwrthgyferbynnu gyda'r ysgolion eglwysig oedd yn amlhau'n gyflym dan nawdd y Gymdeithas Genedlaethol (*National Society*). Bu datblygiad y ddwy ffrwd o ysgolion yn ganlyniad i'r tensiynau rhwng yr Eglwys Sefydledig a'r Senedd seciwlar. Gwelodd Hugh Owen nad oedd nifer yr ysgolion Brytanaidd yng Nghymru yn agos ddigon at ddiwallu ei hanghenion a chyhoeddodd *Llythyr i'r Cymry* yn y cyfnodolion Cymreig yn 1843 a eglurai sut i fynd ati i sefydlu'r ysgolion hyn a sut i geisio am grantiau gan y llywodraeth ar gyfer eu cynnal.[4]

Wrth i'r ysgolion Brytanaidd dyfu a lluosogi cydnabuwyd yr angen i sicrhau cyflenwad addas o athrawon ar eu cyfer. Yma eto roedd y Gymdeithas Ysgolion Brytanaidd a Thramor yn allweddol gan iddi noddi coleg hyfforddi *Borough Road*, Llundain,[5] fel coleg Brytanaidd.

Ar y cychwyn, roedd yr Anghydffurfwyr, dan arweiniad Hugh Owen, yn ddigon bodlon i weld hyfforddi athrawon ar gyfer Cymru yn *Borough Road*, ac anogwyd myfyrwyr i ddilyn y trywydd hwnnw.[6] Fodd bynnag, gellir tybio bod yr Anghydffurfwyr wedi'u hysgwyd gan lwyddiant y Gymdeithas Genedlaethol yn sefydlu dau goleg hyfforddi yng Nghymru: Coleg y Drindod yng Nghaerfyrddin yn 1848 a choleg yng Nghaernarfon yn 1856. Ar ben hynny, erbyn canol y 1850au roedd llwyddiant *Borough Road* yn gorfodi'r coleg hwnnw i fod yn fwy dewisol wrth dderbyn myfyrwyr.

Newidiwyd barn Hugh Owen a'i gyfeillion yn sgil y datblygiadau hyn, a chychwynnwyd ar ymgyrch i sefydlu coleg Brytanaidd anenwadol yng Nghymru. Bwriad gwreiddiol Hugh Owen oedd sefydlu coleg nid ar gyfer hyfforddi athrawon yn unig, ond i fod yn debycach i brifysgol ar gyfer "gwŷr proffesiynol, technegol a masnachol, ac arweinwyr y dosbarth canol yng Nghymru".[7] Fodd bynnag, penderfynodd ohirio'r cynlluniau hyn, gan i'r wlad, yng ngeiriau Bryn Davies, "lithro i Ryfel y Crimea, a barnwyd nad doeth fyddai gofyn i'r llywodraeth am gymorth ariannol y pryd hynny".[8] O ganlyniad, newidiodd Hugh Owen ei nod a throi ei olygon, am y tro beth bynnag, at sefydlu coleg hyfforddi athrawon.

Roedd y Parchedig John Phillips (1812–67), gweinidog gyda'r Methodistiaid Calfinaidd yn Nhreffynnon, Sir y Fflint, eisoes wedi'i benodi yn 1843 fel Goruchwyliwr y Gymdeithas Ysgolion Brytanaidd a Thramor yng ngogledd Cymru i ysgogi sefydlu ysgolion Brytanaidd yno. Roedd hefyd wedi symud i fyw ym Mangor. Yn dilyn penderfyniad mewn cynhadledd ym mis Ebrill 1856 i sefydlu *Coleg Athrawol* i ogledd Cymru[9] a chyfarfod pellach ym mis Gorffennaf yr un flwyddyn i benderfynu ar Fangor fel ei leoliad, cyfeiriodd John Phillips ei egni at ymgyrch i godi arian ar gyfer ei sefydlu.

Llwyddwyd i godi cyfanswm teilwng iawn o tua £11,500.[10] Daeth y mwyafrif o ddigon o'r cyfraniadau drwy'r capeli Anghydffurfiol, a'r cyfraniad mwyaf o bell ffordd gan y Methodistiaid Calfinaidd. Casglwyd yn agos at ddraean y cyfanswm, sef £3685, yn Sir Gaernarfon, gan gyn-nwys cyfraniad hael iawn o fil o bunnoedd gan Robert Davies o Fangor, a thraean pellach o siroedd eraill y gogledd a'r canolbarth. Rhannwyd y gweddill yn fras rhwng siroedd de Cymru ar y naill law, a threfi a dinasoedd Lloegr a oedd yn ganolfannau cymdeithasau Cymraeg cryf ar y llaw arall. Yr ardal gryfaf o ddigon y tu allan i Gymru oedd trefi Glannau Mersi a gyfrannodd £1227, gyda chyfraniadau teilwng eraill gan ardaloedd Caer, Manceinion a Llundain.[11]

Wrth dalu teyrnged i ymdrechion John Phillips mae adroddiad cyntaf pwyllgor y Coleg yn 1863 yn hael ei ganmoliaeth ac yn nodi hefyd rai o'r anawsterau y bu angen iddo eu gorchfygu:

> Yr oedd y llafur a'r pryder cysylltiedig â chodi y swm angenrheidiol i gyfarfod a'r taliadau misol oedd yn ddyledus i'r adeiladydd bron yn gwbl yn gorphwys arno ef. Mewn trefn i'w alluogi i wneuthur hynny, yr oedd yn rhaid iddo deithio siroedd De a Gogledd Cymru, a rhai ohonynt lawer gwaith trosodd, a goddef yr holl flinder a'r anghyfleusderau oedd y'nghlŷn a'r fath orchwyl – nid y lleiaf o'r hyn ydoedd y difrawder a'r claerineb oedd yn cael ei ddangos gan ryw bersonau, yma a thraw ar hyd y wlad, y rhai gan eu bod yn fedd-iannol ar foddion a dylanwad, y gobeithiasai ef, fuasent yn rhoddi esiampl deilwng o haelioni i eraill. Mae y llwyddiant cyflawn a pherffaith a goronodd ymdrechion Mr Phillips yn dwyn tystiolaeth i'w allu a'i ddylanwad personol – i'r ddawn anghyffredin a arferai i gymell ei wrandawyr, ei ddeheurwydd digyffelyb, a'i ymroddiad llwyr i'r gwaith a gymerodd i'w gyflawni.[12]

Ychwanegodd llywodraeth San Steffan £2000 at y cyfanswm a gasglwyd, a dyna felly ffurfio sylfaen ar gyfer sefydlu Coleg Normal Bangor neu, a bod yn fanwl gywir, *Coleg Athrawol Bangor (Bangor Normal College)*. Darparwyd lle i hyd at 41 o fyfyrwyr o ogledd a de Cymru, yn ddynion yn unig, ac "ychwaneg os bydd angenrheidiau y Dywysogaeth yn gofyn am hynny".[13]

Ym mis Awst 1862 yr agorwyd adeilad y Coleg, ond, gan gymaint y galw am athrawon trwyddedig i ofalu am ysgolion, gwnaed darpariaeth i dderbyn myfyrwyr o fis Ionawr 1858 ymlaen gan ddefnyddio adeiladau eraill ym Mangor Uchaf, gan gynnwys Ystafell Tŷ'r Capel, sef capel y Tŵr Gwyn.[14] Codwyd y capel hwnnw ym Mangor Uchaf yn 1854 gan y Methodistiaid Calfinaidd gyda chefnogaeth a chymorth John Phillips,[15] a oedd wedi sicrhau tir ar gyfer yr adeilad.

Bu'n rhaid i dde Cymru aros cyn gweld sefydlu colegau tebyg yno – Coleg Abertawe yn 1872 (y coleg cyntaf i dderbyn merched), Coleg y Barri (i ferched) yn 1914, a Choleg Caerllion ger Casnewydd (i ddynion) hefyd yn 1914. Bu'n rhaid i Gymru gyfan aros am bedair blynedd ar ddeg cyn sefydlu'r coleg prifysgol cyntaf yn 1872 yn Aberystwyth.

BETH SYDD MEWN ENW?

Ar lafar clywir cyfeirio at y Coleg fel 'y Normal' yn Gymraeg neu fel 'Bangor Normal' yn Saesneg. Mae'r enw wedi bod yn destun llawer o dynnu coes dros y blynyddoedd: roedd yn arferiad gan Dr Jim Davies, Prifathro'r Coleg dros y cyfnod 1969–85, i awgrymu'n gellweirus mai bwriad yr enw oedd gwahaniaethu rhwng y Coleg Normal a Choleg y Brifysgol – sef y coleg 'abnormal'! Yn sicr roedd yn gwestiwn cyson ar wefusau darpar-fyfyrwyr a'u rhieni dros y degawdau. Er mwyn deall tarddiad yr enw rhaid cyfeirio'n ôl at hanes creu sefydliadau ar gyfer hyfforddi athrawon, a throi at gyfandir Ewrop.

Sefydlwyd cyfres o 'ysgolion normal' ym mlynyddoedd cyntaf y ddeunawfed ganrif mewn rhannau o'r Almaen. Honnir mai'r un gyntaf oedd ysgol normal yn Halle yn 1706 ar gyfer dynion ifanc a oedd eisoes wedi cael addysg elfennol ac a oedd yn paratoi ar gyfer bod yn athrawon. Erbyn diwedd y ganrif roedd deg ar hugain o sefydliadau tebyg yn yr Almaen. Hybwyd y datblygiad trwy ddylanwad addysgwyr blaenllaw, gan gynnwys Philipp Emanuel von Fellenberg (1771–1844) o'r Swistir.[16] Gelwid yr ysgolion hynny yn *normalen Schulen*. Ynddynt roedd darparathro yn gweithio fel disgybl-athro ac yn cael ei hyfforddi wrth ei waith.

Yn yr Almaeneg, un o ystyron y gair *normal* yw 'safonol'. Ystyr ysgolion normal, felly, yw ysgolion sy'n gosod y safon (y 'norm') ar gyfer addysg ac ar gyfer yr hyn y dylai darpar-athrawon ymgyrraedd ato.

Dros y blynyddoedd aethpwyd ati i sefydlu colegau ar gyfer hyfforddi athrawon, yn hytrach na dibynnu'n llwyr ar ysgolion cyffredin. Roedd yn naturiol wedyn i'r sefydliadau hyn hefyd gael eu disgrifio fel rhai 'normal', ac, wrth i'r drefn ymledu i wledydd eraill (yn Ewrop i gychwyn) yn ystod y bedwaredd ganrif ar bymtheg ac ymlaen i'r ugeinfed ganrif, i'r label gael ei fabwysiadu'n eang.

Tuedd arall, nid anghyffredin, oedd defnyddio'r gair fel rhan o deitl swyddogol sefydliad. Yr enghraifft gyntaf o hyn, a'r enwocaf o bosibl, oedd sefydlu'r *École Normale* (yr *École Normale Supérieure* yn ddiweddarach[17]) gan Napoleon ym Mharis yn 1808 ar gyfer hyfforddi athrawon.

Yng Nghymru a Lloegr sefydlodd y llywodraeth bwyllgor newydd yn 1839 dan y Cyfrin Gyngor i ganolbwyntio ar addysg – *Committee of Council for Education* – gan nodi mai un o brif dasgau'r pwyllgor fyddai sefydlu coleg cenedlaethol ar gyfer hyfforddi athrawon. Mae'r llythyr sy'n egluro'r cefndir i benderfyniad y llywodraeth yn defnyddio'r gair 'normal' wrth osod y nod:

> Among the first objects to which any grant may be applied will be the establishment of a Normal School. In such a school a body of schoolmasters may be formed, competent to assume the management of similar institutions in all parts of the country. In such a school likewise the best modes of teaching may be introduced, and those who wish to improve the schools of their neighbourhood may have an opportunity of observing their results.[18]

Sefydlwyd yn y man gryn nifer o golegau 'normal' ym Mhrydain i osod y safon ac i fod yn fodelau i'w hefelychu.[19] Ymledodd y defnydd o'r term 'coleg normal' neu 'ysgol normal' i wledydd ar draws y byd a phrofiad cyffredin yw dod ar draws enghreifftiau sy'n defnyddio'r gair 'normal' fel rhan o deitl ysgolion neu golegau mewn gwledydd pell ac agos.

Prin yw'r enghreifftiau yng Nghymru a Lloegr o sefydliadau a ddefnyddiodd y gair 'normal' fel rhan o'u teitl ar wahân i Goleg Normal Bangor.[20] Mae enw'n gallu gwreiddio'n ddwfn gan ddatblygu'n symbol o werthoedd y sefydliad a gyplysir â'r enw. Felly y bu yn hanes y Normal a'r Normalwyr oedd yn astudio yno. Erys yr enw hyd heddiw gan mai Safle'r Normal yw'r enw bellach ar ran o Brifysgol Bangor sy'n cynnwys rhai o diroedd y Coleg Normal gynt.

GOREU DIWYLLIWR ATHRAW DA

Un arall o nodweddion y Coleg Normal oedd ei arwyddair, *Goreu diwylliwr athraw da*, sy'n crisialu'n dwt y gwerthoedd a ddatblygodd yn y Normal ac y ceisiwyd eu trosglwyddo i'r myfyrwyr oedd â'u bryd ar fod yn athrawon. Neges yr arwyddair yw mai pennaf nod athro yw trosglwyddo gwerthoedd ein diwylliant i bob cenhedlaeth newydd o blant. Mae hon yn neges oesol bwysig, sef bod pwrpas addysg yn ehangach na dysgu rhesiad o bynciau, ac mai ei gwir amcan yw datblygu dinasyddion eang eu gorwelion wedi'u trwytho yng ngwerthoedd sylfaenol cymdeithas wâr.

Mae'n ansicr pryd yn union y mabwysiadwyd yr arwyddair gan y Coleg, ai o'r cychwyn cyntaf neu wedi hynny. Ansicr hefyd yw ei darddiad. Fodd bynnag, erys yn ddatganiad grymus o hanfod y Coleg o ran ei waith yn hyfforddi athrawon. Yn dilyn yr integreiddio yn 1996 mabwysiadwyd yr arwyddair gan Ysgol Addysg y sefydliad newydd fel symbol o barhad y gwerthoedd sylfaenol.

ADEILADAU'R NORMAL

Wrth drafod sefydlu'r Coleg Normal roedd dadlau brwd ynghylch ei union leoliad. Datblygodd dwy garfan, un o blaid ei leoli yn y Rhyl a'r llall o blaid ei leoli ym Mangor. Bryd hynny nid oedd teithio i Fangor yn dasg hawdd o gwbl – ffordd ddigon blin oedd llwybr yr A5 bresennol, er cymaint gorchestwaith Thomas Telford wrth ddatblygu'r ffordd honno gan arwain at gwblhau codi Pont y Borth yn 1826. Roedd Telford hefyd wedi gwella rhannau o ffordd yr arfordir rhwng Caer a Bangor – yr A55 bresennol – ond roedd hon hefyd yn bur araf i'w thramwyo. Roedd y Rhyl yn llawer mwy hygyrch i rai yn teithio o dde Cymru neu o Loegr. O blaid Bangor, roedd y rheilffordd wedi cyrraedd y ddinas erbyn 1846 a Phont Britannia yn cludo teithwyr ymlaen i Gaergybi erbyn 1850.

Nid oedd unrhyw goleg arall ym Mangor ar y pryd: sefydlwyd Coleg Prifysgol Gogledd Cymru yn 1884, Coleg yr Annibynwyr yn 1886 a Choleg y Bedyddwyr yn 1892. Bu Hugh Owen yn ddylanwadol yn y penderfyniad terfynol i leoli'r Coleg Normal ym Mangor, fel y bu gyda nifer o faterion wrth lywio tynged y Coleg yn ei ddyddiau cynnar. Roedd cryfder ardal Bangor o ran enwad y Methodistiaid Calfinaidd yn ffactor bwysig a ddylanwadodd yn drwm ar Owen a'i gyfeillion yn yr enwad hwnnw. Yn ôl yr hanesydd John Davies: "O ganlyniad i barodrwydd y

Methodistiaid i dderbyn nawdd y llywodraeth, yn y broydd lle'r oeddynt hwy gryfaf y lleolwyd y prif sefydliadau – y Coleg Normal, Bangor, a Choleg Prifysgol Aberystwyth – a ddeilliodd o ymchwydd addysgiadol canol y ganrif ddiwethaf [sef y bedwaredd ganrif ar bymtheg]; ardaloedd gwledig, tenau eu poblogaeth, oedd y broydd hynny, ac felly mewn canolfannau a oedd gryn bellter i ffwrdd oddi wrth gymunedau mwyaf poblog Cymru y ceid ffrwyth pwysicaf yr ymchwydd hwnnw."[21]

Ymysg yr ystyriaethau eraill a drodd y fantol o blaid Bangor oedd mai yno yr oedd John Phillips yn byw. Roedd yno hefyd ysgol Frytanaidd lwyddiannus (Ysgol y Garth) lle gallai'r myfyrwyr ymarfer eu crefft. Ymhen hir a hwyr byddai'r penderfyniad hwn i leoli'r Coleg ym Mangor yn cryfhau swyddogaeth y Normal o ran addysg Gymraeg, er nad hynny, wrth gwrs, oedd y cymhelliad gwreiddiol.

Prin oedd yr adeiladau bryd hynny ym Mangor Uchaf – bu'n rhaid aros tan 1910 cyn i adeiladau presennol y Brifysgol gael eu codi yno. Un o'r prif resymau dros leoli'r Coleg yn y rhan hon o Fangor oedd osgoi drewdod canol y ddinas lle llifai Afon Adda ar y pryd yn llawn o garthion a gwastraff y trigolion. Codwyd yr adeilad ar lain o dir hudolus yn edrych dros y Fenai, tir a oedd yn rhan o ystâd Penrhyn. Cafwyd cydweithrediad perchennog y tir, Edward Douglas-Pennant, AS, a ddaeth yn ddiweddarach i fod y cyntaf i ddwyn y teitl Arglwydd Penrhyn, "yr hwn yn gyson a'i haelfrydeddigrwydd arferol a gydsyniodd i'w werthu y'mhell islaw ei bris marchnadawl".[22] Penodwyd James Barnett o Lundain yn bensaer yr adeilad a W. T. Rogers, Biwmares, yn adeiladydd o dan arolygiaeth cwmni adeiladu Kennedy a Rogers, Bangor a Llundain.[23] Teimlai aelodau'r pwyllgor a lywiodd y gwaith ei fod yn ddyletswydd arnynt i sicrhau adeilad a oedd yn deilwng o'i leoliad, ac adroddant fod

dymunoldeb a phrydferthwch digymar y llannerch ar ba un y saif y sefydliad yn gosod math o rwymau arnom i ofalu am brydferthwch a chadernid yn yr adeilad. Y syndod yw, nid fod yr adeilad wedi costio cymaint, ond fod adeilad o'r fath faintioli yn gyfansoddedig o'r fath ddefnyddiau parhaol, ac yn arddangos y fath allu celfyddydol, wedi costio cyn lleied.[24]

Gyda chryn foddhad roedd y pwyllgor yn gallu adrodd bod "yr adeilad sydd yn awr wedi ei orphen yn glod nid bychan i'r Cynllunwyr a'r Adeiladydd; tra y mae hefyd yn gofgolofn o haelioni y bobl, y rhan fwyaf ohonynt yn 'bobl gyffredin' Cymru".[25]

Roedd safle'r Coleg yn atgyfnerthu'r ymdeimlad o uned wedi'i gosod ar wahân i weddill y ddinas ac roedd y trefniant i'r myfyrwyr cyntaf fyw yn yr adeilad – sef yn yr atig i bob pwrpas – yn ychwanegu ymhellach at yr ymdeimlad o gymdeithas glos a chaeëdig, a hynny i ddynion yn unig. Bu'n rhaid aros am dros hanner cant o flynyddoedd cyn i'r Coleg gael ei ehangu trwy godi neuaddau preswyl a thŷ i'r Prifathro gerllaw yn 1910, gan ddilyn cynlluniau a gynigiwyd gan y pensaer H. T. Hare a oedd, ar y pryd, hefyd yn codi adeiladau newydd y Brifysgol yr ochr arall i Ffordd y Coleg.[26]

Erbyn hynny roedd y Coleg yn derbyn merched i rengoedd y myfyrwyr, a gwnaed y penderfyniad allweddol i ehangu'r tiroedd ymhellach. Prynwyd safle newydd yn 1919, safle a oedd yn cynnwys hen westy'r George[27] ar lan y Fenai, rhyw filltir dda o'r prif safle. Dyma Safle'r George, a adwaenid wedyn fel Safle'r Fenai ac erbyn hyn yn Safle'r Normal. O ganlyniad penderfynwyd rhannu'r dynion a'r merched yn ddaearyddol, gyda'r merched yn cael eu gwersi yn *Top Coll.*, sef yr adeilad a adwaenir bellach fel yr Hen Goleg, ac yn byw yn y neuaddau gerllaw, a'r dynion yn byw yn y George ac yn cael eu gwersi ar y safle hwnnw. Penodwyd dau Ddirprwy Brifathro, un i ofalu am y dynion a'r llall am y merched. Roedd cryn fynd a dod rhwng y ddau safle wrth gwrs, ond, yn ymarferol, gweithredai'r ddau fel unedau annibynnol i raddau helaeth iawn.

Erbyn dechrau'r 1960au roedd nifer y myfyrwyr yn cynyddu'n gyflym. Llaciwyd y model oedd yn cadw'r dynion a'r merched ar wahân, a chodwyd neuaddau preswyl newydd ar Safle'r Fenai – Arfon a Seiriol. Ychwanegwyd Neuadd John Phillips at safle'r Hen Goleg yn 1963 gan ddarparu adnodd gwerthfawr i hybu bywyd cymdeithasol y myfyrwyr a llwyfan ar gyfer drama a chân.

Erbyn canol y 1970au, fodd bynnag, roedd nifer y myfyrwyr yn y Coleg wedi dechrau crebachu eto a phenderfynwyd canoli llawer o'r addysgu ar Safle'r Fenai, gan gau'r Hen Goleg, ond gan gadw'r neuaddau preswyl ar agor a darparu bysiau i gludo'r myfyrwyr y filltir o daith i'w gwersi. Parhaodd Neuadd John Phillips yn adnodd pwysig drwy'r holl gyfnod. Buddsoddwyd yn sylweddol mewn adeiladau newydd ar Safle'r Fenai, gan gynnwys codi Neuadd Chwaraeon, Llyfrgell a Chanolfan Adnoddau. Wrth godi'r adeiladau hyn diflannodd nifer o hen eiconau'r safle a oedd erbyn hynny yn llai addas at ddibenion yr oes, gan gynnwys y 'Syrcas', sef ystafell ddarlithio ar gynllun crwn yn ymdebygu i dalwrn ceiliogod. Erbyn dechrau'r 1980au roedd y rhaglen adeiladu ar Safle'r Fenai a'r symud o'r Hen Goleg wedi'i chwblhau. Yr un pryd symudodd swyddfa'r Prifathro a'r adrannau gweinyddol o'r Hen Goleg i Safle'r Fenai[28] a gwelwyd llawer mwy o gyd-gymdeithasu ymhlith y staff a'r myfyrwyr fel ei gilydd.

Gyda threigl amser, dirywiodd cyflwr yr Hen Goleg a bu'n rhaid ei gau yn gyfan gwbl. Wrth i'r Coleg dyfu eto yn ystod yr 80au a'r 90au cynnar, sylweddolwyd cymaint oedd potensial yr adeilad, a llwyddwyd, gyda chymorth grant sylweddol gan y Swyddfa Gymreig a sicrhawyd gan Brifathro'r cyfnod, Ronald Williams, i adnewyddu'r adeilad i'w ogoniant gwreiddiol. Ailagorwyd yr Hen Goleg ym mis Chwefror 1994 gan Wyn Roberts, Gweinidog yn y Swyddfa Gymreig ar y pryd.[29]

Roedd amryw byd o nodweddion eraill yn perthyn i'r adeiladau a oedd yn arwydd o natur y sefydliad. Er enghraifft, tua diwedd y 1940au sefydlwyd neuadd breswyl yn benodol ar gyfer merched a oedd yn arbenigo mewn Gwyddor Tŷ;[30] neilltuwyd ystafelloedd yn y neuaddau preswyl ar gyfer wardeiniaid, rhai ohonynt yn staff di-briod, ac eraill, yn fwyaf penodol ar Safle'r Fenai, yn gweithredu fel wardeiniaid ar system rota; a neilltuwyd ystafell ar Safle'r Fenai i'r dynion ar y staff gael chwarae snwcer.[31] Drwyddi draw ceir darlun o gymdeithas glos o fyfyrwyr a staff o fewn cyfundrefn gaeth i gychwyn ond a ymlaciodd dros y blynyddoedd.[32]

CWRICWLWM Y COLEG

Cynnal cyrsiau hyfforddi athrawon cynradd ac uwchradd fu prif waith y Coleg Normal, gyda'r pwyslais i raddau helaeth ar addysg gynradd. Dyna oedd *raison d'être* ei fodolaeth a hynny a luniodd ei gymeriad. O ran paratoi myfyrwyr ar gyfer bod yn athrawon, gwelwyd datblygiad o'r cyrsiau tystysgrif dwy flynedd ar y cychwyn i gyrsiau tair blynedd erbyn 1960 ac, o 1965, ychwanegwyd pedwaredd flwyddyn ar gyfer y rhai a oedd â'r cymwysterau a'r awydd i gwblhau gradd BEd Prifysgol Cymru, rhagor na derbyn tystysgrif addysg yn unig. Yn sgil Adroddiad James yn 1972 roedd yn rhaid i bawb ddilyn cwrs gradd ac arbrofwyd am rai blynyddoedd gyda phatrwm 2+2, sef dwy flynedd yn dilyn cwrs diploma addysg uwch mewn pynciau penodol ac yna ddwy flynedd arall o hyfforddiant mewn addysg.

Nid oedd y patrwm hwn yn gwbl lwyddiannus, yn arbennig gan ei fod yn gorfodi myfyrwyr oedd â'u bryd ar fod yn athrawon i oedi am ddwy flynedd cyn cychwyn ar eu hyfforddiant mewn ysgolion. O ganlyniad, erbyn 1982 sefydlwyd cwrs gradd pedair blynedd ar gyfer pawb, a phlethwyd agweddau academaidd pynciol ac agweddau hyfforddiant llawr dosbarth i'r cwrs hwnnw o'r cychwyn cyntaf. Erbyn 1995 penderfynwyd diddymu'r cwrs cynradd pedair blynedd yng Nghymru o blaid cwrs gradd tair blynedd a ganolbwyntiai ar addysg fel disgyblaeth, yn hytrach nag ar y pynciau traddodiadol arferol.

Er mai addysg gynradd oedd prif arbenigedd y Normal roedd hefyd yn cynnig cyrsiau ar gyfer darpar-athrawon uwchradd. Roedd hanes hir o hyfforddi athrawon Gwyddor Tŷ, ac estynnwyd y ddarpariaeth i'r rhan fwyaf o bynciau eraill hefyd. Daeth y cyrsiau hyn i gyd i ben yn ystod y 1980au ond ailgydiwyd mewn cwrs Dylunio a Thechnoleg yn 1994 mewn ymateb i bryder ynghylch prinder athrawon uwchradd yn y maes.

Roedd cyrsiau blwyddyn i raddedigion wedi'u sefydlu hefyd, er 1971, sef y llwybr mwy arferol ar gyfer darpar-athrawon ysgolion uwchradd, a thyfodd hwn yn llwybr ar gyfer athrawon cynradd yn ogystal. Roedd y pwyslais yn y Coleg Normal ar gyrsiau i ddarpar-athrawon cynradd, gan fod yn ymwybodol o dwf cyrsiau uwchradd yn Adran Addysg CPGC gerllaw.

Trwy hyn i gyd – yr holl newid ac ailgynllunio – a oedd rhywbeth arbennig ynglŷn â'r cwricwlwm yn y Coleg Normal? Fel y gwelir isod, un o'r prif nodweddion a berthynai i'r Coleg a'i gyrsiau oedd y pwyslais ar gynnal darpariaeth yn y Gymraeg yn ogystal â'r Saesneg, yn bennaf o'r 1950au ymlaen. Yn gysylltiedig â hynny roedd yr ymdeimlad fod gan y Coleg gyfrifoldeb i gynnal y ddarpariaeth yn y ddwy iaith ar draws yr holl ystod o bynciau. Roedd felly yn bwysig fod darpar-athrawon cynradd, wrth iddynt ddewis eu prif bynciau o fewn y cyrsiau gradd, yn cael dewis unrhyw un o'r meysydd o blith Addysg Gorfforol (gan gynnwys Addysg Awyr Agored), Addysg Grefyddol, Celf, Cerdd, Cymraeg, Daear-yddiaeth, Gwyddoniaeth, Hanes, Mathemateg, Saesneg a Thechnoleg. Newidiodd naws a diffiniad y pynciau hyn dros y blynyddoedd, wrth gwrs, ond, yn eu hanfod, sail y weledigaeth oedd y ddarpariaeth eang, ddwyieithog. O'r 1950au ymlaen, hynny a ffurfiodd asgwrn cefn hyfforddiant athrawon cynradd yn y Coleg, a hynny a barhaodd i fod yn brif ddarpariaeth ar gyfer addysgu cynradd yn yr Ysgol Addysg ym Mangor yn dilyn yr integreiddio yn 1996. Y cwrs blwyddyn ôl-radd yw'r brif ddarpariaeth ar gyfer addysgu uwchradd.

Ond roedd gwyntoedd nerthol eraill yn dylanwadu ar gyfeiriad cwricwlaidd colegau hyfforddi'r wlad, yn arbennig yn ystod y 1970au. Wedi'r ehangu ar niferoedd a nodweddai'r 1960au – roedd cynifer ag 850 o fyfyrwyr yn y Coleg Normal yn 1971 yn cael eu hyfforddi i fod yn athrawon – daeth dyddiau blin o dorri'n ôl yn sgil gor-gynhyrchu athrawon. Effeithiai'r polisi hwn ar y sector gyfan a bu angen ailddiffinio amcanion sefydliadau er mwyn eu cadw ar dir y byw. Caewyd rhai colegau, ymunodd eraill â cholegau cyfagos, ac aeth llawer ohonynt ati i arallgyfeirio gan ehangu eu portffolio o gyrsiau y tu hwnt i'r arlwyaeth hyfforddi athrawon arferol.[33]

Yn achos y Normal, o dan arweiniad Prifathro'r cyfnod, Dr Jim Davies, penderfynwyd dilyn trywydd arallgyfeirio i ffurfio cyrsiau newydd gan adeiladu ar arbenigedd y sefydliad a dilyn egwyddorion penodol: datblygu cyrsiau yn y ddwy iaith neu yn y Gymraeg yn unig; canolbwyntio ar feysydd galwedigaethol; sicrhau cyswllt rhwng y meysydd hynny a'r farchnad waith leol – y cyfryngau Cymraeg, llywodraeth leol, cynhaliaeth yr amgylchfyd; ac osgoi meysydd a fyddai'n cystadlu'n uniongyrchol â'r ddarpariaeth yn CPGC cyfagos.

O ganlyniad gwelwyd sefydlu a datblygu cyrsiau a arweiniai at raddau anrhydedd Prifysgol Cymru mewn meysydd galwedigaethol eu natur: Cynllunio a Rheoli'r Amgylchedd; Gweinyddu Cymdeithasol a Busnes; a Chyfathrebu. Sefydlwyd hefyd gwrs blwyddyn yn arwain at Ddiploma i raddedigion mewn Rheolaeth Cefn Gwlad. Yn ddiweddarach ychwanegwyd cwrs gradd Twristiaeth a Rheolaeth Hamdden at y cyrsiau hyn. Bu'r holl ddatblygiadau'n sialens sylweddol i staff y Normal: yr oeddent hwy hefyd yn gorfod arallgyfeirio. Buddsoddodd y Coleg yn sylweddol wrth benodi staff dwyieithog newydd, wrth ddarparu cyfleoedd i staff ailhyfforddi ar gyfer wynebu sialensau newydd, ac wrth gryfhau cysylltiadau'r Coleg gydag asiantaethau proffesiynol allanol.

Amlygodd y datblygiadau newydd hyn densiynau oedd hefyd ymhlyg yn y cyrsiau hyfforddi athrawon, sef rhwng y pwyslais 'academaidd' a'r pwyslais 'galwedigaethol'. Roedd y naill yn ceisio addysgu ac estyn yr unigolyn trwy astudio meysydd nad oedd eu defnydd ymarferol ym myd gwaith yn gwbl amlwg, a'r llall yn iwtilitaraidd ac ymarferol. Nid oedd y tensiynau hyn yn unigryw i brofiad y Coleg Normal, wrth gwrs, ond rhoddodd y ddarpariaeth newydd a ddaeth yn sgil arallgyfeirio fin ychwanegol ar effaith y tensiynau hyn ar brofiadau myfyrwyr a staff fel ei gilydd.

Gellir dadlau, hefyd, fod gweledigaeth sylfaenol y Normal yn parhau i gael ei hymgorffori o fewn y ddarpariaeth newydd. Yn sicr roedd y gwerthoedd a nodweddai'r Normal – y gofal am les myfyrwyr unigol a phwysigrwydd cyplysu cyrsiau gyda'r diwylliant Cymraeg a Chymreig – yn ymdreiddio ar draws y sefydliad o ganlyniad i'r arallgyfeirio. Roedd hwn yn gyfnod cyffrous a heriol i'r Coleg. Nid ar chwarae bach y llwyddwyd i sefydlu patrwm o gyrsiau gradd galwedigaethol yn y ddwy iaith a fyddai'n paratoi graddedigion ar gyfer byd gwaith, yn arbennig yn y Gymru Gymraeg.

Y GYMRAEG A CHYMREICTOD

Ymylol oedd y Gymraeg yng nghyrsiau'r Coleg tan y cyfnod yn dilyn yr Ail Ryfel Byd. Dyma ddisgrifiad Ambrose Bebb o'r sefyllfa ym mlynyddoedd cynnar y Coleg:

> Ni chlyw'r bechgyn hyn air o sôn am Gymru yn y Coleg, am ei hen hanes, nac am drysorau ei Llên, ei Chân na'i Diwylliant. Am hanner canrif eto, ni roddir i'r naill do ar ôl y llall ohonynt odid un wers yn Gymraeg. Pan ddaw'r wers Gymraeg yno, cyn diwedd y ganrif, gofelir ei halltudio, yn oer ac yn drefnus, i'w lle bach ei hun o'r neilltu.[34]

Yr un oedd cwyn John Lloyd Williams wrth sôn am ei brofiad ef fel myfyriwr yn y Normal dros y cyfnod 1873–75:

> Mewn ysgolion yng Nghymru y bwriadai mwyafrif mawr y bechgyn fod yn athrawon. A wneid rhywbeth i'n paratoi ar gyfer gwaith yng Nghymru? Na wneid! Buasai'r holl baratoad yn gwneud lawn cystal ar gyfer ysgol yn Surrey. Yn ddiweddarach gwnaeth Syr O. M. Edwards fwy na neb i agor llygaid yr athrawon Cymreig i ganfod y gwrthuni o wybod popeth am Shakespeare, ond dim am Ddafydd ap Gwilym; ond ar hyd fy nwy flynedd ym Mangor ni chlywais, yn swyddogol, air am Gymru, nac am yr iaith Gymraeg, nac am yr un alaw Gymreig.[35]

Fodd bynnag, o'r 1950au ymlaen, un ddolen gydiol drwy hanes y Normal oedd pwysigrwydd y Gymraeg fel iaith addysgu yn ogystal ag fel iaith cyfathrebu a gweinyddu, a hynny yn ganlyniad naturiol i'w leoliad daearyddol a'r enw da a enillodd fel sefydliad addysgol. Cymaint yw pwysigrwydd y Gymraeg yn ei hanes diweddarach fel nad oes modd deall llawer o ganfyddiadau a phrofiadau myfyrwyr y cyfnod hwnnw ond trwy brism yr iaith.

Ffactor pwysig yn y cynnydd hwn oedd yr hinsawdd addysgol gyffredinol. Yn 1953 cyhoeddodd y llywodraeth yr adroddiad *Lle'r Gymraeg a'r Saesneg yn Ysgolion Cymru*, a arweiniodd yn uniongyrchol yn 1956 at ddynodi dau sefydliad addysg uwch yng Nghymru i hyfforddi athrawon drwy gyfrwng y Gymraeg, sef Coleg Normal Bangor a Choleg y Drindod, Caerfyrddin.[36]

O ystyried y datblygiad yn lle'r Gymraeg ym mywyd academaidd a chymdeithasol y Coleg yn yr ugain mlynedd wedi hynny, roedd yn newid aruthrol; o'i weld yn erbyn y cefndir gan mlynedd ynghynt pan sefydlwyd y Coleg, roedd yn newid syfrdanol mewn agwedd, amcan ac ymrwymiad nad oedd sefydlwyr y Coleg wedi breuddwydio amdano. Er mwyn gweith-redu ar sail y statws newydd a roddwyd i'r Coleg yn sgil adroddiad 1953 roedd angen gweledigaeth eang o le'r Gymraeg a'r Saesneg mewn cymdeithas ar bob lefel.[37]

Cawsai ambell bwnc ei gynnig drwy gyfrwng y Gymraeg cyn hyn, ac yr oedd hynny, fel yr adroddiad ei hun, yn deillio o'r ymwybyddiaeth o Gymreictod oedd yn cyniwair drwy Gymru ac a arweiniodd yn yr un cyfnod at sefydlu ysgolion uwchradd dwyieithog. Er i'r ddarpariaeth gael ei chynnig yn rhyfeddol o sydyn i'r myfyrwyr, gellir gwerthfawrogi parod-rwydd y rhai oedd am dderbyn yr her oherwydd, yn y bôn, dibynnai'r galw am gyrsiau Cymraeg ar dwf addysgu trwy gyfrwng y Gymraeg yn yr ysgolion uwchradd, ac araf fu'r twf hwnnw.

Nid trawsnewid dros nos fu Cymreigio'r Coleg ar unrhyw lefel.[38] Dangosodd Prifathro'r cyfnod, Dr Richard Thomas, a oedd yn ddi-Gymraeg ei hun, gryn ddewrder wrth gyhoeddi i'w staff y byddai'n rhaid iddynt ddechrau darlithio yn y Gymraeg, yn ogystal â'r Saesneg, o Fedi 1956. Ni allwn ni ond dychmygu'r darparu y bu'n rhaid ei wneud. Nid oedd yn hawdd i'r myfyrwyr na'r darlithwyr, a'r rheini i gyd yn ôl pob tebyg wedi astudio'r pynciau yn Saesneg ar hyd y blynyddoedd, heb lyfrau cyfeirio a heb dermau cydnabyddedig. Gwnaed cyfraniad syl-weddol gan staff y Normal i'r dasg o lunio llawlyfrau termau cynhwys-fawr, dan ymbarel Prifysgol Cymru,[39] ac i gynhyrchu defnyddiau i gynorthwyo ysgolion uwchradd wrth iddynt ddod i'r afael â dysgu drwy gyfrwng y Gymraeg ar draws nifer gynyddol o bynciau.

Amlygwyd brwdfrydedd staff y Coleg dros hybu'r Gymraeg yn eu hymwneud â chynlluniau i gyfoethogi profiadau plant yn ysgolion Cymru, yn arbennig ym maes iaith ei hun ond hefyd yn y defnydd o'r Gymraeg ar draws y cwricwlwm ac wrth asesu. Atgyfnerthwyd y gwaith hwn gan y cysylltiadau agos a fagwyd gydag awdurdodau addysg lleol a hyrwyddwyd ymhellach gan gryfder polisi iaith sir Gwynedd, yn arbennig, yn dilyn adrefnu llywodraeth leol yn 1974.[40] Enghraifft glasurol o'r cydweithio hwn oedd cyhoeddi defnyddiau cyfoethog *Cynllun y Porth*,[41] project ar 'y Gymraeg fel Iaith Gyntaf yn yr Ysgol Gynradd' a noddwyd gan y Cyngor Ysgolion. Rhoddwyd y defnyddiau a'r dulliau addysgu ar brawf mewn deugain o ysgolion oedd wedi eu dewis gan Awdurdodau Addysg led-led Cymru. Torrodd y project hwn gŵys newydd ym maes y Gymraeg fel iaith gyntaf, a sefydlodd batrwm a efelychwyd mewn meysydd eraill.

Araf iawn fu Cymreigio gweinyddiaeth ac awyrgylch y Coleg Normal er cymaint y gweithgarwch i addysgu drwy gyfrwng y Gymraeg. Bu'n rhaid i fyfyrwyr ac aelodau'r staff ofyn dro ar ôl tro am bethau syml fel papur ysgrifennu swyddogol y Coleg, hysbysebion ac ati yn ddwyieithog. Tan ddiwedd y 1960au Saesneg oedd iaith y cyfarfodydd swyddogol, ac yn Saesneg yn unig y cadwyd cofnodion y cyfarfodydd hynny.[42] Erbyn y 1970au, gyda chefnogaeth y Prifathro newydd, Dr Jim Davies, roedd naws y Coleg a'r lle a roddid i'r Gymraeg yn swyddogol ac yn answyddogol yn galluogi'r myfyrwyr Cymraeg i gael bywyd cyflawn drwy gyfrwng eu dewis iaith.[43]

Yn ystod y 1970au a'r 1980au cyrhaeddodd y Coleg Normal benllanw ei Gymreictod gan adeiladu ar y cyfnod o gynnydd cyson mewn brwdfrydedd a hyder a fu yn y 60au. Cynigid cyfle i bob myfyriwr, ac eithrio'r ychydig oedd yn dilyn cyrsiau Addysg Awyr Agored, i ddilyn eu cyrsiau drwy gyfrwng y Gymraeg. Roedd y mwyafrif helaeth o'r staff academaidd yn siarad Cymraeg ac yn gallu darlithio drwy'r iaith honno. Roedd gweinyddiaeth y Coleg yn drwyadl ddwyieithog gyda'r rhan fwyaf o dipyn o'r staff gweinyddol ac ategol yn Gymry Cymraeg, ac, yn gynyddol, roedd cyfarfodydd yn cael eu cynnal yn Gymraeg er bod y cofnodion yn ddwyieithog. Dynodwyd dwy neuadd breswyl yn neuaddau Cymraeg, ac, i bob pwrpas, y Gymraeg oedd iaith gynta'r sefydliad.

Erbyn 1975, yn sgil Adroddiad James 1972 ar hyfforddi athrawon, roedd dyfodol y Coleg Normal yn y fantol a bu'n frwydr galed i'w gadw.[44] Y ddadl gryfaf dros sicrhau parhad y Coleg oedd ei Gymreictod. Mae'r adroddiad a gyflwynwyd yn 1975 i'r Ysgrifennydd Gwladol dros Addysg, Fred Mulley, yn cyfiawnhau hawl y Coleg i'w alw'i hun yn 'goleg Cymreiciaf Cymru'.[45] Llwyddodd y dadleuon hyn i wyrdroi bwriadau gwreiddiol y llywodraeth i gau'r Coleg ond ni ddaeth llwyddiant heb gost, yn arbennig o ran y pwysau gwaith ychwanegol ar staff i gynnal cyrsiau yn y ddwy iaith.

Golygai hyn oriau ychwanegol ar daflenni amser y staff. Gyda gwasgu ariannol cyson ar golegau, a'r llywodraeth yn torri niferoedd darparathrawon o flwyddyn i flwyddyn, bu'n rhaid lleihau nifer y staff, ond daliwyd ati i addysgu dosbarthiadau Cymraeg ar wahân gan ychwanegu'n sylweddol at amserlen darlithwyr. Roedd cytundeb oriau swyddogol darlithwyr wedi'i daflu o'r neilltu. Serch hynny, llwyddwyd i estyn a dyfnhau'r ddarpariaeth Gymraeg ymhellach dros gyfnod y 1980au a'r 90au, a hynny oherwydd penderfyniad cychwynnol Dr Jim Davies, a gweledigaeth gadarn ei olynydd fel Prifathro, Ronald Williams, o 1985 ymlaen, cefnogaeth lawn llywodraethwyr y Coleg, brwdfrydedd y staff a pharodrwydd y myfyrwyr i fentro.

Roedd llawer o ffactorau yn ysgogi'r Normal a CPGC i ystyried dulliau o gydweithio dros y blynyddoedd. Yn wir, "[i]n 1900 a government inspector expressed surprise that there was no connection between the University College and the BNC, especially since they were close to one another; indeed within a decade or so they were to be cheek by jowl."[46]

Roedd y ddau sefydliad yn yr un ddinas, ac, o 1910 ymlaen, pan symudodd Coleg y Brifysgol o'i safle cyntaf yn y *Penrhyn Arms Hotel* i'w safle presennol ym Mangor Uchaf, roedd prif adeiladau'r ddau goleg yn llythrennol dros y ffordd i'w gilydd. Roedd y ddau sefydliad hefyd yn hyfforddi athrawon. Roedd gwreiddiau'r ddau sefydliad yn y Gymru Gymraeg Anghydffurfiol ac roeddynt felly yn rhannu rhai gwerthoedd.

Nid oedd yn syndod, felly, i'r ddau geisio closio at ei gilydd o bryd i'w gilydd ac mae hanes y ddau yn frith o ymdrechion i gryfhau'r berthynas rhyngddynt, gan gynnwys ystyried cymryd y cam tyngedfennol o fynd i bartneriaeth ac uno. Fodd bynnag, roedd nifer o ffactorau yn milwrio yn erbyn gor-glosio: nid yr un oedd eu dyheadau ac nid yr un ychwaith, er gwaetha'r mynych gyfeiriad at 'geiniogau'r werin', oedd hanfod eu gwreiddiau. Yn gam neu'n gymwys unieithiwyd Coleg y Brifysgol dros amser gyda'r 'sefydliad' Prydeinig tra cadwodd y Normal yn agosach at ei gefndir Anghydffurfiol. Adroddodd John Lloyd Williams yn ei hunangofiant ei fod yn cofio, pan aeth i Fangor yn fyfyriwr yn 1873, y "caseid y 'Normal' gan rai o'r tirfeddianwyr â chas cyflawn, am Ymneilltuaeth a Rhyddfrydiaeth yr athrawon a mwyafrif yr efrydwyr . . . Ac amryw weithiau gwelais ysgarmesoedd rhwng bechgyn y coleg a *gangsters* Torïaidd Hirael a Dean Street."[47] Meddai un Tori yn ei glyw, "What can you expect from the upstarts who have never enjoyed the advantages of a public school education and university training but radicalism and atheism?"[48]

Ar lefel addysg fel disgyblaeth roedd natur a strwythur y cyrsiau hyfforddi athrawon yn y ddau sefydliad yn sylfaenol wahanol o'r cychwyn a'r dulliau o'u cyllido yn wahanol. Magodd y ddau sefydliad eu statws a'u cymeriad eu hunain ac anodd fyddai i'r naill ildio grym i'r llall. Nid yr un oedd safon y myfyrwyr oedd yn mynychu'r ddau goleg, yn arbennig yn y dyddiau cynnar pan oedd y Coleg Normal yn denu myfyrwyr o safon sylweddol uwch na'r rhai a dderbyniai eu hyfforddiant yn CPGC.[49] Ymhellach, roedd bodolaeth y ffin ddeuol (*binary line*) o fewn addysg uwch ar draws gwledydd Prydain yn cadarnhau'r statws gwahanol a oedd i'r ddau sefydliad.

Mae hanes y Normal a CPGC yn frith o enghreifftiau o glosio a chilio a chlosio eto. I raddau helaeth gellir cyplysu'r pendilio hwn gyda'r prifathrawon unigol a'u persbectifau amrywiol ar fanteision ac anfanteision cydweithio. Dros gyfnod ei 138 o flynyddoedd, naw prifathro yn unig a gafodd y Normal, cyfartaledd o fymryn dros 15 mlynedd yr un:

John Phillips	1858–67
Daniel Rowlands	1867–91
John Price	1891–1905
David Robert Harris	1905–33
Richard Thomas	1935–58
Edward Rees	1958–69
James A. Davies	1969–85
Ronald Williams	1985–93
H. Gareth Ff. Roberts	1994–96

Nid oedd y cyfle i gydweithio wedi codi yng nghyfnod John Phillips[50] gan na sefydlwyd CPGC tan 1884. Rhoddodd y Parchedig Daniel Rowlands gryn gefnogaeth i'r mudiad i sefydlu CPGC gan fod yn amlwg yn y cyfarfodydd cyhoeddus a gynhaliwyd i roi hwb i'r fenter. Bu cysylltiad agos rhyngddo a CPGC o'r cychwyn, a bu'n aelod gweithgar o Gyngor y coleg hwnnw am nifer o flynyddoedd, ymhell wedi iddo ymddeol.[51]

Erbyn i John Price gael ei benodi'n Brifathro yn 1891 yn 61 oed, ac yntau wedi bod ar staff y Coleg Normal o'r cychwyn cyntaf ac yn Ddirprwy Brifathro er 1863, roedd CPGC wedi'i sefydlu ond heb symud i Fangor Uchaf. Roedd awdurdodau CPGC wedi bod yn holi, mor gynnar â 1886, sut y gallai'r Coleg Normal elwa ar y manteision a gynigid ganddynt.[52] Roedd staff y Normal yn ceisio gwarchod eu hannibyniaeth o'r cychwyn gan wrthwynebu unrhyw awgrym o glosio, heb sôn am uno, rhwng y ddau sefydliad. Y cwestiwn hwn oedd y prif ystyriaeth wrth benodi John Price. Roedd Price wedi pwysleisio'r anawsterau mawr a'i gwnâi'n amhosibl cyfuno'r ddau goleg. Rhannwyd y pwyllgor penodi'n ddwy garfan a datblygodd "yr ymdrech am swydd y prifathro yn gyfystyr ag ymdrech am barhad y Coleg Normal fel sefydliad annibynnol".[53] Y garfan o blaid Price a orfu a bu'r Prifathro newydd yn amddiffyn yr annibyniaeth honno yn gryf dros gyfnod ei deyrnasiad.

Yn ystod cyfnod John Price gwelwyd datblygiadau pellgyrhaeddol o ran hyfforddi athrawon yn CPGC. Yn 1894, gan fanteisio ar ddeddfwriaeth newydd a basiwyd yn 1890, agorwyd yno adran a adwaenid fel *Day Training College* (ni ddefnyddiwyd fersiwn Gymraeg o'r enw) ac ynddi le i hyfforddi deg ar hugain o ddynion a'r un nifer o ferched.[54] Roedd y Coleg Normal yn ddrwgdybus iawn o'r datblygiad newydd hwn a bu cryn drafod ynghylch rhinweddau colegau preswyl, fel y Normal, dros golegau dyddiol. Cydnabuwyd bod safon y cyntaf gryn dipyn yn uwch na'r ail. Un o'r tiwtoriaid yn yr adran newydd oedd David Robert Harris. Erbyn 1905 roedd David Harris wedi bod yn gweithio mewn coleg yn Llundain, a dychwelodd i Fangor fel olynydd John Price. Daeth â nifer o syniadau newydd gydag ef, gan fanteisio hefyd ar ei wybodaeth a'i brofiad o weithio yn y *Day Training College.* Roedd yn awyddus i hybu cydweithrediad trwy benodi staff a fyddai'n cyfrannu at gyrsiau yn y Normal ac yn CPGC fel ei gilydd, ac i'r naill sefydliad gydnabod gwaith y llall. Llwyddwyd i roi cynlluniau ar y gweill ac i wneud rhai cyd-apwyntiadau ond byrhoedlog fu'r fenter. Codwyd dadleuon gan Lys CPGC ynghylch ei allu cyfansoddiadol, fel y'i diffiniwyd yn ei Siarter, i gydnabod cyrsiau nad oeddynt yn cael eu haddysgu ar ei dir a daeth y cynllun i ben i bob pwrpas erbyn 1908.[55] Mae'n debyg i Harris gael ei siomi na lwyddwyd i symud pethau ymlaen ynghynt a thawodd y sôn am ragor o gydweithio am weddill ei gyfnod fel Prifathro.

Erbyn penodi Dr Richard Thomas yn Brifathro yn 1935 roedd fframwaith y berthynas rhwng y Coleg Normal a CPGC wedi datblygu ymhellach yn sgil newidiadau ar lefel genedlaethol. Yn 1929 sefydlwyd Bwrdd Arholi dan nawdd Prifysgol Cymru ar gyfer y Colegau Hyfforddi Cymreig.[56] Y Bwrdd Arholi hwnnw oedd yn arholi cyrsiau yn y Coleg Normal, ac roedd y myfyrwyr, trwy hynny, yn derbyn cymwysterau Prifysgol Cymru. Serch hynny, ychydig iawn o gyswllt swyddogol oedd rhwng y ddau goleg ym Mangor ac eithrio'r cyswllt ffurfiol hwn drwy'r Bwrdd Arholi.[57]

Edward Rees a olynodd Richard Thomas yn 1958. Fe'i penodwyd yn yr un flwyddyn ag y daeth Charles Evans yn Brifathro ar CPGC, lle y bu tan 1984. Bu'n gyfnod anodd i CPGC am sawl rheswm, ac, er i waith y Bwrdd Arholi barhau'n ffyniannus, ni fu modd datblygu unrhyw glosio dyfnach rhwng y ddau sefydliad.[58]

Erbyn i Dr Jim Davies gydio yn y llyw yn y Coleg Normal yn 1969 daeth pwysau trwy Adran Addysg y llywodraeth ar y Normal i uno â CPGC. Dan arweiniad Dr Jim llwyddodd y Coleg i gadw ei annibyniaeth gan frwydro'n agored ac yn wleidyddol. Yn ystod y cyfnod hwnnw canfyddiad y cyhoedd oedd bod arweiniad CPGC yn wan ei gefnogaeth i'r Gymraeg ac mai ymgais i feddiannu adnoddau'r Normal oedd ei gymhelliad.[59] Camp Dr Jim oedd ennill y frwydr gan fagu cysylltiadau dylanwadol gyda llu o gyrff ac unigolion allanol. Crisialwyd y farn ar lawr gwlad mewn cwpled a gyfansoddwyd mewn Ymryson y Beirdd a gynhaliwyd yn y cyfnod hwn dan nawdd Cymdeithas Gymraeg Myfyrwyr

CPGC. Un o'r tasgau a osodwyd gan y Meuryn, O. M. Lloyd, oedd cwpled yn cynnwys y gair 'normal'. Cynnig un o dîm Dyffryn Ogwen oedd:

Er gwaetha'r hyn fygythir
Mae'r Normal yn dal ei dir.[60]

Yn y man daeth arweinyddion newydd i lywio CPGC, a meiriolwyd llawer ar oerni'r cyfnod anodd hwnnw yn hanes addysg uwch ym Mangor yn gyffredinol ac yn arbennig ar y cysylltiad rhwng y ddau goleg.

Dros gyfnod y Prifathro nesaf, Ronald Williams, a benodwyd yn 1985, llwyddwyd i godi nifer y myfyrwyr ar holl gyrsiau'r Coleg i dros fil. Llwyddwyd hefyd i adeiladu ymhellach ar y berthynas rhwng y Normal a CPGC. Bedair blynedd ynghynt roedd CPGC wedi penodi Dr Iolo Wyn Williams i'r Gadair Addysg, a chafwyd enghreifftiau o gydweithio adeiladol, yn arbennig rhwng staff yr Adran Addysg a staff y Normal a oedd yn hyfforddi athrawon. Cwmpasodd y cydweithio hwn waith ar y cyd wrth ddatblygu adnoddau cwricwlaidd, yn ogystal â gweithredu cynlluniau newydd ym maes hyfforddiant mewn-swydd, cyd-ddysgu ar gyrsiau Meistr a chwrs newydd o hyfforddiant cynradd i raddedigion. Mewn partneriaeth rhwng y ddau sefydliad ac Awdurdod Addysg Gwynedd gwelwyd hefyd sefydlu'r Ganolfan Adnoddau Iaith, dan arweiniad J. Elwyn Hughes, gyda'r nod o gynhyrchu deunyddiau cwricwlaidd o fewn fframwaith ymchwil a datblygiad.

Dyma hefyd pryd y newidiodd statws cyfreithiol y Coleg Normal. Hyd at 1992 cafodd ei reoli a'i gyllido trwy Awdurdodau Addysg lleol. Yn sgil deddfwriaeth newydd fe'i hymgorfforwyd yn 1992 fel sefydliad addysg uwch annibynnol a dderbyniai ei gyllid yn uniongyrchol gan y llywodraeth. Gyda'r rhyddid newydd hwn daeth hefyd fwy o gyfrifoldeb, lleihawyd cynrychiolaeth llywodraeth leol ar y Bwrdd Llywodraethwyr a phenodwyd rhagor o gynrychiolwyr busnes a'r proffesiynau.

INTEGREIDDIO

Erbyn i'r Prifathro olaf, Dr Gareth Roberts, gael ei benodi yn 1994 roedd yr awyrgylch rhwng y ddau goleg yn llawer cynhesach. Crisialwyd y newid hwn mewn paragraff yn y rhagair i'r gyfrol *Cau Pen y Modiwl*, casgliad o gerddi gan gyn-fyfyrwyr a staff y Coleg Normal a gyhoeddwyd i ddathlu'r integreiddio. Mae'r paragraff yn cymharu amgylchiadau'r integreiddio yn 1996 gyda'r amgylchiadau llawer llai ffafriol yn nyddiau Dr Jim Davies:

Chwarter canrif, a dau brifathro yn ddiweddarach, mae'r Brifysgol yn ymuno gyda'r Coleg Normal, a'r ddau sefydliad yn mabwysiadu cenhadaeth newydd ac ymrwymiad o'r newydd i hyrwyddo a chynnal iaith, diwylliant ac economi Cymru. Nid bod y dröedigaeth yn un llwyr na bod statws yr iaith yn gwbl ddiogel yn y sefydliad integreiddiedig. Ond rhoddwyd y peirianwaith yn ei le i sicrhau y gall pethau lwyddo os pery'r ymroddiad a'r ewyllys da a amlygwyd yn y trafodaethau a arweiniodd at yr uniad.[61]

Erbyn canol y nawdegau pa ffactorau oedd yn gyrru'r peiriant integreiddio a beth oedd yn sicrhau bod y peiriant hwnnw yn gallu symud yn gymharol esmwyth?

Roedd y ffactorau allweddol yn sicr yn cynnwys ystyriaethau cyllidol. Gyda diflaniad y ffin ddeuol roedd prif ffynonellau cyllid y ddau sefydliad yn cael eu sianelu trwy un corff, sef Cyngor Cyllido Addysg Uwch Cymru, rhagor na thrwy ddau gorff gwahanol. Fodd bynnag, nid oedd y dulliau cyllido, na chynt na chwedyn, yn cydnabod y costau ychwanegol a wynebid gan sefydliadau bychain fel y Normal ac roedd 'enillion effeith-lonrwydd' yn golygu bod sefydliadau yn derbyn llai o gyllid flwyddyn ar ôl blwyddyn i gynnal yr un ddarpariaeth.

Ystyriaeth bellach oedd bod stoc ystâd y Coleg Normal yn prysur ddirywio – bu'n rhaid cau Adeilad y George yn 1995 am resymau iechyd a diogelwch, ac roedd cyflwr yr hen neuaddau gwreiddiol yn druenus o isel ac ymhell o gyrraedd y safon a ddisgwylir gan fyfyrwyr cyfnod diweddarach. Rhagwelwyd y gallai pethau fod yn bur argyfyngus o fewn dim amser.

Roedd hefyd yn glir fod integreiddio'r ddau goleg ym Mangor yn rhan o agenda gwleidyddol ehangach y Swyddfa Gymreig i leihau nifer y sefydliadau addysg uwch yng Nghymru gan anelu at greu unedau mwy a chryfach. Wrth ddilyn y strategaeth hon, roedd y Cyngor Cyllido, fel lladmerydd y Swyddfa Gymreig, yn gallu agor a chau drysau. Roedd yn anodd, er enghraifft, i'r Coleg Normal ehangu ymhellach ar ei bortffolio o gyrsiau ym maes hyfforddi athrawon – a oedd yn parhau i fod yn fara menyn y sefydliad – ac roedd eisoes argoelion y byddai'r niferoedd ar y cyrsiau a fodolai yn gorfod cael eu cwtogi yn y pen draw oherwydd y gor-gynhyrchu hanesyddol ar draws Cymru.

Tra bu'r Cyngor Cyllido fel petai'n chwipio gydag un llaw bu hefyd yn cynnig moronen gyda'r llall. Sefydlodd y Cyngor gronfa integreiddio benodol er mwyn hyrwyddo gweithio agosach, gan gynnwys integreiddio, rhwng sefydliadau yng Nghymru. Roedd y Coleg Amaethyddol yn

Aberystwyth eisoes wedi gallu manteisio ar y grant hwnnw wrth iddo uno gyda Choleg Prifysgol Aberystwyth. Gwelwyd cyfle i wneud rhywbeth tebyg ym Mangor ond byddai angen i'r amodau fod yn briodol ac yn fodd i greu uniad newydd a rhagorach na'r hyn a oedd eisoes yn bodoli.

O'r cychwyn cyntaf roedd yna ymdeimlad cryf mai rhywbeth newydd oedd yn cael ei greu ym Mangor i olynu CPGC a'r Coleg Normal fel ei gilydd. Byddai ffurfio 'Prifysgol Cymru, Bangor' yn gam hanesyddol pwysig, nid yn unig o ran mabwysiadu enw newydd ond hefyd o ran rhoi cyfle i lunio cenhadaeth newydd a fyddai'n parchu hanes a thraddodiad a chryfderau'r ddau sefydliad. A hynny a gafwyd. Sefydlwyd pwyllgorau lu i edrych ar bob agwedd o'r integreiddio arfaethedig. Roedd y datganiad o genhadaeth y cytunwyd arno gan y ddau sefydliad yn ddrych o'r wedd newydd a fwriadwyd:

> Bydd Prifysgol Cymru, Bangor yn cynnal ac yn hybu ei henw da yn genedlaethol ac yn rhyngwladol am ansawdd ei hymchwil a'i hysgolheictod, ei haddysgu a'i dysgu. Bydd yn cydnabod yn arbennig ei chyfrifoldeb am ddatblygiad deallusol a phersonol ei myfyrwyr, ei hymrwymiad i iaith, diwylliant ac economi Cymru a'i lle o fewn y gymuned academaidd ryngwladol.[62]

Yn arwyddocaol roedd yr ieithwedd a fabwysiadwyd yn adlewyrchu'r awydd i gyd-weithio. Er enghraifft, roedd y ddogfennaeth yn nodi bod y ddau sefydliad bellach yn 'gyfamcan'. Nid oedd son am 'uno/*merge*' gan fod hynny'n awgrymu traflyncu un sefydliad gan un arall; yn hytrach soniwyd am 'integreiddio', sef dau sefydliad yn dod ynghyd er budd y naill a'r llall.

Mewn datganiad a roddodd hwb sylweddol i'r trafodaethau, rhoddodd y Cyngor Cyllido gefnogaeth i sefydlu ym Mangor ganolfan o ragoriaeth mewn addysg drwy gyfrwng y Gymraeg. Yn y man esgorodd y datganiad hwn ar Ganolfan Bedwyr, dan arweiniad a gweledigaeth Cen Williams, un o gyn-Ddirprwy Brifathrawon y Coleg Normal. Mae Canolfan Bedwyr wedi dylanwadu'n greiddiol o'r cychwyn cyntaf ar y Gymraeg ym Mangor a thu hwnt.

Hyrwyddwyd y weledigaeth ymhellach trwy sicrhau y byddai Ysgol Addysg integredig ym Mangor, un a fyddai'n cyfuno cyrsiau'r Coleg Normal gyda chyrsiau Adran Addysg y Brifysgol, yn fodd i greu uned gref a fyddai'n pontio'r cyrsiau hyfforddi cynradd ac uwchradd yn ogystal â datblygu addysg ymhellach fel disgyblaeth. Roedd hefyd yn cynnig posibiliadau newydd o ran cryfhau ymchwil, yn arbennig ym maes dwyieithrwydd. Cartrefwyd cyrsiau eraill y Coleg Normal mewn ysgol newydd – yr Ysgol Astudiaethau Cymuned, Rhanbarth a Chyfathrebu – a leolwyd yn adeilad yr Hen Goleg ac Adeilad Hugh Owen.

Roedd ffactorau eraill hefyd yn ddylanwadol. Roedd y ffaith ddaearyddol syml fod y ddau sefydliad yn byw gefngefn ym Mangor yn allweddol. O hyn ymlaen byddai'r partneriaid ym Mangor yn troi i wynebu'i gilydd dros Ffordd y Coleg. Roedd y personoliaethau ar ddwy ochr y ffordd honno yn gallu cydweithio a chyd-drafod yn agored ac yn broffesiynol, yn barod i ymgynghori'n eang ac i wrando'n sensitif wrth i'r broses ddatblygu.

Crisialwyd rhai o'r dadleuon gan un o'r personoliaethau hyn wrth nodi mai "awydd gwerin Cymru am ddarpariaeth amgen ar gyfer ei phlant yw cynhysgaeth y ddau sefydliad. Y werin honno a gyfrannodd yn hael at sefydlu'r ddau goleg fel ei gilydd. Ac y mae'n werth gofyn pa mor wahanol yw dau draddodiad a gynhyrchodd ac a roes gartref i John Rhys a John Morris-Jones, J. Lloyd Williams ac R. Alun Roberts, Henry Jones a Hywel D. Lewis, Owen Prys a Bleddyn Jones Roberts – heb sôn am Ryan Davies a Caryl Parry Jones.[63] Weithiau y mae'r apêl at hanes yn darganfod tebygrwydd yn hytrach na gwahaniaeth ac yn cynnig sylfaen y gellir adeiladu arni."[64]

Ar 20 Chwefror 1996 rhoddod Bwrdd Llywodraethwyr y Coleg Normal, dan gadeiryddiaeth Gwilym E. Humphreys, sêl ei fendith i'r cynlluniau ar gyfer integreiddio. Roedd Cyngor a Senedd CPGC wedi rhoi eu cymeradwyaeth hefyd mewn cyfarfod arbennig rai dyddiau ynghynt. Un o'r rhai a siaradodd o blaid y cynlluniau yn y cyfarfod hwnnw oedd Dr Jim Davies. Roedd hynny, ynddo'i hun, yn arwydd o gryn newid ym Mangor.

Daeth y Coleg Normal i ben yn ffurfiol ar 31 Gorffennaf 1996 a sefydlwyd y coleg integredig newydd y diwrnod wedyn. Ar 24 Hydref 1996 cynhaliwyd Gwasanaeth Ymgysegru yng Nghapel Tŵr Gwyn, Bangor Uchaf, i ddathlu'r achlysur.[65] Roedd y Coleg Normal wedi dod adref at ei wreiddiau.

CLOI

Mae pob sefydliad addysg yn bodoli er mwyn ei fyfyrwyr. Yng nghorff y llyfr hwn cawn gip ar eu profiad yn y Normal dros y degawdau. O angenrheidrwydd nid yw trwch y myfyrwyr yn dilyn hynt a helynt y sefydliadau y maent yn perthyn iddynt o ddydd i ddydd os nad yw'r datblygiadau hynny yn effeithio'n uniongyrchol ar eu profiadau fel myfyrwyr. Yn ystod y trafodaethau integreiddio roeddynt yn dadlau'n gryf dros gadw'r ymdeimlad o agosatrwydd a oedd yn perthyn i'r Normal. Roeddynt ar yr un pryd yn cydnabod y cyfleoedd ehangach a ddeuai wrth berthyn i Undeb mwy.

Ar gychwyn y rhagymadrodd hwn dyfynnwyd geiriau Richard Thomas, a gyfeiriai at y lle cynnes a enillodd y Coleg yng nghalon y genedl a'i fyfyrwyr. Crisialwyd hyn yn berffaith mewn englyn gan Gerallt Lloyd Owen, un o gyn-fyfyrwyr y Coleg:

> Hen fan dysg ar fin y don – a'i furiau'n
> Diferu atgofion
> O'r oriau lleddf a'r rhai llon –
> Hen goleg yn y galon.[66]

H. Gareth Ff. Roberts

NODIADAU

1. Coleg Normal Bangor (1958) *Bangor Normal College – Y Coleg Normal, Bangor 1858–1958*. Bangor: Coleg Normal (adargraffwyd Gorffennaf 1996). t. 9.
2. Codwyd yr adeilad yn 1910 fel ffreutur ar gyfer myfyrwyr neuaddau preswyl y Coleg Normal a chyfeiriwyd ato fel *Central Block* gan genedlaethau o fyfyrwyr. Ar 3 Ebrill 1995 dinistrwyd y to a'r cynnwys gan dân. Yn dilyn y tân adnewyddwyd yr adeilad yn llwyr gan adfeddiannu ei ogoniant gwreiddiol. Agorwyd yr adeilad ar ei newydd wedd dan yr enw Adeilad Hugh Owen gan yr Arglwydd Cledwyn o Benrhos mewn seremoni ar 31 Mai 1996.
3. Cyflogwyd Hugh Owen yn Llundain fel gwas sifil, yn gyntaf dan Gomisiwn Deddf y Tlodion yn *Somerset House* ac yna fel prif Glerc yr Adran Llywodraeth Leol, lle y bu i bob pwrpas yn gweithredu fel Ysgrifennydd Parhaol yr Adran (B. L. Davies (1977) *Hugh Owen 1804–1881*. Caerdydd: Gwasg Prifysgol Cymru. t. 12). Datblygodd ei ddylanwad yn bennaf trwy'r cymdeithasau Cymreig yn Llundain, trwy enwad y Methodistiaid Calfinaidd y bu Owen yn aelod blaengar ohono, a thrwy ei aelodaeth o bwyllgorau addysg amrywiol.
4. B. L. Davies (1977) *Hugh Owen 1804–1881*. Caerdydd: Gwasg Prifysgol Cymru. t. 16.
5. Mae coleg hyfforddi *Borough Road* bellach yn rhan o Brifysgol Brunel.
6. D. Gerwyn Lewis (1980) *The University and the Colleges of Education in Wales 1925–78*. Caerdydd: Gwasg Prifysgol Cymru. t. 12.
7. *Hugh Owen 1804–1881*. t. 42.
8. Ibid.
9. Canolbwyntiwyd y gwaith ar ogledd Cymru gan na lwyddwyd i gynnal coleg hyfforddi yn ne Cymru, er mentro yn 1846 i sefydlu coleg 'normal' yn Aberhonddu a symudwyd i Abertawe yn 1848 ond a gaewyd yn 1851 (*The University and the Colleges of Education in Wales 1925–78*. t. 11). Asgwrn y gynnen oedd amharodrwydd Anghydffurfwyr de Cymru – y mwyafrif

ohonynt yn Annibynwyr a Bedyddwyr – i gefnogi ysgolion Brytanaidd, am y credent y byddai hynny yn arwain at ymyrraeth gan y llywodraeth yn sgil derbyn grantiau ganddi.

10. *Coleg Athrawol Bangor (Bangor Normal College) At ddwyn i fyny athrawon i Ysgolion Brutanaidd y Dywysogaeth yr Adroddiad cyntaf.* Gorphenaf 7, 1863. [Llyfrgell Genedlaethol Cymru XLB2162]
11. Ibid., General Balance Sheet.
12. Ibid., t. 8.
13. Ibid.
14. W. Ambrose Bebb (1954) *Canrif o Hanes y Tŵr Gwyn 1854–1954.* Bangor: Capel Tŵr Gwyn. t. 189.
15. Harri Williams (1987) *John Phillips: arloeswr addysg.* Llandysul: Gwasg Gomer. t. 120.
16. Peter Gordon a Denis Lawton (2003) *Dictionary of British Education.* Llundain: Woburn Press. t. 172.
17. Mae'r *École Normale Supérieure* bellach yn rhan o drefn y *grandes écoles* yn Ffrainc, ac, er nad yw'n gyfyngedig i hyfforddi athrawon, mae wedi cadw at ei enw gwreiddiol. Cyfeirir at y myfyrwyr fel *normaliens.*
18. J. Stuart Maclure (1969) *Educational Documents: England and Wales, 1816–1968.* London: Methuen Educational Ltd. t. 43.
19. Ceir enghraifft o ddefnyddio'r gair 'model' fel rhan o enw ysgol yn y *Model School* a sefydlwyd yn 1849 yng Nghaerfyrddin, yn rhannol i alluogi myfyrwyr y *South Wales and Monmouthshire Training College* (sef Coleg y Drindod, Caerfyrddin yn ddiweddarach) i ymarfer eu crefft.
20. Un enghraifft yw *The Royal Normal College for the Blind,* coleg a sefydlwyd yn 1872. Cynhwyswyd yr elfen 'normal' yn ei deitl oherwydd i gangen o'r ysgol/coleg fod yn gyfrifol am hyfforddi athrawon.
21. John Davies (1990) *Hanes Cymru.* Llundain: Allen Lane, The Penguin Press. tt. 375–6.
22. *Coleg Athrawol Bangor.* t. 7.
23. Ibid., tt. 7–8.
24. Ibid., t. 9.
25. Ibid., t. 8.
26. Ceir manylion pellach am Henry Thomas Hare (1861–1921) a'i waith ar adeiladau'r Brifysgol yn J. Gwynn Williams (1985) *The University College of North Wales: foundations 1884–1927.* Caerdydd: Gwasg Prifysgol Cymru. Gosodwyd y contract ar gyfer codi'r adeiladau i gwmni Willcock, Wolverhampton. Gweler *Bangor Normal College – Y Coleg Normal, Bangor 1858–1958,* t. 85. At y Coleg Normal y cyfeirir yn enw Ffordd y Coleg/*College Road,* a adwaenid gynt fel *Summer Hill Road.*
27. Gweler hanes Adeilad y George o'i adeiladu gyntaf yn 1771 fel tafarn, ei ddatblygu fel gwesty yn 1848 a'i newid ymhellach yn neuadd coleg yn 1919 yn Peter Ellis Jones (1979) 'The George – inn, hotel, hostel 1771–1978'. *Trans. Caerns. Hist. Soc.,* 40, tt. 105–34.
28. Lleolwyd yr adran weinyddol ar Safle'r Fenai yn Ardudwy, adeilad a fu, cyn hynny, yn dŷ Esgob Bangor, cyn ei droi yn neuadd.
29. Yn 1997 dyrchafwyd Syr Wyn Roberts i Dŷ'r Arglwyddi fel yr Arglwydd Roberts o Gonwy.
30. Neuadd Hafren, sydd bellach yn rhan o adeiladau'r BBC ym Mryn Meirion.
31. Mae hanes hir i chwarae snwcer ar Safle'r Fenai. Yn nyddiau y *George Hotel* roedd y perchnogion wedi codi adeilad ar gyfer chwaraeon i'r gwestai, gan

gynnwys ystafell filiards a ddangosir ar fap y safle yn 1882 (gweler hefyd 'The George – inn, hotel, hostel 1771–1978', t. 124). Sefydlwyd bar ac ystafell ddisgo ar gyfer myfyrwyr yn yr adeilad yn y 1970au.

32. Amlygir yr agosatrwydd a'r cynhesrwydd hwn yn ymlyniad staff i'r sefydliad, yn ddarlithwyr ac yn staff gweinyddol fel ei gilydd. Er enghraifft, penodwyd Ernest Roberts (1898–1988) yn glerc yn y Coleg yn 1914 ac ymddeolodd fel Ysgrifennydd a Chofrestrydd y Coleg hanner cant o flynyddoedd wedyn yn 1964. Bu hefyd yn ysgrifennydd Llys yr Eisteddfod Genedlaethol am flynyddoedd ac yn awdur a darlledwr adnabyddus.

33. Caewyd neu draflyncwyd cynifer â 160 o golegau hyfforddi bychain ym Mhrydain rhwng 1972 a 1980.

34. *Canrif o Hanes y Tŵr Gwyn 1854–1954*. t. 189.

35. J. Lloyd Williams (1945) *Atgofion Tri Chwarter Canrif IV*. Llundain: Gwasg Gymraeg Foyle. t. 75.

36. *The University and the Colleges of Education in Wales 1925–78*. t. 129.

37. Gellir olrhain peth o'r newid hwn yn natur ac iaith *The Normalite*, cylchgrawn y myfyrwyr, a sefydlwyd yn 1896. Ar y cyfan gymharol ychydig fu'r cyfraniadau Cymraeg i'r cylchgrawn tan ddiwedd y 1940au ond bryd hynny bu'n amlwg i gyfeiriadau mewn cylchgronau a phapurau lleol at dlodi bywyd Cymreig ymysg myfyrwyr Bangor fod yn sbardun i godi ymwybyddiaeth o'r Gymraeg. Yn eu herthygl olygyddol, Pasg 1949, mae Tegwen Jones a John Stoddart yn annog y Cymry trwy ddweud "ni fyddai yn amhriodol, fe gredwn, atgoffa pawb o'u dyletswyddau yn y cyfeiriad yma. Ni bu erioed dreftadaeth deilwng heb gyfrifoldeb hefyd, ac yn sicr y mae gennym, fel Cymry, dreftadaeth a haedda ei pharchu a'i chadw. Fel myfyrwyr y mae ein cyfrifoldeb yn fawr; fel athrawon bydd yn fwy fyth." Ar ôl hyn cyhoeddir llawer mwy yn y Gymraeg, gan gynnwys erthyglau mwy sylweddol na chynt. Erbyn y 1960au mae cymaint o ddeunydd i'r *Normalydd* (a'r teitl erbyn hynny yn ymddangos yn y ddwy iaith) fel bod y golygyddion yn gorfod dethol erthyglau sy'n adlewyrchu ffyniant y Gymdeithas Gymraeg, y nosweithiau llawen a oedd yn cael eu cynnal ar hyd a lled y wlad, Eisteddfod y Coleg yn ei bri a'r myfyrwyr yn cystadlu yn yr Eisteddfod Ryng-golegol ac yn Ymryson Areithio'r BBC. Erbyn 1966 mae'r *Normalydd* bron yn gyfan gwbl Gymraeg.

38. Araf fu'r cynnydd yn nifer y myfyrwyr oedd yn barod i ddilyn eu cyrsiau yn gyfan gwbl drwy gyfrwng y Gymraeg, gyda 29 myfyriwr yn dilyn y llwybr hwnnw yn y grŵp 1955–57 yn cynyddu i 48 myfyriwr yn y grŵp 1960–63. Roedd hyn i'w briodoli i ryw raddau i bolisi'r Coleg yn y cyfnod hwnnw i fynnu y byddai'n rhaid i fyfyriwr oedd am ddilyn cwrs cyfrwng Cymraeg i ddilyn y cwrs cyfan yn yr iaith honno. Nid oedd modd, er enghraifft, i fyfyriwr ddilyn cyrsiau proffesiynol yn y Gymraeg a meysydd eraill yn Saesneg. O gofio bod cynifer o athrawon bob blwyddyn yn gorfod mynd i Loegr i gael swyddi, ystyriaeth arall go bwysig i'r myfyrwyr wrth benderfynu ar gyfrwng eu cwrs oedd tebygolrwydd cael swyddi yng Nghymru a'r amheuaeth y byddai dilyn cyrsiau Cymraeg yn golygu y byddai eu siawns o gael swyddi yn unrhyw wlad arall yn llai. Roedd nifer fawr o'r myfyrwyr dros y blynyddoedd wedi gorfod croesi'r ffin i gael swyddi, yn rhannol oherwydd polisi rhai awdurdodau lleol yng Nghymru i beidio â phenodi myfyrwyr yn syth o'r coleg.

39. Sefydlodd Bwrdd Addysg Prifysgol Cymru baneli o aelodau staff Coleg Prifysgol Cymru, Aberystwyth, Coleg Prifysgol Gogledd Cymru, y Coleg

Normal a Choleg y Drindod, Caerfyrddin, i gyfieithu termau technegol i'r Gymraeg.

40. Dau o brif lunwyr polisi iaith Gwynedd oedd y cynghorwyr Dafydd Orwig a John Lazarus Williams, cyn-ddarlithwyr yn y Coleg Normal.

41. *Cynllun y Porth* (1973–79). Llandysul: Gwasg Gomer. Cyfarwyddwr – Menai Williams; Prif Swyddog Datblygol – Elfyn Pritchard; Swyddog Maes – Huw John Hughes; Swyddog Ymchwil – R. Maldwyn Thomas. Roedd amryw o gyn-fyfyrwyr y Coleg Normal ymysg y rhai y comisiynwyd eu gwaith oherwydd eu poblogrwydd fel awduron a beirdd a'u hysgrifennu'n safonol ar gyfer plant.

42. Ar 5 Fawrth 1963 cyflwynwyd petisiwn gan y myfyrwyr i Senedd y Coleg yn gofyn am estyn y defnydd o'r iaith Gymraeg fel iaith swyddogol. Araf fu'r cynnydd serch nifer o ymdrechion pellach gan fyfyrwyr a staff yn ystod y 1960au. A bron ddeng mlynedd wedi mynd bellach ers dynodi'r coleg yn sefydliad i ddysgu drwy gyfrwng y Gymraeg ymddangosodd erthygl yn y *Normalydd*, rhifyn y Gaeaf 1964–65, dan y teitl 'Cymreigrwydd ein Coleg?'. Nodir bod 92 y cant o'r myfyrwyr o Gymru ac er nad oeddynt yn Gymry Cymraeg i gyd cydnabyddir bod nifer helaeth o Gymry da iawn yn y Coleg, ond "Er hynny Saesneg yw prif iaith y Coleg o hyd er bod statws swyddogol i'r iaith yma ers blynyddoedd bellach." Mae'n annog y Cymry Cymraeg i ddefnyddio'r Gymraeg wrth lenwi ffurflenni, sieciau ac ati, cyfeirio llythyrau yn Gymraeg a sicrhau bod hysbysebion (megis yn y neuaddau) yn Gymraeg.

43. Mae ystadegau'r cyfnod yn rhoi darlun o Gymreictod y Coleg. Er enghraifft, roedd 751 o fyfyrwyr dan hyfforddiant yn y Normal yn 1966. O'r rhain roedd 662 o Gymru, 440 ohonynt yn rhugl eu Cymraeg, a nifer dda o'r lleill â rhyw gymaint o wybodaeth o'r iaith.

44. Fel rhan o'r ymgyrch bu dirprwyaeth yn cynnwys aelodau seneddol lleol – Cledwyn Hughes, Tom Ellis, Emlyn Hooson, Barry Jones a Dafydd Wigley – yn cyfarfod yr Ysgrifennydd Addysg yn Llundain ar 23 Hydref 1975.

45. Yn yr adroddiad hwnnw dangoswyd cryfder y Coleg o ran personél a chwricwlwm. Roedd 80 o'r 84 aelod o staff yn ddwyieithog ac yn addysgu eu pynciau arbenigol drwy gyfrwng y ddwy iaith.

46. *The University College of North Wales: foundations 1884–1927.* tt. 148–9.

47. J. Lloyd Williams (1944) *Atgofion Tri Chwarter Canrif III.* Y Clwb Llyfrau Cymreig. Dinbych: Gwasg Gee. tt. 41–2.

48. Ibid., t. 42.

49. *The University College of North Wales: Foundations 1884–1927.* t. 145.

50. Nid oedd John Phillips yn gweithredu fel Prifathro yn ystyr arferol y teitl. Parhaodd i godi arian ar gyfer y Coleg a dirprwyodd lawer o'r gwaith trefnu a chynnal cyrsiau'r Coleg i'w staff. Gweler, yn arbennig, *John Phillips: arloeswr addysg.*

51. *Bangor Normal College – Y Coleg Normal, Bangor 1858–1958.* t. 51.

52. Ibid., t. 53.

53. Ibid., t. 55.

54. Ibid., t. 57.

55. Ibid., tt. 73–7; *The University College of North Wales: foundations 1884–1927.* tt. 149–50, 362–63; *The University and the Colleges of Education in Wales 1925–78.* tt. 25–6.

56. *Bangor Normal College – Y Coleg Normal, Bangor 1858–1958.* t. 95.

57. Ibid., t. 121.

58. Gweler ymdriniaeth David Roberts (2009) *Prifysgol Bangor, 1884–2009*. Caerdydd: Gwasg Prifysgol Cymru. Penodau 5 a 6.
59. Ibid., tt. 83–4.
60. Canolfan Bedwyr (1996) *Cau Pen y Modiwl*. Bangor: Prifysgol Cymru, Bangor. Adroddir yr hanesyn hwn yn y rhagair, tt. 1–2.
61. Ibid., t. 3.
62. Adroddiad y Gweithgor Integreiddio, Ionawr, 1996.
63. John Rhys (CN) a John Morris-Jones (CPGC) – ysgolheigion y Gymraeg; J. Lloyd Williams (CN) ac R. Alun Roberts (CPGC) – naturiaethwyr; Henry Jones (CN) a Hywel D. Lewis (CPGC) – athronwyr; Owen Prys (CN) a Bleddyn Jones Roberts (CPGC) – diwinyddion; Ryan Davies (CN) a Caryl Parry Jones (CPGC) – cantorion a diddanwyr poblogaidd.
64. Alwyn Roberts (1995) 'Uno Dau Goleg'. *Barn*, rhif 387. t. 6.
65. Yn ogystal, cynhaliwyd cyngerdd (*Laudate*) i ddathlu'r integreiddio yn Neuadd Prichard-Jones, 15 Mawrth 1997.
66. Cyfansoddwyd yr englyn ar gyfer Diwrnod Dathlu'r Normal, 16 Tachwedd 1996. Roedd y diwrnod yn cynnwys: arddangosfa o luniau o archif y Coleg Normal; darlith gan Robin Chapman ar 'Yr Agoriadau yn fy Nwylo – Ambrose Bebb a'r Coleg Normal 1925–1955'; Ymryson y Beirdd dan ofal Morien Phillips a Dafydd Morris Jones; a chyngerdd yn Neuadd John Phillips lle bu myfyrwyr a chyn-fyfyrwyr yn dathlu'r Coleg Normal.

PENNOD 1

Y CYFNOD CYNNAR 1858–1910

Ar 26 Ionawr 1858 yr agorwyd drws y Coleg Normal am y tro cyntaf, ond nid yn yr 'Hen Goleg' fel yr adwaenir yr adeiladau heddiw y bu hynny. Roedd y deuddeg myfyriwr cyntaf – dynion i gyd – yn lletya mewn tai preifat, ac yn cael eu darlithoedd yn Festri Capel Twr Gwyn ym Mangor Uchaf. Yn 1862 symudwyd i adeiladau newydd ac ysblennydd yr 'Hen Goleg' gyda'r myfyrwyr yn dilyn cwrs hyfforddiant dwy flynedd a'r Parchedig John Phillips yn Brifathro arnynt.

Yng nghofiant Harri Williams i John Phillips ceir hanesyn dadlennol am y cyfnod cyntaf hwn. Griffith Griffiths, mab-yng-nghyfraith John Phillips, sy'n adrodd yr hanes. O gofio gweithgarwch brwdfrydig John Phillips yn codi arian i sefydlu'r Coleg gellir yn hawdd ddeall ei bryder o glywed cwyn ynglŷn ag ymddygiad y myfyrwyr gan un o gefnogwyr y Coleg. Roedd y gŵr hwn yn bygwth tynnu'n ôl ei gynnig o gyfraniad ariannol gan honni iddo weld myfyrwyr y Coleg yn mynd i dafarn yn Sir Fôn i yfed seidr! Dyma ymateb John Phillips i'r gŵyn hon:

> Rwyf i fy hun yn llwyrymwrthodwr a charwn i bawb arall fod yn debyg. Ond cofiwch ei bod yn ddiwrnod poeth a bod y bechgyn yn sychedig. Ac at hynny cofiwch mai'r ddiod wannaf a gymerwyd ganddynt, ac ni wnai niwed mawr iddynt.[1]

Gofynnodd John Phillips i'r myfyrwyr arwyddo dogfen ddirwest, ond gwrthodwyd ei gais, er i beth pwysau gael ei roi arnynt. Fodd bynnag, ar ôl gadael ystafell y Prifathro, dywedodd un o'r myfyrwyr wrth y gweddill:

Come back lads and sign the pledge. He was so gentle with us and he did not say a single unkind word about our drinking or refusing to sign the pledge. Let's go back.[2]

ENWOGION O FRI

Roedd y Coleg Normal yn fagwrfa gynnar i nifer o enwogion y genedl gan gynnig iddynt y cam cyntaf ar lwybr academaidd. Rhown sylw i dri o'r enwogion hynny yma.

Erbyn 1870 roedd 41 o fyfyrwyr yn mynychu'r Coleg, ac yn eu mysg yr oedd (Syr) **Henry Jones** (1870–72), athronydd, ysgolhaig ac ymgyrchydd diflino dros ddatblygiad addysg yng Nghymru. Ganwyd Henry Jones yn Llangernyw ar 30 Tachwedd 1852 yn fab i grydd a chafodd ef ei hun ei brentisio fel crydd. Mentrodd sefyll arholiad mynediad i'r Coleg yn 1870, ac yntau wedi ei wisgo yn siwt un o'i frodyr hŷn. Bu'n eithriadol o lwyddiannus yn yr arholiad:

> I passed out of the same noisy and restless little kitchen [yn ei gartref] into the Normal College of schoolmasters at Bangor, at the head of the college list, and first in the Kingdom of all the non-pupil-teacher candidates.[3]

O ganlyniad i'w lwyddiant ysgubol yn yr arholiad cafodd ei gynnal yn ariannol gan grant y llywodraeth ar hyd ei amser yn y Coleg.

Yng nghyfnod Henry Jones roedd myfyrwyr yn gorfod wynebu diwrnod gwaith llawn iawn, gan gynnwys dwy ddarlith cyn brecwast! Yn y flwyddyn gyntaf roedd y dynion yn astudio ysgrythur, rhifyddeg, iaith a gramadeg Saesneg, rheolaeth ysgol, darllen, sillafu, llawysgrifen, hanes, daearyddiaeth ac arlunio. Yn ogystal, roedd cyfle i astudio cerddoriaeth, geometreg, mecanyddiaeth ac algebra neu Ladin. Yn yr ail fwyddyn (o 1863 ymlaen), yn ychwanegol at barhau cwrs sylfaenol y flwyddyn gyntaf, roedd y dynion yn astudio gwyddoniaeth, mathemateg uwch, llenyddiaeth Saesneg (neu Ladin) ac addysgu.

Mae'n hawdd deall pam fod angen cychwyn yr amserlen ddyddiol am wyth y bore yng nghyfnod Henry Jones. Yn 1858, arferid dechrau dysgu am chwech y bore! Bu cryn feirniadaeth o lwyth gwaith afresymol o drwm colegau hyfforddi'r cyfnod hwn:

> They [staff colegau hyfforddi yn y bedwaredd ganrif ar bymtheg] gave their students inordinately long hours of study, on a vast range

of subjects . . . invariably academic 'study' was reduced to information, memorisation and regurgitation.[4]

Does dim rhyfedd, felly, fod Henry Jones yn edrych yn ôl gyda dicter ar ei ddwy flynedd yn y Normal. Er ei fod y canmol y cwrs Mathemateg dan ofal y tiwtor John Thomas, bu'n llym ei feirniadaeth o'r cyrsiau Saesneg a Hanes. Y duedd yn y cyrsiau hyn oedd gwthio ffeithiau ar y myfyrwyr, rhagor na cheisio'u haddysgu:

> We analysed, parsed and paraphrased every passage in Julius Caesar, the play prescribed, and we could repeat most of it by heart, but we were never induced nor encouraged to read any other of Shakespeare's plays nor to acquaint ourselves with one of the great classical writers.[5]

Fel yn y mwyafrif o golegau hyfforddi'r cyfnod hwn yr oedd yna ddisgyblaeth lem yn y Normal a chyfeiriodd Henry Jones (mewn ffordd eithaf annelwig) at anghydfod a ddigwyddodd rhyngddo ef ac awdurdodau'r Coleg. Yr oedd yn arferiad gan y Prifathro i gyfarfod pob myfyriwr yn unigol ar eu diwrnod olaf yn y Coleg, a rhoi gwybod iddynt ym mha ysgol yr oeddynt i ddechrau eu gyrfa ynddi. Pan ddaeth tro Henry Jones dywedwyd wrtho nad oedd ysgol ar ei gyfer, er mai ef oedd myfyriwr mwyaf llwyddiannus ei flwyddyn. Mewn troednodyn y mae golygydd hunangofiant Henry Jones yn cynnig y sylw:

> He [Henry Jones] thought at the time that he'd been 'passed over' for a school because of his share in student rows with the powers that be. Hence the resentment.[6]

Y ffaith oedd fod y Prifathro yn awyddus i gynnig swydd i Henry Jones fel tiwtor yn y Coleg, yn hytrach na'i adael i fynd i ddysgu mewn ysgol. Tybed beth oedd natur ac achos y 'student rows' hyn? Gwaetha'r modd, nid ymhelaethir ar y mater.

* * *

Cyn y Nadolig 1872 roedd **John Lloyd Williams**, Llanrwst (1873–74) – botanegydd a naturiaethwr, cerddor a sylfaenydd Cymdeithas Alawon Gwerin Cymru – yn un o hanner cant o ymgeiswyr ar gyfer chwech ar hugain o leoedd yn y Coleg Normal. Bu John Lloyd Williams yn cyd-fyw am bron wythnos efo'r ymgeiswyr eraill. Cafodd lwyddiant ysgubol yn yr arholiad, gan basio yn y dosbarth cyntaf.

Gwyddoniaeth oedd ei brif bwnc yn y Normal, ac roedd ganddo ddiddordeb arbennig mewn botaneg. Yn ystod ei gyfnod yn y Coleg roedd yn ddyledus i un o'i diwtoriaid, John Price, am gynnal a meithrin ei ddiddordeb yn y pwnc hwnnw: "Mabwysiadu botaneg fel hobi a wnaeth Price a meddai ar ddawn unigryw o ennyn diddordeb eraill yn y pwnc drwy ei frwdfrydedd ei hun."[7] Mae John Lloyd Williams yn eithaf beirniadol o'r diffyg offer a chyfleusterau yn y Coleg bryd hynny i wneud cyfiawnder â gwyddoniaeth. Er enghraifft, dim ond un microsgop oedd ar gael ar gyfer y gwaith ymarferol. Beirniada hefyd anallu darlithydd (nas enwir ganddo) am ei fod yn mynnu dysgu daearyddiaeth o werslyfr, yn hytrach na mynd â'r myfyrwyr i astudio'r maes llafur "yn y cynefin", sef i fynyddoedd a dyffrynnoedd Eryri.

Cawn hefyd adlais gan John Lloyd Williams o gŵyn Henry Jones ynglŷn a'r addysgu mecanyddol oedd yn gyffredin yn y Normal yn y cyfnod hwn: "bodlonwyd ar lwytho'r cof ag enwau a ffigyrau a gofelid llai am ddeall ac ymddiddori ynddynt".[8]

O gofio'r math o addysgu oedd yn gyffredin yn ysgolion elfennol y cyfnod hwn, y mae ei sylw pellach yn dreiddgar:

> Ond bûm yn hir heb sylweddoli mai'r niwed mwyaf a ddeilliai o'r dull hollol anwyddonol hwn o'n haddysgu oedd plannu ynom ni, athrawon ifanc, y syniad cyfeiliornus mai dyma'r dull gorau i ninnau yn ein tro i'w ddefnyddio yn ein hysgolion i feithrin meddyliau disgyblion ieuanc newydd agor eu llygaid ar y byd rhyfedd o'u cwmpas.[9]

Erbyn y 1870au defnyddid dwy ysgol leol ym Mangor ar gyfer Ymarfer Dysgu, sef Ysgol y Garth ac Ysgol St Paul's. Yn y cyfnod hwn y drefn oedd danfon y myfyrwyr allan bob yn dri i dreulio tair wythnos yn un o'r ysgolion a thair wythnos arall yn yr ail ysgol. Roedd yr Ymarfer Dysgu yn cael ei arolygu gan athrawon yr ysgol, ond erbyn yr 80au dechreuwyd rhoi aelod o staff y Coleg i gyflawni'r ddyletswydd hon.

Cyn belled ag yr oedd Ymarfer Dysgu yn y cwestiwn mae John Lloyd Williams, unwaith eto, yn llym ei feirniadaeth o'r ddarpariaeth: "Yn yr ysgol arall [St Paul's] ni wneuthum ddim ond ymladd ag anifeiliaid Effesus ac ni chafodd y bechgyn [y myfyrwyr] na minnau unrhyw fudd o'n hymdrechion i gadw trefn a chyfrannu gwybodaeth."[10] Cwyna am y diffyg cyngor ac arweiniad gan athrawon ysgol a thiwtoriaid coleg, fel ei gilydd, yn ystod yr Ymarfer Dysgu.

Yr unig agwedd o waith ymarferol y Coleg sy'n cael ei chanmol gan John Lloyd Williams oedd y *Criticism Lesson*, sef gwers y disgwylid i bob myfyriwr ei pharatoi ar ffurf *Notes of Lessons* a'i chyflwyno i blant yn y ddwy ysgol, tra bod ei gyd-fyfyrwyr a'i diwtor coleg yn arsylwi. Byddai math o *post mortem* wedyn yn cael ei gynnal ar y wers gan y tiwtor a'r myfyrwyr.

Mae John Lloyd Williams yn fwy llawdrwm fyth ei feirniadaeth am nad oedd unrhyw ystyriaeth yn cael ei rhoi i gynorthwyo'r myfyrwyr i ddysgu nac i addysgu am Gymru – ei hiaith, ei diwylliant a'i hanes:

> Buasai'r holl baratoad yn gwneud lawn gystal ar gyfer ysgol yn Surrey . . . ar hyd fy nwy mlynedd ym Mangor ni chlywais, yn swyddogol, air am Gymru, nac am yr iaith Gymraeg, nac am alaw Gymreig.[11]

Er fod ganddo allu cerddorol ni phenodwyd John Lloyd Williams yn *Precentor* (Codwr Canu) ond cafodd swydd gyfrifol arall, sef *Knight of the Bath*. Ei ddyletswydd oedd gofalu am allwedd yr unig ystafell ymolchi, a phenderfynu ym mha drefn y byddai'r myfyrwyr yn cael defnyddio'r bath. Diddorol yw nodi sylw John Lloyd Williams ynglŷn â'r defnydd o'r unig ystafell ymolchi ar gyfer yr holl fyfyrwyr: "Nid oedd gymaint o ddefnydd o'r ymolchfa pryd hwnnw ag sydd heddiw – yr oedd un bathrwm yn llawn digon ar gyfer trigain!"[12]

Cyfeiria hefyd at y ddisgyblaeth lem oedd yn y Normal yn ei gyfnod:

> O'r awr gyntaf yn y Coleg deallasom y byddai ein bywyd yn o gaeth a mynachaidd. Ni ddatgloid y drysau i ni i fynd allan ond ar oriau penodol. Y tu allan i'r Coleg, fel y tu mewn, yr oedd ysmocio'n bechod ysgeler.[13]

Sonia fel y ceryddwyd pedwar o fyfyrwyr yr ail flwyddyn a oedd wedi mentro i Siliwen i gael smôc ac a gafodd eu dal, ar ddamwain, gan un o'r tiwtoriaid, John Price, a oedd yn digwydd crwydro'r union fan yn chwilio am flodau ar gyfer ei ddosbarth botaneg. Pryd, tybed, y newidiwyd y rheol yn gwahardd ysmygu? Yn ddiweddarach, fel y cawn weld, daeth smocio'n rhan o fywyd diwylliannol myfyrwyr y Normal yn sgil poblogrwydd y *smoker*.

Bu John Lloyd Williams ei hun ar y carped am gyrraedd yn ôl i'r Coleg yn hwyr, hynny yw, ar ôl deg yr hwyr! Roedd wedi bod yn hebrwng geneth yn ôl o Fangor i'w chartref yn Llandygái. Fodd bynnag, bu'r tiwtor, John Price eto, yn drugarog wrtho am iddo fod mor onest â datgelu'r holl hanes.

Yn y cyfnod cynnar roedd y myfyrwyr eu hunain yn disgyblu eu cyd-fyfyrwyr am fân droseddau. Cosb un troseddwr na chyflawnodd ei ddyletswyddau fel *Curator* (sef yr un a oedd i fod i gadw'r tanau ynghyn, ac agor ffenestri rhwng darlithoedd er mwyn cael awyr iach) oedd cael ei 'ffratio', sef ei daflu i fyny i'r awyr gan griw o fyfyrwyr a'i ddal wedyn yn eu breichiau. Enghraifft arall o gosbi myfyrwyr oedd gorfodi John Lloyd Williams i ymaflyd codwm â myfyriwr o Sir Benfro, a oedd byth a beunydd yn brolio am ei allu fel ymgodymwr. Ar ôl yr ornest, a enillwyd gan John Lloyd Williams, gadawodd y broliwr y Coleg, a bu John Lloyd Williams yn dipyn o arwr ymysg ei gyd-fyfyrwyr diolchgar.

Gan fod Capel Twr Gwyn yn agos at y Coleg a bod cysylltiad agos rhwng swyddogion y Coleg a'r capel, nid yw'n syn fod y mwyafrif o fyfyrwyr y Normal yn y cyfnod hwn yn mynychu'r capel hwnnw. Serch hynny, yn ôl John Lloyd Williams, "ni theimlasom funud yn hapus yno gan mor ffurfiol ac oeraidd ydoedd y gynulleidfa".[14] Cwyna na fyddai aelodau'r capel na'r swyddogion yn barod i gyfeillachu â'r myfyrwyr, ac, fel cerddor da, yr oedd hefyd yn feirniadol iawn o'r canu cynulleidfaol "marwaidd a digalon". Ac am y pregethau, meddai, "nid oeddynt yn aml namyn cowlad o ystrydebau yn cael eu bloeddio gyda 'hwyl gwneud' ".[15] Nid rhyfedd felly i John Lloyd Williams a'i gyfeillion coleg beidio â mynd i'r Twr Gwyn yn gyson ond mynychu Ebenezer (achos yr Annibynwyr) i wrando ar bregethu llawer mwy deniadol a pherthnasol y Parchedig Ap Fychan.

Oherwydd bod dosbarth yr Ysgol Sul yn y Twr Gwyn mor ddiflas, penderfynodd ef a'i ffrindiau fynychu'r *Ragged School* a gynhelid ar bnawn Sul yn Hen Gapel Hirael. Dyma lle y byddai'r myfyrwyr druan "yn ymladd ag anifeiliaid Effesus". (Mae'n amlwg fod llawer o 'anifeiliaid Effesus' yn bodoli ym Mangor yn y cyfnod hwn!) Mae'n debyg fod y profiadau yn y *Ragged School* wedi bod o gymorth i'r myfyrwyr pan oeddynt yn gwneud eu Hymarfer Dysgu, er nad yw John Lloyd Williams yn cydnabod hyn.

Yn ystod ei ddwy flynedd yn y Coleg ni welodd John Lloyd Williams yr un o'r myfyrwyr yn cymryd rhan mewn unrhyw fath o chwaraeon yn yr awyr agored. Yn wir, doedd dim sôn am dîm pêl-droed na chriced yn y Coleg tan 1887. Ymhellach, sylwodd John Lloyd Williams, petai'r myfyr-wyr eisiau ymarfer fel hyn, nad oedd unrhyw fath o ddarpariaeth ar gyfer chwaraeon yn y Coleg beth bynnag: "Prif arferiad hamdden yr hogiau adeg yma oedd cerdded yn hamddenol a di-amcan a di-fudd."[16] Cerdded Stryd Fawr Bangor oedd y prif atyniad, gan edrych yn ffenestri'r siopau a "chraffu'n fanylach fyth ar y merched ifanc a gyfarfyddid".[17]

Cyfeiria John Lloyd Williams at ddefod ddiddorol yn y cyfnod cynnar hwn, sef y daith flynyddol i ben Yr Wyddfa, a cheir disgrifiad manwl ganddo o un o'r teithiau hyn. Cychwyn o'r Coleg a cherdded i Lanberis, aros yno mewn gwesty (oherwydd y niwl) ac wedyn dringo i ben Yr Wyddfa mewn pryd i weld toriad gwawr. Ar ôl cyrraedd y copa a bwyta eu brechdanau dyma'r myfyrwyr yn dechrau canu – caneuon Saesneg sylwer – *The Little Church, Three Chafers* a *Zoom*! Wedyn dyma fynd ati i ganu emynau Cymraeg. Ar ôl y daith i ben Yr Wyddfa cerddodd John Lloyd Williams adref i Lanrwst, treuliodd nos Sul yn ei gartref a cherdded yn ôl i'r Coleg ddydd Llun ar gyfer darlithoedd y pnawn. Tipyn o gamp!

·   ·   ·

Ymysg y myfyrwyr cynnar eraill yr oedd (Syr) John Rhys (1860–61), ysgolhaig Celtig a Phrifathro Coleg Iesu, Rhydychen. Bu'n ddisgybl-athro yn Ysgol Penllwyn, ger Aberystwyth, am bum mlynedd cyn mentro cerdded yn ei glocsiau am ddau ddiwrnod o'i gartref i Fangor i gael sefyll arholiad mynediad i'r Normal yn 1860. Yn y cyfnod hwn, hyd cwrs y myfyriwr oedd yn penderfynu dosbarth ei dystysgrif. Dyna'r esboniad am y dystysgrif trydydd dosbarth a ddyfarnwyd i John Rhys ar ôl ei gwrs blwyddyn yn unig yn y Normal.

STREIC Y MYFYRWYR 1890

O dro i dro daw anghydfod i ganol bywyd myfyrwyr a hwnnw'n arwydd-ocaol yn natblygiad hanes y sefydliad. Digwyddiad felly oedd streic y myfyrwyr yn 1890. Yn y *North Wales Chronicle* ar 15 Tachwedd 1890 gwelir y pennawd trawiadol hwn:

> *Home Rule at the Bangor Normal College*
> *The Expulsion of Students*

O dan y pennawd ceir adroddiad am y modd yr oedd holl fyfyrwyr y Coleg, 60 ohonynt erbyn hynny, wedi cael eu gwahardd o'r Normal oherwydd digwyddiad adeg cinio y dydd Llun cynt. Roedd y *Chronicle* wedi bod yn ymosod ar Ddirprwy Brifathro'r Coleg, John Price, am rai wythnosau cyn y digwyddiad hwn. Brodor o Groesoswallt oedd John Price, a anwyd yn 1830 ac a addysgwyd mewn ysgolion yn Birmingham a Sir Drefaldwyn. Bu yng Ngholeg y Bala yn 1848. Treuliodd gyfnod wedyn fel myfyriwr llwyddiannus iawn yng ngholeg hyfforddi enwog *Borough Road*, Llundain. Ar ôl bod yn athro ysgol yn Llanfyllin a'r Bala fe'i penodwyd yn diwtor yn y Coleg Normal yn 1858. Erbyn 1863 roedd John Price wedi ei ddyrchafu yn Ddirprwy Brifathro. Rhan o'i waith fel Dirprwy, fel y gwelsom uchod, oedd gofalu am ddisgyblaeth.

Roedd John Price hefyd yn gynghorydd Rhyddfrydol ar Gyngor Tref Bangor. Ymddengys fod *y Chronicle,* papur Torïaidd rhonc, wedi ei gythruddo gan sylwadau beirniadol ac annheyrngar John Price am neb llai nag Edward, Tywysog Cymru! Roedd 'streic y myfyrwyr' yn fêl ar fysedd y *Chronicle* a manteisiodd y papur yn boliticaidd ar y digwyddiad.

Yn adroddiad y *Chronicle* ceir sylwadau sinicaidd am nad oedd y Prifathro, y Parchedig Daniel Rowland erbyn hynny, yn byw ar safle'r Coleg ac am nad oedd y Dirprwy, John Price, chwaith yn bresennol yn ystod y digwyddiad, am ei fod mewn cyfarfod o'r Cyngor Tref. Mae'r adroddiad yn llym ei feirniadaeth o'r modd yr oedd Pwyllgor Rheoli'r Coleg wedi trafod y mater:

> We are decidedly of the opinion that the whole business is of so grave and important a nature that nothing less than a properly conducted official inquiry can satisfy the demands of the public to know the real conditions of things existing between the college officials on the one hand, and of the students on the other.

Y dydd Llun tyngedfennol hwn roedd myfyriwr wedi cwyno wrth y tiwtor-mewn-gofal, E. R. Davies, am safon y cig amser cinio. Yn dilyn sgwrs rhwng y myfyriwr a'r tiwtor, gorchmynnwyd y myfyriwr i adael yr ystafell fwyta. Yna penderfynodd yr holl fyfyrwyr adael yr ystafell a cherdded allan.

Mewn erthygl arall yn y *Chronicle,* dan y pennawd 'The students' version of the dispute', dywedir bod y myfyrwyr, ar ôl iddynt adael yr ystafell fwyta, wedi cynnal cyfarfod yn Ystafell Gyffredin y myfyrwyr hŷn, ac wedi anfon am y Dirprwy Brifathro i drafod y mater. Ond, fel y gwyddom yn barod, nid oedd John Price ar gael am ei fod mewn cyfarfod o'r Cyngor Tref. Mae'r erthygl yn gwneud môr a mynydd o'i absenoldeb:

> Instead of being at his post at the college, Mr John Price preferred figuring at the Council Board . . . Duty assuredly called for Mr Price's presence *not* at the Council Board but at the college.

Yn dilyn y methiant i gael gafael ar John Price, aeth y myfyrwyr i westy'r *Wicklow*, gwesty temprans ym mhen ucha'r Stryd Fawr, i gael eu cinio. Roedd hi'n ganol pnawn erbyn iddynt ddychwelyd i'r Coleg, ymhell ar ôl amser ailgychwyn y darlithoedd. Yn ôl yr hanes, dyma a ddywedodd John Price wrthynt pan gyfarfu â nhw:

As you have left the college at your own accord, you had better go and get your tea where you got your dinner and it will be a question whether you'll be admitted into the college tonight.

Cynhaliwyd cyfarfod brys o Bwyllgor Rheoli'r Coleg y noson honno ac aeth aelodau'r pwyllgor ati i ymholi ynghylch cwyn y myfyrwyr ac i brofi ansawdd y cig, gan fod y bwyd amser cinio wedi ei adael ar y byrddau heb ei gyffwrdd. Barn yr aelodau oedd nad oedd sail i'r cwynion. Gwahoddwyd y myfyrwyr i ymddangos gerbron y Pwyllgor Rheoli llawn i egluro eu safiad. Gwrthod y cynnig wnaeth y myfyrwyr oherwydd, yn eu tyb hwy, byddai presenoldeb y Tiwtoriaid a'r Metron "hysterical" yn y cyfarfod yn debygol o danseilio dilysrwydd eu cwyn. Yn ôl y *Chronicle* fe ddylsai'r Pwyllgor Rheoli fod wedi gwahodd dirprwyaeth o'r myfyrwyr i'w gyfarfod, heb fod y Tiwtoriaid na'r Metron yn bresennol.

Penderfynodd y Pwyllgor Rheoli wahardd y myfyrwyr o'r Coleg o fore Mawrth ymlaen, a danfonwyd llythyr gan y Prifathro at eu rhieni yn rhoi cefndir yr anghydfod, yn ogystal â chyflwyno penderfyniad y Pwyllgor Rheoli.

Bnawn Iau cynhaliwyd cyfarfod preifat o'r Pwyllgor Rheoli – er i'r wasg ofyn am ganiatâd i fod yno. Mewn adroddiad i'r wasg yn dilyn y cyfarfod, dywedodd y Prifathro fod nifer o lythyrau wedi eu derbyn gan rieni myfyrwyr yn mynegi eu bod yn fodlon ar benderfyniad yr awdurdodau ac yn condemnio ymddygiad eu meibion. Aeth yr adroddiad yn ei flaen i fanylu ar yr holl ddigwyddiad, gan gynnwys cofnod manwl ar y prydau bwyd a fyddai'n cael eu darparu i'r myfyrwyr. Barn unfrydol y pwyllgor oedd fod cyfarfod brys y rheolwyr, ar y nos Lun, wedi gweith-redu'n gywir wrth ddiarddel y myfyrwyr. Penderfynwyd, ymhellach, i ganiatáu i'r myfyrwyr ddod yn ôl i'r Coleg ar yr amod eu bod yn gwneud cais ysgrifenedig i gael dychwelyd, yn ymddiheuro am eu hymddygiad, ac yn addo cydymffurfio â rheolau'r Coleg.

Mewn cyfarfod o'r myfyrwyr ar y dydd Gwener, penderfynwyd ym-ddiheuro i awdurdodau'r Coleg, er eu bod ond yn dadlau y dylid cael ymholiad swyddogol i ansawdd y bwyd.

Mewn erthygl arall yn y *Chronicle* manteisir ar y digwyddiad er mwyn pardduo John Price eto:

We have frequently . . . pointed out that the activities of Councillor John Price as a leading political, partisan canvasser and firebrand, do not accord with his duties and position as resident Vice Principal of the Normal College.

Ar ôl codi rhagor o stêm, ymosodir yn yr erthygl nid yn unig ar John Price, ond hefyd ar holl staff y Normal, am eu bod i gyd, gan gynnwys y Metron, yn Anghydffurfwyr! Ymhellach, nid yn unig yr oedd y staff yn Anghydffurfwyr ond roeddynt i gyd hefyd yn radicaliaid! Mae'r erthygl yn gorffen gyda phle am gynnal ymholiad swyddogol i reolaeth y Coleg Normal.

Mewn erthygl olygyddol arall yn y *Chronicle* ar 22 Tachwedd yr un flwyddyn, mae'r papur yn gofyn cwestiynau ynghylch safonau academaidd y Coleg:

> We find that whilst in 1885 it [y Coleg] nearly eclipsed all similar institutions in the United Kingdom it has not during the past four years gained anything like the same academic distinction.

Nid yw'n syndod deall fod y *Chronicle* yn gweld bod cysylltiad rhwng y dirywiad academaidd honedig hwn a gweithgarwch politicaidd John Price.

Yn sgil holl helynt streic y myfyrwyr penododd Adran Addysg y llywodraeth A. E. Oakley, Prif Arolygwr y Colegau Hyfforddi, i gynnal ymchwiliad. Cyflwynwyd tystiolaeth i'r Arolygwr gan staff y Coleg, y Metron, a chynrychiolwyr y myfyrwyr, a holwyd aelodau'r Pwyllgor Rheoli hefyd. O ganlyniad cyflwynwyd adroddiad preifat i sylw Pwyllgor Rheoli'r Coleg erbyn 1 Rhagfyr.

O'r dystiolaeth, ymddengys fod y myfyrwyr wedi cwyno sawl tro ynghynt ynglŷn ag ansawdd y bwyd, ac yn arbennig y cig. Yn yr adroddiad honnir hefyd i'r myfyrwyr gamymddwyn ar strydoedd Bangor, ac yn arbennig felly yn Neuadd y Penrhyn ar adeg is-etholiad am sedd Bwrdeistrefi Caernarfon, drwy ganu caneuon o blaid yr ymgeisydd Rhyddfrydol, David Lloyd George.

Roedd yr adroddiad yn feirniadol o'r ddisgyblaeth anfoddhaol yn y Coleg. Manylwyd ar hyn drwy gyfeirio at y ffaith ei bod yn annerbyniol nad oedd y Prifathro'n byw ar y safle. Nid oedd yn dderbyniol, ychwaith, fod unrhyw aelod o'r staff yn ymhél â llywodraeth leol, sef cyfeiriad anuniongyrchol at John Price. Cyfeiriwyd at rai diffygion eraill: er enghraifft, yr arfer yn y mwyafrif o golegau hyfforddi oedd fod y staff yn bwyta efo'r myfyrwyr, ond yr arfer yn y Normal oedd mai un aelod o'r staff yn unig oedd ar ddyletswydd adeg prydau bwyd. Ymhellach, yn wahanol eto i'r sefyllfa mewn colegau hyfforddi eraill, nid oedd y Normal yn defnyddio monitoriaid i gynorthwyo i gadw trefn ymysg y myfyrwyr.

Daeth yr adroddiad i'r casgliad fod tri aelod hŷn y staff wedi gwneud diwrnod da o waith a bod gan y Coleg, tan yn ddiweddar, enw da. Cyfarfu

Pwyllgor Rheoli'r Coleg ddydd Mawrth, 15 Ionawr 1891, i drafod yr adroddiad. Mynegodd aelodau'r pwyllgor eu bodlonrwydd efo'r canlyniadau a'r argymhellion a phenderfynwyd cymryd camau penodol i wella disgyblaeth a hyfforddiant.

Mewn colofn olygyddol ar 10 Ionawr, manteisiodd y *Chronicle* ar gyflwyniad yr adroddiad i'r Pwyllgor Rheoli i ymosod yn hallt ar y Coleg unwaith yn rhagor, gan gwyno nad oedd yr adroddiad wedi'i ryddhau i'r cyhoedd a bod y *Chronicle* wedi tynnu sylw yn barhaus at ddiffygion yng ngweinyddiad y sefydliad. Manteisiwyd ar y cyfle i ymosod ar John Price druan unwaith eto!

Yn sgil y digwyddiadau hyn nid oedd yn gwbwl annisgwyl fod y Prifathro a'r Metron wedi penderfynu ymddeol. Fodd bynnag, o ystyried y feirniadaeth a anelwyd at John Price, roedd yn syndod i rai ddeall mai ef a benodwyd fel Prifathro yn Chwefror 1891 i olynu Daniel Rowlands.

Gan gofio obsesiwn y Methodistiaid Calfinaidd yn oes Fictoria gyda pharchusrwydd, efallai nad yw'n syndod bod yr enwad mor feirniadol o'r streic. Nid oedd gan *Y Goleuad*, cylchgrawn yr enwad, unrhyw gydymdeimlad â'r myfyrwyr, ac yn rhifyn 20 Tachwedd 1890 ceir y sylw:

> Nid dyma fel y gellid disgwyl i rai yn paratoi ar fod yn ysgolfeistri ymddwyn. Syniad drwg ydyw [myfyrwyr yn gwrthdystio] ac fe ddylai y wlad stampio arno ei anghymeradwyaeth lwyraf.

Mae ôl-nodyn bach trist i hanes streic y myfyrwyr. Yn ei hunangofiant, mae Dr Thomas Richards (*Doc Tom*) a fu'n llyfrgellydd adnabyddus yn CPGC, yn cyfeirio at Ddirprwy Brifathro Ysgol Alexandria, Aberystwyth, John Henry Williams. Yn 1897 bu Thomas Richards yn dysgu yn Ysgol Alexandria fel *ex-pupil-teacher* cyn mynd ymlaen i fod yn fyfyriwr yn CPGC. Roedd John Henry Williams, gŵr o'r Rhondda, yn un o ddau fyfyriwr na chaniatawyd iddynt ddychwelyd i'r Normal ar ôl helynt y streic (tybed pwy oedd y myfyriwr arall a waharddwyd a beth ddaeth ohono?): "Golygai hyn fforffetio'r gwaith a wnaeth am ddwy flynedd [a] ffarwelio â'r gobaith am dystysgrif y llywodraeth".[18] Golygai hefyd gael ei gyflogi fel athro di-drwydded ar gyflog llai nag athrawon eraill. Bu Thomas Richards yn dyst i gyfarfod emosiynol iawn yn Ysgol Alexandria:

> Un prynhawn gwelwn . . . hen ŵr urddasol a barf hir ganddo mewn ymgom â'r Prifathro . . . yna'n cerdded yn araf urddasol ar hyd yr ystafell hir nes dod at [John Henry] Williams . . . Gwelwn yr hen ŵr yn estyn llaw dde iddo ond ni syflodd dwylo Williams a gorfu iddo [yr hen ŵr] gerdded yn urddasol yn ei ôl. Anodd peidio â holi Williams;

y cwbl a gefais ganddo oedd iaith gref yn torri'r newydd mai'r Parch
Daniel Rowlands ydoedd, Prifathro'r Coleg Normal adeg y streic. Piti
gomedd ysgwyd llaw ond dyna ddagrau pethau! Ac efallai y dylai
Williams gofio na ddaeth Daniel Rowlands ei hun allan yn ddianaf o
gymhelri'r streic honno.[19]

Er mai dyna ddiwedd hanes streic y myfyrwyr, bu myfyrwyr y Normal yn
dathlu'r digwyddiad rhyfeddol hwn am flynyddoedd lawer wedyn.

'TIS SIXTY YEARS SINCE

Yn y 1890au roedd yn arferiad i gyn-fyfyrwyr y Normal ymweld â'r
Coleg, a chawn hanes dau ohonynt yn swpera yno ac yn annerch y
myfyrwyr. Mae'r hanes i'w gael mewn cyfrol nas cyhoeddwyd,[20] gan
awdur dienw a fu'n fyfyriwr yn y Coleg yn 1893–94 ac a luniwyd ganddo
flynyddoedd wedyn yn 1953 o dan y teitl *'Tis sixty years since*. Sylwadau
digon dilornus sydd ganddo, fel y sylw hwn am un o'r ymwelwyr, y cyn-
fyfyriwr Syr John Rhys:

> He did not impress me as a speaker, he lacked fluency. His sartorial
> outfit – knee breeches and a tight-fitting coat – did not accord with
> our idea of a distinguished professor.

Fodd bynnag, mae'r awdur yn edmygu'r ail gyn-fyfyriwr, sef William
Jones, a etholwyd yn aelod seneddol dros Sir Gaernarfon yn 1895:

> William Jones was altogether different . . . his eyes sparkled, his
> gestures were captivating and his delivery free and happy. It is no
> wonder that he became later a favourite speaker in the House [of
> Commons] and that he gained the appellation of 'silver tongue'.

Yn y gyfrol cawn beth o hanes John Price yn darlithio ar Saesneg. Yn ôl
yr awdur, byddai'r Prifathro yn hoff iawn o brofi gallu'r myfyrwyr i
sillafu, yn arbennig geiriau anghyfarwydd. Fel arfer byddent yn llwyddo
i foddhau'r Prifathro, ond, ar un achlysur, gofynnodd i'r dynion sillafu
'ptarmigan' a methodd pawb o'r myfyrwyr, ac eithrio un o Ynys Manaw,
i gynnwys y llythyren 'p' ar ddechrau'r gair. Anaml iawn y siaradai'r
Prifathro â'r myfyrwyr yn Gymraeg a cheisia'r awdur achub ei gam:
"maybe he was aware that most of us required tuition in English and
that it was his duty to improve our fluency in that language".

Yn y cyswllt hwn, y mae'r hanesyn a ganlyn yn ddadlennol. Un nos

Sul dywyll aeafol roedd yr awdur yn un o griw o fyfyrwyr oedd yn cerdded yn ôl i'r Coleg yn dilyn gwasanaeth yr hwyr yng Nghapel Tŵr Gwyn. Cawsant eu goddiweddyd gan y Prifathro, a oedd yn flaenor yn y Tŵr Gwyn er 1861. Cyfarchodd hwy yn y Gymraeg gan gyfeirio at y "tywydd digalon". Fodd bynnag, ychydig yn ddiweddarach, wrth fynedfa'r Coleg, pan sylweddolodd y Prifathro mai myfyrwyr y Normal a'i cyfarchodd, ymddiheurodd iddynt am siarad Cymraeg â hwy!

Y cyn-Brifathro, y Parchedig Daniel Rowlands, oedd yn darlithio ar Ysgrythur i'r awdur. Roedd parch iddo ymysg lleiafrif o'r myfyrwyr mwy goleuedig am ei fod mor flaengar yn ei ymdriniaeth o'r maes llafur, ac am ei barodrwydd i fabwysiadu safbwynt diwinyddol *uwchfeirniadaeth*, sef dull 'gwyddonol' o drafod y Beibl drwy olrhain ei gefndir fel dogfen lenyddol, ddynol, yn hytrach na'i drafod fel petai wedi dod yn union-gyrchol gan Dduw. Fodd bynnag, nid oedd mwyafrif y dosbarth wedi eu hargyhoeddi ynghylch perthnasedd cynnwys darlithoedd bore Iau y Parchedig Daniel Rowlands, a chyn iddo gyrraedd ei ddarlith arferai'r myfyrwyr hyn ganu'r geiriau canlynol ar dôn Bryn Calfaria:

Bore Iau sydd wedi gwawrio
Unwaith eto ar ein rhan,
A rhaid treulio awr i wrando
Ar efengyl sych 'rhen Dan.
O! am glywed
Sŵn y gloch ar ben y wers.

Un o atgofion melysaf yr awdur yw'r gwasanaeth bore Sul yn y Coleg:

It was impressive in its simplicity, the hymn singing was excellent and a spirit of true devotion pervaded the whole service.

O ystyried yr hinsawdd grefyddol yn y Coleg yn y cyfnod hwn, rhaid edmygu dewrder un o'r myfyrwyr a oedd yn anffyddiwr. Tybed a fu'r myfyriwr hwn yn dioddef am ei safbwynt, gan iddo hefyd fod yn wahanol i'r rhelyw mewn sawl ffordd? –

He was the most conceited and opinionated of all the boys, extremely anti-Welsh but not eminently intellectually superior.

Treuliai'r dynion lawer o'u hamser hamdden yn trafod enwadaeth ac yn cymharu pregethwyr. Byddai'r Methodistiaid Calfinaidd yn canmol y Parchedig Ddr. John Williams, Brynsiencyn (1854–1921), ond Hwfa Môn, sef y Parchedig Rowland Williams (1823–1905), oedd arwr yr Annibynwyr. Sonia'r awdur (Methodist selog) iddo ymweld â Chapel

Annibynnol Pendref "gorlawn" un nos Sul boeth yn yr haf i wrando ar Hwfa Môn yn pregethu a dyma ei farn – yn Gymraeg y tro hwn, a hynny efallai'n arwyddocaol – am y pregethwr enwog hwnnw:

> Tua chanol ei bregeth dechreuodd Hwfa wresogi, a bloeddio ar uchaf ei lais. Yr oedd y rhan fwyaf o bregethwyr y Methodistiaid yr oeddwn yn gyfarwydd â hwynt yn draddodwyr hamddenol a phwyllog, a thipyn yn ddieithr i ni ydoedd clywed pregethwr yn bloeddio'n chwyslyd uwchben ei gynulleidfa. Ni chafodd y bregeth fawr argraff arnaf i nac ar fy nghyfeillion a'n barn ni ydoedd nad oedd dim sylwedd iddi.

O gofio'r ddisgyblaeth lem oedd yn y Coleg yn y cyfnod hwn, mae'n syndod bod yr awdur wedi mentro colli rhai darlithoedd, yn arbennig rhai celf a cherddoriaeth, gan fod y tiwtor a oedd yn gyfrifol am y ddau bwnc hyn "was too effeminate in his ways"!

Cyn dod i'r Coleg ni chafodd yr awdur y pleser o gicio pêl-droed go iawn ac ni fu erioed yn chwarae criced. Oherwydd ei ddiffyg sgiliau fel cricedwr gorfu iddo chwarae i dîm criced yn y Coleg a adwaenid fel *The Muffers,* ond roedd mor ddi-glem yn y gêm nes methu â chadw ei le hyd yn oed yn y tîm hwnnw!

Cyfeiria'r awdur yn gynnil yn ei gyfrol at streic y myfyrwyr yn 1890, er ei fod yn nodi fod ansawdd y bwyd yn y Coleg yn foddhaol iawn yn ei gyfnod ef. Y pryd mwyaf annymunol i'r dynion oedd cinio dydd Mawrth, sef *hash* wedi ei wneud o sbarion cinio'r Sul a dydd Llun.

Wedi i'r tiwtoriaid adael yr Ystafell Fwyta ar ôl swper byddai'r myfyrwyr yn mwynhau adloniant anffurfiol. Y drefn oedd fod yn rhaid iddynt berfformio'n gerddorol o flaen eu cyd-fyfyrwyr, arferiad nad oedd wrth fodd yr awdur. Meddai, "This enforced exhibition of vocal music was for many of us most disconcerting." Roedd yr arlwy cerddorol hwn yn amrywiol iawn, ac yn cynnwys llawer o ganeuon poblogaidd y dydd megis *Macnamara's Band* ac *A Little Peach in the Garden Grew.* Byddwn yn gweld yn y bennod nesaf fel roedd dynion Neuadd y George yn y Cyfnod Canol wedi parhau â'r traddodiad cerddorol hwn.

O ran eu dyletswyddau milwrol y tu allan i'r Coleg, roedd disgwyl i ddynion y Normal yn y 1890au ymuno â'r *Volunteer Corps* lleol. Gwisgent lifrai *navy blue,* ac, ar nos Sadwrn, byddai'r myfyrwyr yn mynd i'r *drill hall* yn y dref i wneud ymarferion. Yn nhymor yr haf roeddynt yn mynd i wersylla efo'r *Corps* i Abergwyngregyn.

Wrth edrych yn ôl ar ei gyfnod o ddwy flynedd yn y Normal mae'r awdur yn bur fodlon ei fyd:

The time spent at the Normal College was a very happy period in one's life. One felt much at home there, material comfort was satisfied and educational guidance was sound and efficient.

PIGION O'R *NORMALITE*

Lansiwyd cylchgrawn y Coleg, *The Normalite*, ym mis Hydref 1896. Ar y cychwyn roedd y cylchgrawn yn cael ei gyhoeddi chwe gwaith y flwyddyn, gyda dau rifyn yn ymddangos ym mhob tymor, y cyfan dan ofal pwyllgor golygyddol a phawb yn gyfrifol am ran o'r cyhoeddiad. Afraid yw dweud mai cylchgrawn uniaith Saesneg oedd *The Normalite* yr adeg honno.

• • •

Ynddo cawn hanes bywyd dynion y Normal yn yr 1890au, a hynny ym mhrofiad R. Lloyd Jones, Porthmadog (1897–99). Yn ei erthygl hunangofiannol *Trem yn ôl* yn *Normalite* Haf 1958, rhifyn dathlu canmlwyddiant y Coleg, mae'n sôn amdano'i hun yn dod i'r Normal yn 1897, ar ôl treulio pedair blynedd fel disgybl-athro. O'r tri deg o ddynion a oedd yn dechrau ar eu blwyddyn gyntaf yn y Normal y flwyddyn honno, roedd deuddeg ohonynt yn Saeson, deg yn hanu o dde Cymru, saith o ogledd Cymru ac "un Cymro rhagorol wedi ei fagu ym Mhenbedw".

Ceir manylion diddorol gan R. Lloyd Jones am amserlen arferol y Coleg yn ei gyfnod ef y gellir eu crynhoi fel a ganlyn:

Codi am 7.30 y bore ac ymolchi cyn mynd i'r gwasanaeth boreol am wyth, ble disgwylid i bob myfyriwr arwain yr addoliad yn ei dro. Yna brecwast o de a bara menyn ac efallai ambell wy wedi'i ferwi. Gwersi o naw hyd bum munud i un, gyda thoriad byr tuag un ar ddeg o'r gloch.

Eisteddai'r myfyrwyr wrth eu desgiau yn y darlithoedd yn ôl trefn yr wyddor ac "nid oedd sôn am de hanner y bore na mygyn yn y dyddiau hynny":

Cinio am un a darlithoedd eto am ddau hyd 4.30. Ceid hanner diwrnod i ffwrdd pnawn Mercher a Sadwrn. Te a bara menyn am 4.30 a gwersi eto o 5.30 tan wyth. Yna te a bara menyn eto a chyfle wedyn, os oedd y tywydd yn caniatáu, i bicio i lawr am dro i'r dref – arferid cerdded mewn cylch, cychwyn o'r Coleg i lawr am yr orsaf drên, ar hyd y Stryd Fawr, yn ôl heibio'r Garth ac i fyny Ffordd Siliwen. Rhaid oedd bod yn ôl yn y Coleg erbyn naw ar gyfer y weddi hwyrol, a chyfnod wedyn o 'private study' tan 10.30. Ar ôl canu'r 'gloch wely' i fyny â'r myfyrwyr i'r ystafelloedd cysgu gyda 'golau allan' am un ar ddeg. Byddai'r cysgwyr yn cael eu harolygu gan aelod o'r staff ar ddyletswydd a gweiddai'n achlysurol, "Silence here, please!" neu, "I'll see you in the morning!" os byddai'r dynion yn rhy swnllyd.

Mae'r ysgrif yn cyffwrdd yn gynnil â streic y myfyrwyr 1890 gan gyfeirio at y myfyrwyr dewr fel "merthyron".

Ymddiddorai llawer o'r dynion yng nghyfnod R. Lloyd Jones mewn pêl-droed, ac, er mwyn cael canlyniadau gemau pnawn Sadwrn, arferent dderbyn copïau o'r *Football Echo* ar nos Sadwrn. Gan nad oedd hawl gan y dynion i fod allan o'r Coleg ar ôl 9.00 p.m. a chan nad oedd y *Football Echo* yn cyrraedd gorsaf Bangor tan 10.30 p.m. rhaid oedd gwneud trefniant cyfrinachol i gael y papur. Golygai hyn fod hogyn yn cael ei ddanfon gan berchennog siop bapur newydd i lawr yn y dref efo copïau o'r *Echo*. Byddai'r hogyn yn cyrraedd y Coleg erbyn tua 11.00 p.m. ac yna byddai'r myfyrwyr yn tynnu'r *Echo* i fyny i'w hystafelloedd cysgu efo llinyn hir! Byddent wedyn yn mynd yn llechwraidd i ystafell fechan, heb ffenestr, i fyny yn y garet, ac, ar ôl goleuo cannwyll, yn cael pleser mawr yn darllen y canlyniadau a'r adroddiadau am y gemau.

Yn ôl R. Lloyd Jones, yn y cyfnod hwn arferai'r myfyrwyr chwarae pêl-droed ar lain o dir i'r gogledd-ddwyrain o'r coleg (ar y gornel rhwng Ffordd Meirion a Siliwen), y cyfeirid ati fel y 'bac iard': "nid oedd troedfedd sgwâr ohono yn wastad". Nid rhyfedd felly fod tîm pêl-droed y Coleg yn colli llawer o'u gemau yr adeg yma ac arferai myfyrwyr y Brifysgol weiddi ar fyfyrwyr y Normal, wrth i'w tîm golli unwaith yn rhagor yn erbyn yr 'hen elyn', "Poor old Normals - no jam for tea today!"

Cyfeiria hefyd at rai o aelodau staff y cyfnod, yn arbennig felly at John Price oedrannus:

Teimlaf hyd heddiw ddyled iddo am ei arweiniad i feysydd cyfoethog llenyddiaeth Saesneg. Meithrinodd ynom hoffter at y clasuron – Shakespeare, Milton, Addison, Lamb a Wordsworth . . . Dangosodd i ni ogoniant y pethau gwell.

Roedd ganddo hefyd feddwl mawr o Evan R. Davies (hen Normalydd) oedd yn darlithio ar "Mechanics, Lladin, Ffrangeg a llawysgrifen". Adweinid ef gan y myfyrwyr fel *Bogo*. (Tybed ai dyma'r E. R. Davies oedd ar ddyletswydd cinio adeg streic y myfyrwyr?)

•   •   •

Yn rhifyn Rhagfyr 1895 o'r cylchgrawn cawn hanes sefydlu Cymdeithas cyn-Normaliaid Llundain, ac yn rhifyn Mawrth 1897 ceir disgrifiad o'i Chinio Blynyddol cyntaf, a gynhaliwyd yng ngwesty'r *Mitre*, Chancery Lane, gyda'r Prifathro John Price yn ŵr gwadd. Yn ystod y cinio cafwyd dau lwnc destun, un i'r Frenhines, a'r llall i goleg hyfforddi *Borough Road*, alma mater John Price. Cyn-fyfyriwr o'r Coleg Normal oedd bellach yn rheolwr y gwesty, a defnyddiodd ei ddawn canu i ddifyrru'r swperwyr. Ar gais John Price canodd *Old King Cole,* sef cân coleg *Borough Road.*

Picnic swyddogol cyntaf y Coleg sy'n cael sylw yn rhifyn Mai 1897. John Price oedd wedi cael y syniad am ddiwrnod i'r brenin i fyfyrwyr a staff. Aeth y parti picnic ar fwrdd y llong ager *Tamar* o bier Bangor i Benmon. Mwynhawyd mabolgampau ar y traeth yno, a bu rhai o'r parti yn ymweld â'r Priordy. Uchafbwynt y trip oedd y picnic:

> About five o'clock we sat down on the grass to a splendid repast of which everybody partook with evident relish. The plenteous viands were such as would appeal to the palate of the most fastidious epicurean; in fact, to lapse into schoolboy slang – it was 'a ripping good feed'.

Hwylio'n ôl i Fangor wedyn. Yn dilyn y llwyddiant hwn, bu'r picnic i Benmon yn achlysur pleserus iawn bob haf yn ystod cyfnod John Price fel Prifathro.

Yn Nhymor yr Hydref 1897 wele gychwyn ar weithgarwch anarferol braidd yn y Normal, sef dosbarth dysgu dawnsio, yn cael ei gynnal bob nos Sadwrn. Cawn hanes y cyfarfod cyntaf yn rhifyn Rhagfyr 1897 o'r *Normalite.* Cofiwn mai dosbarth dysgu dawnsio i ddynion yn unig oedd hwn! A fu ffraeo ynghylch pwy oedd i 'arwain'? Dyma sylw o'r *Normalite:*

> It is most amusing to see a room full of fellows gyrating to a polka, or twisting themselves into a screw in their endeavours to overcome the difficulties of a waltz.

Mynd o nerth i nerth fu hanes y *smoker,* ac yn rhifyn Hydref 1898 cyfeirir at y capiau ysmygu niferus a lliwgar yr arferai'r ysmygwyr eu gwisgo. Roedd is-adran o'r frawdoliaeth dybaco wedi'i sefydlu bellach, sef un ar gyfer y dynion oedd yn cnoi baco. Roedd gan y clwb cnoi hyd yn oed ei ysgrifennydd ei hunan!

•   •   •

Ceir nodyn diddorol yn rhifyn Tachwedd 1898 o'r *Normalite* am John Williams, gŵr ifanc o Chubut, Patagonia, yn dod yn fyfyriwr ifanc i'r Coleg. Roedd wedi gadael Cymru ddwy flynedd ar bymtheg ynghynt, yn 1881. Cafodd brofiad fel disgybl-athro yn ysgolion y Wladfa, a bu hefyd yn athro am naw mlynedd yn ysgolion llywodraeth yr Ariannin cyn dod i Fangor. Roedd yn rhugl mewn tair iaith: Cymraeg, Sbaeneg a Saesneg.

Yn rhifyn Chwefror 1899 y *Normalite* ceir ysgrif Saesneg gynhwysfawr gan John Williams am Batagonia. Ynddi mae'n sôn am ei hanes a'i daearyddiaeth, ac, yn arbennig, am fywyd yr Indiaid brodorol a'r cymorth amhrisiadwy a roddasant i'r mewnfudwyr cynnar o Gymru. Pam tybed y daeth John Williams yr holl ffordd o'r Wladfa i gael ei hyfforddi fel athro yn y Normal a beth fu ei hanes wedyn?

● ● ●

Rhyfel y Boer oedd yn cael sylw'r golofn olygyddol yn rhifyn Tachwedd 1899. Cynhaliwd trafodaeth ffurfiol ar y rhyfel yn un o'r *smokers*. Ymddengys fod y drafodaeth yn un gytbwys a chynhwysfawr ac adlewyrchwyd hyn yn y bleidlais, gyda 22 o blaid y rhyfel a 25 yn ei erbyn.

Roedd coffâd gwlatgarol ac emosiynol yn rhifyn Chwefror 1901 i'r ddiweddar Frenhines Victoria:

> We do not feel competent enough to utter praises merited by Her glorious character. Our pens are too feeble to attempt such a task.

Yn rhifyn Tachwedd 1903 ceir hanes sefydlu'r *Debating Society* (Y Gymdeithas Ddadlau). Rhaid cofio bod y ddadl ffurfiol wedi bod yn nodwedd o raglen y *smoker* am flynyddoedd lawer cyn hyn. Dyma flas o rai o'r testunau a gafodd sylw'r Gymdeithas yn 1903: 'Is professionalism detrimental to sports?', 'Is Great Britain in a state of decline?', 'Should the House of Lords be reformed or abolished?' Gellir yn hawdd ddychmygu'r un testunau'n cael eu trafod heddiw.

Rhwng 1900 a 1903 roedd Streic Fawr Chwarel y Penrhyn yn rhygnu ymlaen. Er bod y mwyafrif o fyfyrwyr y Normal yn y cyfnod hwn yn dod o gefndir Anghydffurfiol, does fawr ddim sôn am y digwyddiad hanesyddol hwn ar dudalennau'r *Normalite,* ond ceir un sylw yn rhifyn Tachwedd 1900:

> Doubtlessly the dispute at the Penrhyn Slate Quarries has directed the eyes of all Normals towards Bangor. The town now presents quite a martial appearance and on all sides we see many gallant men –

gallant in both meanings of the word. Whatever our sympathies may be, we trust than an amicable settlement will be speedily arrived at.

Yn yr un modd, o gofio fod dynion y Normal yn y cyfnod hwn yn fynychwyr selog capeli Anghydffurfiol Bangor, y mae'n rhyfedd nad oes unrhyw gyfeiriad o gwbl yn *y Normalite* at ddiwygiad Evan Roberts, 1904–05.

•   •   •

Yn rhifyn Rhagfyr 1906 ceir hanes gwyliau hanner tymor yr Hydref. Aeth y *Seniors* ar y daith, draddodiadol bellach, i ben Yr Wyddfa (gweler hanes John Lloyd Williams uchod) tra mentrodd y *Juniors* ar wibdaith ar y trên i Gaernarfon. Ceir adroddiad manwl iawn am y trip hwn: treuliwyd rhan helaeth o'r diwrnod yn canu! Buwyd yn canu wrth gerdded i lawr o'r Coleg i'r orsaf, canu ar y platfform tra'n disgwyl y trên, canu ar y trên, canu tra'n gorymdeithio o orsaf Caernarfon i'r castell, a chanu'r holl ffordd adref yn ôl i'r Coleg. Ar ôl cyflwyno'r 'anerchiad draddodiadol' o flaen cerflun un o sylfaenwyr y coleg, Syr Hugh Owen, ar sgwâr Caernarfon a rhoi'r *Coll. Cheer*, mwynhawyd cinio blasus yn yr *Eifion Temperance*. Gorffennwyd y diwrnod cyffrous gyda *smoker* yn y *Wicklow Temperance* ym Mangor.

Ceir adroddiad manwl a chynhwysfawr arall o gyngerdd blynyddol y myfyrwyr yn rhifyn Chwefror 1907. Nid oes cyfeiriad at yr un eitem Gymraeg yma, nac yn gân nac yn adroddiad: y mae'r holl gynnwys yn uniaith Saesneg. Tybed pa anthem genedlaethol a ganwyd 'gydag arddeliad' ar ddiwedd y cyngerdd?

Yn rhifyn Mawrth 1907 gwelwn fod pwyllgor newydd wedi cael ei sefydlu gan y myfyrwyr, sef y *Social Committee* (Pwyllgor Cymdeithasol), i hyrwyddo mwy o gyfathrach rhwng y myfyrwyr a'r staff. Cyfeirir at Noson Chwist lwyddiannus a gynhaliwyd i'r myfyrwyr a'r staff yn y *Day Room*.

Ceir awgrym cynnil yn yr adroddiad am y Pwyllgor Cymdeithasol newydd hwn y gellid estyn ei weithgarwch i hyrwyddo gwell perthynas rhwng y myfyrwyr a dinasyddion Bangor:

As it is, the College is almost completely severed from the world, and in such circumstances a sense of the monotony of things cannot be entirely avoided. To avert this sense and to widen the life of the student is the object of the Social Committee.

•   •   •

Byddai cefnogwyr ysmygu wedi teimlo'n gartrefol iawn yn y Normal yn 1906–07 gan fod cryn sylw, a hynny'n ffafriol iawn, yn cael ei roi i'r arferiad yn rhifynnau'r *Normalite*. Yn rhifyn Mawrth 1907, dan y pennawd *In the Clouds,* ceir trafodaeth hirfaith ar fendithion ysmygu, ac ymosodir yn hallt iawn ar yr unigolion hynny nad oeddynt yn mwynhau smôc:

> There are men in existence who are non-smokers. Such men are to be pitied or distrusted according to the motive which enforces this abstinence, for a man who cannot smoke only half enjoys life. The influence of tobacco is like the soothing touch of a ministering angel.

Yn ôl yr ysgrif hon, smocio pibell oedd y ffordd dderbyniol o ysmygu: ei ddangos ei hun roedd smociwr sigars tra roedd smociwr sigarets yn "possessors of a weak intellect". Yn nhymor y Pasg 1907 bu'r *Debating Society* yn mwynhau darlith ar 'The History of the Art of Smoking'. Yn eironig ddigon, cynhaliwyd ambell i *smoker* yn y gampfa!

•   •   •

Yn y cyfnod cynnar hwn y mae'n debyg fod cyswllt eithaf agos rhwng aelodau staff y Coleg a'r myfyrwyr oherwydd ceir sawl cyfeiriad at aelodau'r staff yn cymryd rhan flaenllaw yn nhrafodaethau'r Gymdeithas Ddadlau a hyd yn oed yn chwarae i rai o dimau'r coleg. Yn rhifyn Mai 1907 o'r *Normalite* cyfeirir at gyfraniad gwerthfawr ar y cae criced gan Stanley Williams, aelod o'r staff.

Mae golygyddol rhifyn Tachwedd 1907 yn rhoi sylw i farwolaeth sydyn y Prifathro John Price, ar ôl dwy flynedd o ymddeoliad. Yn ôl y golofn olygyddol, dyma golli cysylltiad ag un a chwaraeodd ran amlwg yn sefydlu'r Coleg Normal; rhoddir teyrnged sylweddol iddo yn y rhifyn. Yn y deyrnged, cyfeirir nid yn unig at ei gyfraniad hirfaith i'r Coleg, ond hefyd at ei wasanaeth gwerthfawr i'r Cyngor Tref ac i Fwrdd Addysg Bangor. Cydnabyddir, yn ogystal, ei dystiolaeth gadarn dros Eglwys Iesu Grist:

> In losing Mr Price we lost the last of the prime founders of the college, a Welshman whom Wales will be proud to remember and whose life motto was 'Trust in God and do the right'.

•   •   •

I hyrwyddo addasiad y *Juniors* newydd i fywyd coleg mae'r un rhifyn yn cynnwys rhestr o eiriau *jargon* oedd yn amlwg yn rhan o eirfa myfyrwyr yn y cyfnod hwn, gan gynnwys:

> *Tub* – cwch y Coleg
> *P.S.* – *Private Study*
> *F.O.* – *Feel ousted*!, sef cyfarchiad i ddangos i fyfyriwr nad oedd yn dderbyniol gan y cwmni y mae'n ceisio closio ato.

Yn nhymor yr Haf 1908 daeth ymwelydd pwysig i'r Normal. Mewn erthygl dan y teitl *Reminiscences of an Old Normalite* yn rhifyn Nadolig 1947, cyfeiria W. E. Rumble, Leyland, Sir Benfro (1906–08) at ymweliad gan (Syr) O. M. Edwards, AEM. Roedd O. M. Edwards wedi'i benodi'n Brif Arolygydd Ysgolion Cymru ryw flwyddyn ynghynt ac mae'n debyg mai yn rhinwedd ei swydd yr ymwelodd â'r Coleg yn 1908. Bu'n siarad â dynion yr ail flwyddyn am tuag awr, a datblygodd ei sgwrs yn ddarlith ar hanes. Meddai W. E. Rumble:

> He was an accepted master in his subject and one still recalls the sheer enjoyment of listening to him.

Am tua hanner awr wedyn bu'r *Seniors* yn diddori O. M. Edwards ar gyda'r nos braf o haf ar risiau'r hen *Smoke Room* oedd wedi'i leoli yng nghefn y Coleg. Yno buont yn canu emynau Cymraeg a detholiad o ddarnau corawl, ac, yn amlwg, roedd hyn wrth fodd y Prif Arolygydd.

● ● ●

Yn 1910 cafodd Parti Noson Lawen y Cyfnod Cynnar, neu, i roi iddo ei enw swyddogol, *The Seniors' Concert Party*, wahoddiad i berfformio ar fwrdd llong enwog y *Clio*. Ceir yr hanesyn yn rhifyn Haf 1910 y *Normalite*. Roedd y *Clio* yn cael ei defnyddio i roi hyfforddiant diwydiannol i fechgyn 'drwg' siroedd gogledd Cymru. Cerddodd aelodau'r parti o'r Coleg i'r pier cyn cael eu rhwyfo drosodd i'r *Clio*, a oedd wedi ei hangori yn y Fenai. Ar fwrdd y llong bu band enwog bechgyn y *Clio* yn difyrru dynion y Normal. Wedyn, tro'r *Concert Party* oedd hi i ddifyrru bechgyn a chriw y *Clio* gyda rhaglen amrywiol o ganeuon a sgetsys, gan gynnwys un gân briodol iawn, sef *Hearts of Oak*! Yn ail ran rhaglen parti'r Normal cyflwynwyd "a nigger farce – The Black School Master"! Dyma sylwadau terfynol yr adroddiad am yr ymweliad â'r *Clio*: "About 8.45 p.m. we were rowed back by the boys and as we left them in the boat we finished one of the most enjoyable evenings in our college life."

Serch y cyfleusterau chwaraeon gwael oedd yn y Coleg (gweler sylwadau R. Lloyd Jones uchod), yn 1887 dechreuodd dynion y Normal chwarae pêl-droed o ddifrif, ac, o hynny ymlaen, bu tîm yn chwarae'n rheolaidd yn erbyn timau Tref Bangor, CPGC, 'Teigrod' y Borth, y Felinheli, Llanfairfechan, Penmaenmawr, Ysgol Rydal Bae Colwyn a thimau Caernarfon a Phwllheli. Cerddai aelodau'r tîm i'r caeau pêl-droed lleol a theithio mewn brêc neu ar y trên i gemau pellach i ffwrdd.

Arferai'r Normal hefyd chwarae'n rheolaidd yr adeg hon yn erbyn tîm y Santes Fair, coleg hyfforddi arall ym Mangor ar gyfer dynion bryd hynny. Erbyn 1898, fodd bynnag, merched yn unig oedd yn cael mynediad i'r coleg hwnnw. Felly, ar ddechau tymor pêl-droed 1898 dyma ymateb barddonol i gais gan ysgrifennydd clwb pêl-droed y Normal am gêm efo'r Santes Fair:

> For Simaries [St Mary's] upon the Hill
> Football days are o'er;
> The College now with girls we fill
> Men are such a bore.

Yn rhifyn Rhagfyr 1898 o'r cylchgrawn ceir adroddiad manwl am y gêm rygbi swyddogol gyntaf a chwaraewyd gan dîm y Normal yn erbyn CPGC, ar gae'r ddinas ar 2 Tachwedd 1898. Braf yw gallu dweud mai'r Normal a orfu, o ddwy gôl ac un cais i un cais gan Goleg y Brifysgol. Yn y cyfnod cynnar hwn roedd y Normal yn llwyddo i ddenu mwy o ddynion o dde Cymru ac o Loegr na CPGC. Dyna'r rheswm, mae'n debyg, pam y cafodd tîm rygbi'r Normal y fath lwyddiant. Yn wir, bu'n rhaid i Goleg y Brifysgol aros tan 1913 cyn llwyddo i drechu'r Normal mewn gêm rygbi.

Roedd sylw manwl a chynhwysfawr yn cael ei roi yn y *Normalite* yn y cyfnod hwn i gemau pêl-droed, a chyfeirir nid yn unig at aelodau'r tîm ond hefyd at y tywydd a'r chwarae. Er enghraifft, yn rhifyn Rhagfyr 1906 ceir hanes tad yr enwog David a Richard Attenborough, sef Frederick L. Attenborough (1906–08) – a ddaeth wedyn yn Brifathro coleg *Borough Road* ac yna yn Brifathro Prifysgol Caerlŷr – yn chwarae i'r Coleg yn erbyn CPGC bnawn Mercher, 28 Tachwedd, ar gae Ffordd Farrar:

> Attenborough rushed up and sent in a lightning shot which Oswald Griffith [gôl-geidwad tîm CPGC] never saw.

Ac eto:

Turner passed to Attenborough who scored with a splendid shot amidst deafening cheers!

Mae'n rhyfedd cyn lleied o sylw mae gemau rygbi yn ei gael yn y *Normalite* yn y cyfnod hwn. Er enghraifft, dim ond un cyfeiriad cynnil iawn a geir at rygbi yn rhifyn Rhagfyr 1906, sef brawddeg yn unig yn croniclo fod y Normal wedi rhoi cweir iawn i CPGC o 29 pwynt i 0.

ACHOS RICHARD LLOYD WILLIAMS

Yn rhifyn Pasg 1909 ceir coffâd i Dick Williams, myfyriwr o'r Coleg a fu farw o ganlyniad i gael ei anafu tra'n chwarae pêl-droed i dîm y Normal yn erbyn Coleg y Brifysgol. Cyn manylu ar yr hanesyn, priodol fyddai cael ein hatgoffa o natur gemau pêl-droed rhwng timau'r Normal a CPGC ar ddechrau'r ugeinfed ganrif. Dyma sylwadau Dr Thomas Richards yn ei hunangofiant:

> Nid oedd tîm sâl ganddynt byth [y Normal] . . . Os anghyfarwydd oedd yr 'imports' ar ambell flwyddyn, buan iawn y cabolid hwy yn uned eirias . . . yr oedd ysgarmesoedd y ddau goleg yn rhywbeth eithriadol na welid mo'u tebyg yn unman arall yn y byd, yr 'yells', y ddwy 'yell' iasol, gwichiadau didostur y merched, y lein [sef y rhaff o amgylch y cae] yn rhoddi ffwrdd o dan gymeradwyaeth fochus neu gyhuddiadau angerddol a dwyn y buddugwyr i dre ar ysgwyddau llaweroedd.[21]

Yn adran chwaraeon y *North Wales Chronicle*, 19 Mawrth 1909, ceir adroddiad am gêm bêl-droed a chwaraewyd bnawn Sadwrn, 13 Mawrth, ar gae Ffordd Farrar rhwng y Normal a CPGC. Canmolir chwaraewyr tîm y Normal am ddal eu tir gan iddynt orfod chwarae efo deg dyn yn unig ar ôl chwarter awr yn dilyn anaf i Dick Williams. Canlyniad y gêm oedd: Coleg Prifysgol Gogledd Cymru 4, Coleg Normal Bangor 3.

Yna, yn adran newyddion lleol y *Chronicle* ceir adroddiad cynhwysfawr am gwest a gynhaliwd yn y Coleg Normal nos Lun, 15 Mawrth, i farwolaeth myfyriwr dwy ar hugain oed, Richard Lloyd Williams, yn enedigol o Gaernarfon, a fu farw y Dydd Sul cynt. Cafodd y myfyriwr ei anafu yn y gêm bêl-droed y cyfeiriwyd ati.

Yr oedd yr ystafell lle cynhaliwyd y cwest yn y Coleg yn llawn o fyfyrwyr a rhai staff gan gynnwys David Harris (y Prifathro), y Parchedig Daniel Rowlands (cyn-Brifathro), a Syr Harry Reichel

(Prifathro CPGC). Yn ôl tystiolaeth a gyflwynwyd gan fforman y rheith-gor, rhyw chwarter awr ar ôl cychwyn y gêm anafwyd Richard Lloyd Williams, a gadawodd y cae chwarae. Ar y pryd, nid oedd neb wedi sylweddoli pa mor ddifrifol oedd yr anaf. Fodd bynnag, erbyn saith o'r gloch nos Sadwrn galwyd ar feddyg y Coleg, Dr E. J. Lloyd, i'w weld. Galwodd y meddyg eto am un o'r gloch bnawn Sul, ac roedd y claf fel petai'n gwella. Fodd bynnag, yn hwyrach yn y pnawn dirywiodd ei gyflwr, a bu farw am ddeg yr hwyr.

Nid oedd dyfarnwr y gêm, E. Lloyd Williams, Bangor, wedi sylwi ar Richard Lloyd Williams yn cael ei anafu, dim ond ei weld yn gorwedd ar lawr ar ôl chwarter awr o'r chwarae. Holwyd y dyfarnwr yn dreiddgar gan y crwner ynglŷn â beth yn union a ddigwyddodd, ond, unwaith eto, mynnodd y dyfarnwr nad oedd wedi gweld y digwyddiad a achosodd anaf i'r chwaraewr. Ychwanegodd y dyfarnwr, wrth gyfeirio at ddull chwarae Dick Williams:

> He had a peculiar habit of stopping an opponent . . . he used to 'front' his opponent and thrust his leg out, dropping on one knee. I have seen many a player winded through doing that.

Ychwanegodd y dyfarnwr fod Williams wedi codi ar ei draed, a cherdded i ochr y cae, lle'r arhosodd am ryw bum munud cyn cael ei gynorthwyo i'r pafiliwn. Wrth ateb cwestiwn gan un o'r rheithgor ynglŷn â pha mor galed oedd y gêm, dywedodd y dyfarnwr:

> It was a vigorous game, a little bit of feeling being shown on both sides. When these colleges meet, scientific football is conspicuous by its absence owing to the excitement which prevails.

Cydnabu'r dyfarnwr ei fod wedi stopio'r chwarae am gyfnod ac wedi rhybuddio'r chwaraewyr am beryglon 'jumping'. Gofynnodd y crwner beth yn union oedd 'jumping', ac meddai'r dyfarnwr, "Going for an opponent with both feet off the ground."

Yna holwyd un o'r llumanwyr, Eric Robinson, myfyriwr yng Ngoleg y Brifysgol, ynglŷn â'r digwyddiad. Dywedodd iddo weld blaenwr o dîm CPGC, T. E. Jones, yn rhedeg gyda'r bêl wrth ei draed. Aeth Richard Lloyd Williams i'w daclo a bu gwrthdrawiad. Ychwanegodd Eric Robinson fod Williams wedi ei daro'n ei stumog gan ben-glin Jones. Holwyd Jones yn dreiddgar ynglŷn â'r digwyddiad, ond nid oedd ganddo ddim gwahanol i'w ychwanegu at dystiolaeth y llumanwr. Dywedodd mai dyma'r pedwerydd tro iddo chwarae i dîm Coleg y Brifysgol yn erbyn y

Normal, "... and it was no rougher than usual. In fact, it was less rough than usual."

Cafwyd tystiolaeth wedyn gan David Williams, Hirael, a oedd yn gwylio'r gêm. Unwaith eto, nid oedd ganddo dystiolaeth wahanol i'w chynnig, ond ychwanegodd iddo gynorthwyo Richard Lloyd Williams i gerdded i'r pafiliwn lle y dechreuodd gyfogi. Fodd bynnag, ar ôl ei holi ymhellach, cydnabu David Williams mai'r bêl, ac nid troed T. E. Jones, oedd wedi taro Richard Lloyd Williams yn ei stumog.

Ar ôl cael ei alw'n ôl cadarnhaodd meddyg y Coleg fod marc ar gorff Richard Lloyd Williams yn gyson ag ergyd galed iawn gan bêl, yn hytrach na chic.

Dyfarniad y rheithgor oedd 'marwolaeth ddamweiniol', ond ychwanegodd:

> We are unanimously of the opinion that there is too much roughness displayed in these inter-collegiate matches and we wish to call the serious attention of the authorities to the matter.

Claddwyd Richard Lloyd Williams ym mynwent Llanbeblig, Caernarfon, ddydd Iau 18 Mawrth 1909, gyda Phrifathro'r Normal yn bresennol, ynghyd â holl fyfyrwyr y Coleg. Yn ogystal, cerddodd deugain o fyfyrwyr Coleg y Brifysgol at lan y bedd.

NEWID CYFNOD

Cyn cau pen y mwdwl ar y Cyfnod Cynnar, dylid sylwi fod newid arwyddocaol wedi digwydd i leoliad myfyrwyr y Normal yn ystod eu dyddiau Ymarfer Dysgu erbyn diwedd y cyfnod. O ganlyniad i symud Coleg Hyfforddi'r Santes Fair i Fangor o Gaernarfon yn dilyn tân a ddifrododd yr adeilad gwreiddiol yn 1891, ac agor *Day Training College* CPGC yn 1894, bellach roedd yn anodd i'r Normal allu sicrhau digon o lefydd yn ysgolion Bangor ar gyfer Ymarfer Dysgu. Y tair ysgol ym Mangor a fyddai'n cael eu defnyddio ar gyfer yr Ymarfer oedd Y Garth (i gychwyn), St Paul's a Glanadda. Un o ganlyniadau hyn fu i'r Coleg ddechrau anfon dynion yr ail flwyddyn cyn belled â Lerpwl i wneud eu Hymarfer Dysgu. Dechreuodd hynny yn 1907. Cawn beth o'r hanes hwn yn y bennod nesaf, sy'n ymdrin â'r Cyfnod Canol, 1910–1957.

NODIADAU

1. Harri Williams (1987) *John Phillips: arloeswr addysg*. Llandysul: Gwasg Gomer. t. 108.
2. Ibid.
3. Henry Jones (1923) *Old Memories: autobiography of Sir Henry Jones*. Llundain: Hodder and Stoughton. t. 29.
4. H. C. Dent (1977) *The Training of Teachers in England and Wales*. Llundain: Hodder and Stoughton. t. 15.
5. *Old Memories*. t. 95.
6. Ibid., t. 4.
7. Dewi Jones (2003). *Naturiaethwr Mawr Môr a Mynydd: bywyd a gwaith J. Lloyd Williams*. Llanrwst: Gwasg Carreg Gwalch. t. 42.
8. J. Lloyd Williams (1945) *Atgofion Tri Chwarter Canrif IV*. Llundain: Gwasg Gymraeg Foyle. t. 41.
9. Ibid.
10. Ibid., t. 73.
11. Ibid., t. 75.
12. Ibid., t. 33.
13. J. Lloyd Williams (1944) *Atgofion Tri Chwarter Canrif III*. Y Clwb Llyfrau Cymreig. Dinbych: Gwasg Gee. t. 26.
14. Ibid., t. 59.
15. *Atgofion Tri Chwarter Canrif IV*. t. 62.
16. *Atgofion Tri Chwarter Canrif III*. t. 56.
17. Ibid.
18. Thomas Richards (1960) *Hunangofiant Cardi*. Aberystwyth: Cymdeithas Lyfrau Ceredigion Gyf. t. 60.
19. Ibid., t. 61.
20. Awdur anadnabyddus (1953) *'Tis Sixty Years Since: life at the Bangor Normal College in the years 1893–94*. Cyfrol heb ei chyhoeddi. ACN113.
21. *Hunangofiant Cardi*. t. 136.

PENNOD 2

Y CYFNOD CANOL 1910–1957

PONTIO DAU RYFEL BYD: GOROLWG

O ganlyniad i Ddeddf Addysg 1902 dechreuodd nifer o bwyllgorau addysg sirol yn ne Cymru ystyried codi eu colegau hyfforddi eu hunain er mwyn ymdopi â'r galw am ragor o athrawon. Bu'r bygythiad o gystadleuaeth yn ysgogiad i awdurdodau'r Normal ddechrau meddwl sut i wella darpariaeth llety a chyfleusterau dysgu yn y Coleg, er mwyn denu rhagor o fyfyrwyr o dde Cymru. Dyma pryd y dechreuwyd codi pedair neuadd breswyl newydd ar dir ger y Coleg.

●   ●   ●

I gyd-fynd â'r polisi hwn derbyniwyd merched fel myfyrwyr am y tro cyntaf yn 1910. Yn y flwyddyn honno roedd dau gant o fyfyrwyr yn y Coleg, sef 120 o ddynion ac 80 o ferched. Serch hynny, cynnil iawn yw'r sylw a roddir i hyn yn y *Normalite*. Dim ond paragraff byr a welir yn rhifyn Gŵyl Fihangel 1910 yn croesawu'r merched ac yn dymuno'n dda iddynt.

Yn yr un rhifyn, ceir hanes y merched yn cynnal cyfarfod cyntaf *Debating Society* y merched. Roedd testun y ddadl gyntaf yn nodweddiadol fenywaidd: 'Should fashion be eliminated?' Hanes gwyliau hanner tymor y merched sydd yn rhifyn Nadolig 1910. Aeth y merched ar y trên o Fangor i Fethesda, a cherdded oddi yno i Lyn Ogwen. Y bwriad oedd treulio'r diwrnod yn cerdded a gwmpas y llyn. Fodd bynnag, daeth

63

yn law trwm, ac, o ganlyniad, treuliwyd y rhan fwyaf o'r diwrnod mewn gwesty ger y llyn; ond gellir bod yn sicr na fu'r un o'r merched yn llymeitian tra buont yno!

Yn 1910 ffurfiwyd dau gwmni drama, un i'r dynion a'r llall i'r merched. Erbyn 1911 sefydlwyd *Choral Society (Mixed)* y Normal gyda dau gant o leisiau. Cyfyngedig iawn oedd y cyfleoedd, ar wahân i'r *Choral Society*, i'r dynion a'r merched gymysgu. Erbyn y 1920au a'r 1930au, cafwyd cyfleoedd pellach trwy'r Gymdeithas Gymraeg a'r *Debating Society*, a oedd erbyn hynny yn cael eu cynnal ar y cyd.

• • •

Un o sgil-effeithiau Rhyfel Mawr 1914–18 oedd ehangu Adran y Merched, am fod nifer sylweddol iawn o'r dynion wedi ymuno â'r lluoedd arfog. Er enghraifft, yn dilyn apêl arbennig yn Rhagfyr 1915 am wirfoddolwyr rhyfel, gadawodd 69 o ddynion y Coleg gan adael dim ond 23 i orffen eu blwyddyn. Un arall o'r sgil-effeithiau oedd amharu ar y gwaith tymor gan ymarferion yr *Officer Training Corps* (yr OTC): roedd 55 o'r myfyrwyr a'r staff yn aelodau o'r corff hwn. Erbyn 1915, roedd 80 o ddynion y Normal yn aelodau o OTC Bangor. Arbenigedd y corff oedd trin gynnau mawr. Cyn y Rhyfel Mawr arferai OTC Bangor dreulio rhan o wyliau'r haf yn ymarfer yn Nhrawsfynydd, gan aros yn y *Tin Town* adnabyddus. (Tybed a ddaeth Hedd Wyn ar draws rhai o ddynion y Normal yr adeg yma?) O ganlyniad, ymaelododd nifer o fyfyrwyr y Normal yn y *Royal Artillery* ar ddechrau'r Rhyfel Mawr ac ymaelododd eraill â'r Ffiwsilwyr Cymreig.

Collwyd cynifer â 50 o fyfyrwyr y Normal yn y Rhyfel Mawr ac y mae meini coffa i'w haberth i'w gweld hyd heddiw yn Adeilad y George ac yn yr Hen Goleg. Cyfansoddodd un o fyfyrwyr y Normal ddarn o gerddoriaeth *Swan Song* tua diwedd y Rhyfel Mawr a bu'n arferiad i'w ganu ar y piano ar ddechrau unrhyw gyfarfod arbennig yn y Coleg er cof am wŷr y Normal a gollodd eu bywydau yn y rhyfel, a hynny'n gyson rhwng y ddau ryfel byd.[1]

Mewn ymateb i'r pwysau cynyddol am lety i'r dynion oedd yn dychwelyd i'r Coleg ar ôl y Rhyfel Mawr, prynwyd gwesty'r George (ar lan y Fenai rhwng Bangor Uchaf a'r Borth) a'i agor fel neuadd breswyl i ddynion ym Medi 1919. Drwy wasgu hyd at bump o ddynion i bob ystafell wely, llwyddwyd i letya 95 o fyfyrwyr yn y neuadd! Meithrinwyd is-ddiwylliant arbennig yn y George dros y blynyddoedd, a gyfrannodd yn helaeth at lywio bywyd sawl cenhedlaeth o fyfyrwyr.

• • •

Llun dyfrlliw o'r Hen Goleg *c.*1945

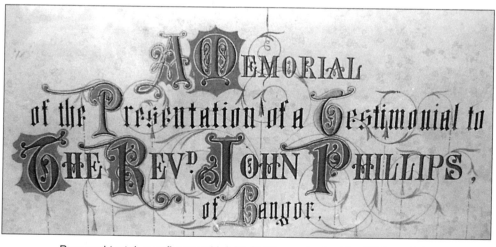

Pennawd tysteb a gyflwynwyd i John Phillips gyda rhodd o £500 yn 1864

Myfyrwyr a staff 1896–98, gan gynnwys y Prifathro Daniel Rowlands, a'i ddirprwy, John Price

Tîm pêl-droed 1898–99
rhes flaen (o'r chwith): W. Williams, W. Hollis, J. Brooks, O. Morgan, E. Williams;
rhes ganol: D. Gravelle, J. H. Davies, L. Jones; *rhes gefn:* H. Bolton (Dyfarnwr), E. Spir,
J. R. Williams (Capten), J. Phillips, A. Famery, F. Eyles, J. James (Ysgrifennydd)

Y Parchedig Daniel Rowlands,
Prifathro 1867–91

John Price,
Prifathro 1891–1905

Staff cylchgrawn y *Normalite* 1905–06
rhes flaen (o'r chwith): D. J. Jenkins, S. A. Dyer (Golygydd), T. Morris;
rhes gefn: L. E. Holt, E. Hurren Harding (aelod o'r staff), B. Davies, E. I. Jenkins, G. Davies, W. Smith

Cerflun o David Robert Harris,
Prifathro 1905–33

Dr Richard Thomas, Prifathro 1935–58

Hen Normaliaid ar faes y gâd yn y Rhyfel Mawr

The Easter Squad: dynion y Normal a wirfoddolodd i'r fyddin, Pasg 1915

Merched o flaen Neuadd Môn yn 1918 gyda milwr yn ei lifrai

Dawns Gwisg Ffansi 1916–18

A Fool and his Money:
dramodig 1925.
o'r chwith: Eryl Griffith, Lucy Murray
(a aeth yn genhades i Sylhet yn yr
India lle bu farw'n 26 oed ar ôl
blwyddyn o waith) a Ioan Evans

Ambie – Ambrose Bebb:
darlithydd yn y Normal 1925–55.
"As fine a teacher as he was a man"

John Owen, Carmel, myfyriwr 21 oed a
foddodd yn y Fenai, haf 1930

Cwmni drama 1932 yn perfformio *Escape* Galsworthy.
o'r chwith: R. D. (Bob) Rees (ficer), A. C. Noble (carcharor), Arthur Griffiths (heddwas),
D. J. Davies (ffarmwr), Eric Griffiths (clochydd), W. J. Jones (labrwr), D. Idwal Lloyd (labrwr).
Cynhyrchwyd y ddrama gan T. C. H. Parry *(Tishy)*

Central Block, ystafell fwyta'r Hen Goleg *c.*1938

Grŵp o fyfyrwyr, gan gynnwys Gilmor Griffiths, ar y chwith wrth ochr Megan Jones,
ym mhwll nofio awyr agored Bangor ar lan y Fenai, 1938

Cwmni Drama 1939 cyn perfformio *Modur y Siopwr*. Ambrose Bebb sydd yn y canol

Dynion y staff yn symud Harold Stanley-Jones i'w gartref newydd fel warden Neuadd Ardudwy yn 1951 (tŷ Esgob Bangor oedd yr adeilad gynt). Cartŵn gan Douglas Williams.

1–Maurice Halstead; 2–Ambrose Bebb; 3–Thomas Roberts; 4–Gwynn Roblin;
5–Parchg R. H. (Robert Henry) Hughes; 6–David Fraser; 7–William George Croker;
8–T. C. H. (Thomas Charles Harold) Parry; 9–Gordon Llewelyn Evans; 10–Dewi Machreth Ellis;
11–Emlyn Davies; 12–Brynmor Lewis Davies; 13–Llewelyn Morgan Rees;
14–Parchg Donald Ambrose Jones; 15–Hugh Douglas Williams (y cartwnydd);
16–Harold Stanley-Jones (yr 'him' yn y pennawd)

Sub-Normal College: raid gan fyfyrwyr CPGC *c.*1952

Sheila Phippen Davies *(Flip)*
*c.*1953 ar flaen y gâd

Rhai o griw y Ddrama Gymraeg yn perfformio *Llywelyn, Tywysog Cymru* yn 1951.
"Portreadwyd Llywelyn yn feistrolgar gan Morien Phillips; Enid yn gredadwy a da gan Beryl Roberts; a chyfraniad bythgofiadwy oedd actio godidog John O. Roberts, fel y Brawd Jonas" (*Normalite*, Nadolig, 1951)

Neuadd Aethwy 1954–55

rhes flaen (o'r chwith): Myra Williams (Mynwent y Crynwyr), Glenys Williams (Prestatyn), Miss Hannah Williams (warden), Anne Hughes (Edwardsville), Agnes Jones (Blaenau Ffestiniog);

rhes gefn: Janice Wynne Jones (Pen-y-groes), Hafina Clwyd Jones (Rhuthun), Angharad Jones (Ponciau), Olga Myddelton (Dinbych), Hilda Roberts (Penrhyndeudraeth), Joyce Evans (Blaenau Ffestiniog), Gwen Hughes (Deganwy)

Tîm pêl-rwyd 1955–56

rhes flaen (o'r chwith): Heulwen Meredith (Corwen), Gwynneth Morgan (Brymbo), Eira Jones (Peniel), Hazel Beynon (Pont-henri):
rhes gefn: Lita Davies (Pont-iets), Jean Price (Caerdydd), Elizabeth Ann Jones (Cricieth), Cynthia Davies (Cribyn),
Hafina Clwyd Jones (Rhuthun), Norma Kendall (Sutton Coldfield), Eirlys Williams (Harlech)

Ar ôl troi'r George yn neuadd breswyl i ddynion sefydlwyd Adran y Dynion ar yr un safle gan neilltuo ystafelloedd dosbarth, labordai a gweithdai i'r dynion yno hefyd. O ganlyniad, roedd y merched a'r dynion yn cael eu haddysgu yn hollol ar wahân. Bu'n rhaid aros tan y cyfnod ar ôl yr Ail Ryfel Byd i weld uno adrannau'r merched a'r dynion yn llwyr ar gyfer darlithio.

Yn raddol, gwelwyd rhywfaint o newid ym maes llafur y Coleg. Yn 1923, dechreuwyd cynnig cwrs mewn Astudiaethau Beiblaidd mewn cydweithrediad â Choleg Bala-Bangor, ac yn 1929 sefydlwyd cyrsiau mewn Gwaith Llaw, Arlunio, Garddio, Gwyddor Gwlad a Cherddoriaeth. Adeiladwyd Bloc Technoleg yn 1932 ar gyfer y cyrsiau hyn ar Safle'r George, ac yn 1934 agorwyd Bloc Technoleg arall ger neuaddau'r merched ar gyfer cwrs Gwaith Gwnïo a Gwyddor Tŷ.

Saesneg oedd y cyfrwng dysgu yn y Coleg o hyd, heblaw am bwnc y Gymraeg, ond mae tystiolaeth fod peth dysgu answyddogol yn digwydd trwy gyfrwng y Gymraeg (gweler profiad Dafydd Wyn Wiliam isod).

* * *

Bu blynyddoedd yr Ail Ryfel Byd a'r cyfnod yn syth wedyn yn anodd i'r Coleg, gyda'r myfyrwyr a'r staff, y gweinyddwyr a'r staff atodol yn newid yn aml. Collodd 38 o ddynion y Normal eu bywydau yn y rhyfel hwn.

Yn 1946, cafwyd adlais o streic y myfyrwyr (1890) pan fu cwynion o du'r myfyrwyr ynglŷn ag ansawdd y prydau bwyd oherwydd y dogni (gweler hanes Handel Morgan isod). Aed ati, mewn ffordd anghyffredin ond gwyddonol iawn, i drafod y cwynion, a threfnodd y Coleg i gymharu pwysau'r myfyrwyr ar ddechrau tymor yr Hydref 1946 gyda'u pwysau ar ddiwedd y tymor. Cafwyd bod pob categori o fyfyrwyr wedi ennill pwysau!

O ganlyniad i Ddeddf Addysg 1944 a'r galw cynyddol am ragor o athrawon, bu cynnydd yn nifer y myfyrwyr o 274 yn 1945 i 375 yn 1948. Ychwanegwyd at y ddarpariaeth breswyl drwy agor Neuadd Hafren i fyfyrwyr Gwyddor Tŷ, ac, yn 1950, daeth Llys Esgob Bangor, ger y George, yn Neuadd Ardudwy i ddynion.

Yn sgil cychwyn Gwasanaeth Milwrol Cenedlaethol (*National Service*), gwelwyd dynion hŷn yn cofrestru yn y Normal yn y 1940au a'r 50au, a chawn beth o hanes yr *ex-service men* hyn yma.

* * *

Mae'r cysylltiad rhwng y Coleg Normal a chapel Tŵr Gwyn yn parhau'n gryf yn ystod y cyfnod hwn. Haera Dafydd Wyn Parry ei fod yn cyrraedd ei benllanw yn ystod y 1920au a'r 30au. Cyfeiria'n benodol at ddosbarth Ysgol Sul Ambrose Bebb gydag oddeutu 25 o fyfyrwyr yn aelodau ffyddlon ynddo, ac yn cael blas arbennig ar y trafod. Mae hefyd yn cyflwyno darlun hyfryd o oedfa gymun nos Sul "a'r holl efrydwyr a lanwai'r oriel yn ymuno â'r gynulleidfa ar lawr y capel yn y seiat i dderbyn o'r bara a'r gwin".[2]

Gyda chynifer o fyfyrwyr y Normal a Choleg y Brifysgol yn y gynulleidfa credai Dafydd Wyn Parry fod llawer o'r pregethwyr yn anelu eu cenadwri yn benodol at y garfan arbennig hon o'r gwrandawyr. Cawn gipolwg pellach yn y bennod hon ar fywyd crefyddol rhai o fyfyrwyr y Normal yn y Cyfnod Canol.

• • •

Erbyn troad yr ugeinfed ganrif, fel y gwelsom eisoes, roedd gan y Normal dîm pêl-droed a arferai chwarae yn erbyn timau lleol gan gynnwys tîm Coleg y Brifysgol. Roedd tîm rygbi hefyd wedi'i sefydlu er 1898, ond, heblaw am y gemau a chwaraeid yn erbyn tîm Coleg y Brifysgol, roedd yn rhaid i'r tîm rygbi deithio yn go bell i chwarae. Erbyn 1914, arferai'r Normal chwarae rygbi yn erbyn timau fel Wigan, Penbedw ac Aberystwyth. Cam pwysig o ran hyrwyddo chwaraeon yn y Normal oedd prynu tir yn Nantporth, ar lan y Fenai, yn 1921 a darparu yno feysydd chwarae ar ddwy lefel o dir. Yma y cynhelid nid yn unig gemau pêl-droed a rygbi, ond hefyd y mabolgampau blynyddol. Cawn hanes yma am rai o'r myfyrwyr a fanteisiodd ar y cyfleusterau chwaraeon hynny.

PIGION O'R *NORMALITE*:
CYFNOD Y RHYFEL MAWR 1914–18

Mae dylanwad y Rhyfel Mawr yn drwm ar dudalennau'r Normalite yn ystod y cyfnod hwn. Cyfeiria colofn olygyddol rhifyn Gŵyl Fihangel 1914 at y nifer cynyddol o ddynion y Normal a oedd bellach yn y lluoedd arfog:

For once the thoughts of Normals are turned away from Coll. The order has been reversed. It is the old Normal and not the Normal who occupies our attention . . . The heart of every Normal goes out to these, and they may rest assured that in nowhere else are their doings and achievements more keenly followed, or better appreciated than in Normalia.

Rhestrir enwau 54 o gyn-fyfyrwyr a myfyrwyr cyfredol y Normal a oedd bellach wedi ymuno â'r fyddin yn dilyn apêl arbennig gan y llywodraeth yn 1915, apêl a anelwyd yn uniongyrchol at fyfyrwyr a chyn-fyfyrwyr colegau hyfforddi Cymru a cholegau Prifysgol Cymru. Fel rhan o'r ymgyrch gwnaeth y Coleg drefniadau arbennig i alluogi'r dynion i sefyll eu harholiadau terfynol yn Nhymor y Pasg yn hytrach na Thymor yr Haf er mwyn caniatáu iddynt ymuno â'r lluoedd arfog yn ddiymdroi.

Adroddir hefyd am gasgliad wythnosol oedd yn cael ei wneud ymysg staff a myfyrwyr y Coleg i gynorthwyo ffoaduriaid a theuluoedd milwyr clwyfedig. Ar gyfartaledd, casglwyd oddeutu 14 swllt yr wythnos. Roedd arian mynediad gemau pêl-droed a rygbi'r Coleg hefyd yn cael ei glustnodi ar gyfer yr achos. Er enghraifft, trosglwyddwyd arian 'gêt' sylweddol gêm bêl-droed rhwng Coleg y Brifysgol a'r Normal, a gynhaliwyd ar gae Ffordd Ffarar ar 21 Hydref 1914, i'r *Prince of Wales Relief Fund*. Yr wythnos ganlynol, neilltuwyd arian 'gêt' gêm rygbi rhwng y Normal a Choleg y Brifysgol, a chwaraewyd ar gae criced Bangor ar 28 Hydref 1914, i'r *Belgian Refugees' Fund*.

•   •   •

Erbyn rhifyn Nadolig 1915 roedd llythyrau at y Prifathro gan hen Normaliaid, a oedd bellach yn y lluoedd arfog, yn dechrau ymddangos yn y *Normalite*. Amrywiai'r llythyrau o ran eu hyd a'u cynnwys gydag ambell gyn-fyfyriwr yn ysgrifennu llythyr hir, yn llawn manylion am y brwydro. Er enghraifft, dyma ddarn o lythyr gan W. W. Stone (1909–11), *Corporal* gyda'r fyddin yn ffosydd Ffrainc:

> We are very close to the trenches here and quite near the big guns. At night the flashes of the guns and the star shells light up the sky, while the roar of the canons and the curious sound of the shells as they travel on their deadly mission help to impress the awful grandeur of war.

Byddai eraill yn bodloni ar ddanfon llythyr byr ac i bwrpas. Dyma nodyn gan B. H. Lloyd Griffiths (1907–09) yn dilyn brwydr Loos yn 1915:

Dear Principal,

I am *'whole'* so far, having got through the little affair of September 25th safely, although our Battery suffered six casualties.

Sincerely Yours

• • •

Wrth i'r rhyfel fynd rhagddo mae'r *Normalite* yn cynnwys mwy a mwy o gyfeiriadau at golledion ar faes y gad, yn fyfyrwyr ac aelodau o'r staff. Yn rhifyn Nadolig 1916, er enghraifft, cydymdeimlir â theuluoedd 30 o fyfyrwyr a gollodd eu bywydau yn y rhyfel:

> Several of our lads have fallen since this time last year and in this respect we felt a very personal loss; their names have now become a memory among us. They have left gaps in our hearts which can never be filled.

Yn aml, hefyd, llongyferchir hen Normaliaid a enillodd amryfal fedalau am eu dewrder. Yn rhifyn Pasg 1917, er enghraifft, llongyferchir cyn-fyfyriwr, y Capten A. C. Charley, a'r Lefftenant S. Wilkinson, cyn-aelod o'r staff, ar i'r ddau ohonynt ennill y Groes Filwrol. Yn ogystal dymunir adferiad buan i nifer fawr o'r hen Normaliaid a oedd wedi eu clwyfo yn y brwydro. Ceir ambell gyfeiriad, hefyd, at ymarferion yr OTC yn y Coleg ac am yr angen i'r myfyrwyr a berthynai i'r *Coll. Corps* gymryd gofal o'u hoffer a'u gwisg filwrol.

• • •

Yng ngholofn olygyddol yr un rhifyn ceir apêl daer am i'r myfyrwyr beidio â chwyno yn ystod y cyfnod anodd hwn, ac, yn arbennig, am iddynt beidio â grwgnach am ansawdd y bwyd ac am nad oedd bellach yn bosibl trefnu gemau pêl-droed oherwydd prinder dynion yn y Coleg.

Ym mlynyddoedd cynnar y rhyfel roedd adroddiadau manwl yn cael eu hysgrifennu am chwaraeon yn y Coleg – cyn i'r prinder dynion gael effaith arnynt. Bellach, roedd rygbi yn cael bron cymaint o sylw â phêl-droed. Dyma enghraifft o adroddiad am gêm rygbi rhwng y Normal a Choleg y Brifysgol a chwaraewyd ar 28 Hydref 1914 ar gae criced y dref:

> For *legs up* in the scrum a free kick was awarded to the Normals from about 30 yards from the line. J. P. Thomas beautifully placed the

leather between the posts . . . the event was accompanied by tremendous cheering.

Yn y cyfnod hwn arferai'r tîm rygbi chwarae llawer o gemau yn erbyn amrywiol dimau lleol a oedd yn cynrychioli'r lluoedd arfog. Yn rhifyn Pasg 1915, er enghraifft, ceir adroddiad am gêm rygbi yn erbyn tîm o'r *Pals Battalion* a chwaraewyd yn Llandudno ar 27 Chwefror 1915. Collodd y Normal o 22 pwynt i ddim. Ar 10 Mawrth 1915, ar gae criced Bangor, ennill fu hanes y tîm rygbi yn erbyn tîm o'r *South Lancashire Battalion.*

Yn y cyfnod hwn hefyd byddai gornestau rhwyfo'n cael eu cynnal ar y Fenai yn ystod misoedd yr haf. Yn ôl rhifyn Haf 1915, cafwyd cystadleuaeth rwyfo frwd rhwng y *Juniors* a'r *Seniors* a rhwng criwiau *'the tables'* – ai byrddau yn yr ystafell fwyta oedd y rhain, tybed? Yn yr un rhifyn ceir adroddiad am weithgareddau *Swimming Club* y Coleg, a fyddai hefyd yn ymarfer yn y Fenai. Uchafbwynt y gystadleuaeth nofio fyddai'r ras ar draws y Fenai.

Serch yr anwasterau ganol cyfnod y rhyfel, llwyddwyd i drefnu gêm bêl-droed go arbennig ar 20 Mawrth 1917 ar gae chwarae Ysgol Friars. Yn y gêm hon bu'r Normal yn chwarae yn erbyn tîm o filwyr clwyfedig, ac nid yw'n syndod deall fod y Coleg wedi ennill o saith gôl i un! Erbyn mis Tachwedd 1917 bu'r myfyrwyr yn diddori milwyr clwyfedig, y tro hwn yn yr Ysbyty Militaraidd lleol.

Cynhaliwyd *united debate,* sef dadl rhwng y dynion a'r merched ar 3 Chwefror 1917, ar y testun 'Will our Civil Liberties be fully restored after the War?' Ychydig iawn oedd yn bresennol yn y ddadl gan fod y Prif Weinidog, David Lloyd George, yn ymweld â Chaernarfon y diwrnod hwnnw, ac roedd llawer o'r myfyrwyr wedi mynd yno i'w weld.

• • •

Roedd y Rhyfel yn dylanwadu hefyd ar y farddoniaeth a'r ysgrifau oedd i'w gweld yn y *Normalite* gydol y cyfnod hwn. Yn rhifyn Nadolig 1916, ceir ysgrif wladgarol gyda thinc sosialaidd iddi gan *Wiganer,* sy'n trafod sut y byddai pethau ar ôl y rhyfel. Yn yr un rhifyn, mae *A.F.* yn trafod yr effeithiau ar y byd llenyddol o ganlyniad i golli rhai fel Rupert Brooke, James Fletcher a William Watson. Yn ogystal, mae'r cyn-Normalydd, I. Steven Jones, yn disgrifio rhai o'i brofiadau erchyll yn ystod brwydro gwaedlyd ar y Somme efo'r *British Expeditionary Force*:

> On reaching the German lines we were thoroughly exhausted. Right and left were rifles, helmets, revolvers and dead Huns . . . we were

terribly excited and felt we did not mind what really happened . . .
The return journey was worse than the first – tear gas and gas shells
were bursting in their thousands all around us.

•   •   •

Gyda'r mewnlifiad o ferched i'r Coleg yn ystod cyfnod y Rhyfel Mawr a
chynifer o'r dynion yn y lluoedd arfog, merched sy'n llenwi hanner y
swyddi ar fwrdd golygyddol y *Normalite* erbyn 1916, a merched yn unig
sy'n aelodau o'r bwrdd erbyn diwedd y rhyfel. Merched, hefyd, oedd yn
bennaf gyfrifol am y rhan fwyaf o gynnwys y cylchgrawn. Yn ogystal,
mae adran newyddion y Coleg yn aml yn cyfeirio at benodi merched ar y
staff.

Mae *Normalite* y cyfnod hefyd yn cynnwys eitemau ysgafnach sy'n
portreadu gweithgareddau sy'n gwbl wrthgyferbyniol i'r newyddion
cyson am erchyllterau'r rhyfel. Er enghraifft, bu'r merched yn hyrwyddo
a chefnogi dawns wisg-ffansi a gynhaliwyd yn y gampfa ar 27 Ionawr
1917. Cyfeirir yn yr adroddiad am yr achlysur a ymddangosodd yn y
Normalite at y cyffro yn y neuaddau wrth i'r merched baratoi eu gwisg-
oedd ar gyfer y ddawns, a cheir disgrifiad bywiog a lliwgar o'r holl
gymeriadau a bortreadwyd ganddynt. Enwir enillwyr yr amrywiol
wobrau, gyda Miss Bencome yn ennill y wobr am y cymeriad mwyaf
comig, sef hen drempyn gyda'i bibell glai a'i fwstash coch. Yn rhifyn Pasg
1915, trafodir y *Practical Jokes* plentynnaidd a diniwed yr arferid eu
chwarae ar fyfyrwyr, megis ragio'r ystafelloedd cysgu trwy wneud
apple-pie beds, neu drefnu i fyfyrwyr guddio o dan wely un o'i gyd-
fyfyrwyr ac yna, pan âi'r truan i gysgu, ei ddychryn trwy weiddi arno neu
trwy ddynwared gwichian llygoden fawr.

•   •   •

Yn rhifynnau cyfnod y Rhyfel Mawr ceir ambell ysgrif neu gerdd yn
Gymraeg, sy'n awgrymu bod bywyd Cymreig yn dechrau egino yn y
Coleg. (Tybed oedd a wnelo'r datblygiad hwn â phresenoldeb y merched?)
Hyn, mae'n debyg, sy'n egluro sefydlu cymdeithas newydd yn y Coleg yn
1918, sef y Gymdeithas Gymraeg – carreg filltir arwyddocaol yn hanes
Cymreictod y Normal. Y Prifathro, David Harris, oedd Llywydd cyntaf y
Gymdeithas, gyda Thomas (*Tommy*) Roberts, Dirprwy Brifathro gyda
gofal am Adran y Dynion, yn Is-Lywydd. Un o amcanion y Gymdeithas
Gymraeg oedd "cadw'r hen iaith yn fyw yn y coleg trwy ymarfer siarad
Cymraeg â'i gilydd bob amser posibl".

Cynhaliwyd cyfarfod cyntaf y Gymdeithas nos Sadwrn, 9 Tachwedd 1918, ar ffurf "cyngerdd hwyliog dros ben. Yr oedd ysbryd Cymraeg yno ar ei orau ac yr oedd i'w glywed yn yr anerchiadau, y canu, yr adroddiadau a'r papurau."

•   •   •

Ar ddiwedd y rhyfel trawyd Prydain gan epidemig o'r ffliw Sbaenaidd ac nid oedd modd i fyfyrwyr y Normal osgoi ei effeithiau. Yn *Normalite* Nadolig 1918 adroddir na chynhaliwyd Cyngerdd Blynyddol y *Seniors* ar ddiwedd y tymor gan fod cynifer o'r myfyrwyr yn dioddef o'r ffliw. Roedd y ffliw wedi amharu hefyd ar weithgareddau nifer o gymdeithasau'r Coleg: "this disease is at present causing much sadness and death in our country, already so bowed down with the sorrows of war."

Cyn dyfodiad radio a theledu roedd staff a myfyrwyr y Normal yn ddibynnol iawn ar y papurau newydd am newyddion am y rhyfel, ac felly bu disgwyl eiddgar am y papurau un bore arbennig, sef 11 Tachwedd 1918, Diwrnod y Cadoediad. Ar ôl deall fod y cadoediad yn weithredol gadawodd y myfyrwyr eu darlithoedd gan ymgynnull y tu allan i'r Coleg i roi'r *Coll. Cheer* ac i ganu'r ddwy anthem genedlaethol. Yn dilyn hynny cynhaliwyd cyfarfod yn y neuadd, a chafwyd anerchiad pwrpasol gan y Prifathro. Canwyd y *Doxology*, cân o fawl litwrgaidd, yn ogystal â'r ddwy anthem genedlaethol unwaith eto. Caniatawyd i'r myfyrwyr gael diwrnod o wyliau ac aethant ar frys i lawr i'r dref:

> In the town we found that flags and ribbons had speedily been hung from all the public buildings . . . The streets were gay with colour, and glad with the sound of cheers and laughter.

Ar ôl dychwelyd i'r Coleg am ginio, cerddodd y myfyrwyr yn ôl i'r dref, mewn gorymdaith drefnus y tro hwn, gyda'r Prifathro a'r staff yn arwain. Cafwyd *Coll. Cheer* unwaith eto, y tro hwn ger y cloc mawr. Mwynhawyd te bach yng nghaffis y dref, ac am chwech yr hwyr bu'r myfyrwyr mewn gwasanaeth arbennig yn Eglwys Gadeiriol Bangor i ddiolch am y cadoediad.

Dychwelodd y myfyrwyr i'r Coleg, ac yno cynhaliwyd dawns wisg-ffansi. Am chwarter wedi deg aeth yr holl fyfyrwyr allan o'r ddawns i gwad Neuaddau Alun a Dyfrdwy i weld arddangosfa tân gwyllt a drefnwyd gan ddau aelod o'r staff, E. Hurren Harding a Winifred Saunders. Am un ar ddeg o'r gloch aeth pawb i'w gwelyau ar ôl diwrnod bythgofiadwy:

Though weary we are happy and content in the knowledge that across the water no more guns were booming and no more lives were being sacrificed . . . To those who have made such a day possible for us we give thanks too great and deep for words to express, but when the boys return we are sure that Normalia will not fail in her *Welcome Home.*

•   •   •

Fel ôl-nodyn i gyfnod y Rhyfel Mawr fel y'i cofnodir ar dudalennau'r *Normalite* rhaid cyfeirio at wasanaeth dadorchuddio cofeb i'r Hen Normaliaid a gollodd eu bywydau yn y rhyfel. Cynhaliwyd y gwasanaeth yn y Coleg ddydd Sadwrn, 16 Hydref 1920:

All the speakers brought home to us the realization of our debt to our fallen heroes and to the great loss caused by their death. The service brought back poignant memories of the past, and filled us all with more hope for a brighter and more successful future.

YSBAID RHWNG DAU RYFEL:
ATGOFION MYFYRWYR UNIGOL

Ar ôl y rhyfel daeth bywyd myfyrwyr y Coleg yn ôl i ryw fath o normalrwydd a chynyddodd nifer y dynion eto. Rhoddir sylw yma i leisiau rhai o'r myfyrwyr hyn oedd yn y Coleg yn y 1920au a'r 30au, gan gychwyn gyda **Thomas William Jones** (Arglwydd Maelor), Ponciau (1920–22).

Ar ôl gadael ysgol yn bedair ar ddeg oed bu Tom Jones yn gweithio fel glöwr dan ddaear ym mhwll glo Bersham, ger Wrecsam, ond yn Ionawr 1914 dychwelodd i'w hen ysgol elfennol fel disgybl-athro. Yn ystod y Rhyfel Mawr treuliodd gyfnodau yng ngharchardai Pentonville, Knutsford a Dartmoor. Roedd ef ac un ar ddeg o aelodau eraill y *Non-Combatant Group* wedi cael eu dedfrydu i gyfnod o lafur caled am iddynt wrthod ufuddhau i'r awdurdodau. Wedi'r rhyfel, cofrestrodd yn y Coleg Normal ym mis Medi 1920. O gofio faint o fyfyrwyr a ddaeth i'r Normal drwy gyfundrefn y disgybl-athro, mae'n werth cofnodi barn yr Arglwydd Maelor, yn ei hunangofiant, am y dull hwn o addysgu a hyfforddi darpar-athrawon:

Pe gofynnid i mi fy marn ar y cynllun hwn o gynhyrchu athrawon buaswn yn ei gymeradwyo yn fawr fawn. Prentis oedd y disgybl-athro ac mae mesur o brentisiaeth mor angenrheidiol i'r gelfyddyd a'r grefft hon ag yw i bob crefft arall.[3]

Er bod Tom Jones yn canmol y cynllun disgybl-athro, credai ei fod o dan gryn anfantais yn y Coleg gan fod y mwyafrif o'i gyd-fyfyrwyr, gan gynnwys ei frawd, wedi elwa o fynychu ysgolion uwchradd. I gadarnhau ei sylw cyfeiria at ddigwyddiad efo darlithydd yn yr Adran Arlunio, sef E. Hurren Harding, y cyfeirir ato uchod. Y dasg a osodwyd i'r myfyrwyr gan Hurren Harding oedd ymateb, trwy gyfrwng llun, i'r llinell 'And there she hung a painted ship upon a painted ocean', sef aralleiriad o linell Coleridge yn *The Rime of the Ancient Mariner* 'As idle as a painted ship upon a painted ocean'. Heb wybod dim am y darn hwn o farddoniaeth Saesneg, aeth Tom Jones ati "i dynnu llun o ferch ifanc ddeniadol yn hongian darlun o long ar gefn y lli ar fur ei hystafell!"[4]

Yn y cyfnod hwn byddai David Harris, Prifathro'r Coleg, yn traddodi darlith wythnosol ar hanes addysg. Roedd yr un gyfres o ddarlithoedd digyfnewid wedi ei chyflwyno ganddo ers blynyddoedd lawer. Roedd gan Tom Jones nodiadau cyflawn o'r darlithoedd hyn, nodiadau yr oedd wedi eu cael gan gyn-fyfyriwr. Arferai David Harris ofyn am grynodeb o'i ddarlith flaenorol cyn dechrau ar ei ddarlith 'newydd'. Pan ddaeth tro Tom Jones i gyflwyno'r crynodeb, defnyddiodd nodiadau'r cyn-fyfyriwr a chanmolodd y Prifathro ei ymateb heb wybod, meddai Tom Jones, "y gallwn yn ychwanegol, wrth gwrs, fod wedi rhoddi iddo yr un pryd amlinelliad o'r hyn a oedd ar fedr ei thraddodi y dydd hwnnw!"[5]

Ceir cyfeiriad gan Tom Jones at enghraifft o'r ddisgyblaeth a geid yn y Normal yn ei gyfnod ef. Roedd y Coleg wedi trefnu cynnal cyfarfod gyda'r hwyr i ddathlu'r Cadoediad ar 11 Tachwedd 1920. Yn y bore, roedd mwyafrif myfyrwyr y Normal wedi bod mewn cyfarfod swyddogol i ddathlu'r achlysur. Fodd bynnag, yn ôl Tom Jones, roedd criw o'r myfyrwyr "na fuont yn y rhyfel" yn barod i dorri rheol y Coleg a oedd yn gwahardd mynd allan gyda'r nos – ac eithrio nos Sadwrn a nos Sul – i gyfarfod dathlu answyddogol yn y dref gyda'r hwyr. O ganlyniad i hyn, penderfynodd y Prifathro ddiarddel y myfyrwyr dan sylw. Roedd hyn yn sioc fawr i'r holl fyfyrwyr, a danfonwyd dirprwyaeth at y Prifathro dan arweiniad Llywydd y Myfyrwyr i apelio arno i ailystyried ei benderfyniad. Bu David Harris yn ddigon grasol i wneud hynny, a chafodd y troseddwyr aros yn y Coleg. Ond bu'n rhaid i'r holl fyfyrwyr arwyddo cytundeb a fyddai'n cwtogi ar eu rhyddid, a "phenderfynwyd yn unfrydol i dderbyn y telerau".[6]

Gan fod crefydd yn rhan mor ganolog o fywyd Tom Jones – bu'n bregethwr ac yn henadur gyda'r Bedyddwyr Albanaidd ers ei ugeiniau cynnar – y mae'n syndod cyn lleied sydd ganddo i'w ddweud am y wedd hon ar fywyd myfyrwyr y Normal. Cyfeiria'n unig at ei brofiad fel codwr canu. Yng nghyfnod Tom Jones, cynhelid gwasanaeth crefyddol am naw yr hwyr yng ngofal un o aelodau'r staff. Cyfrifoldeb y codwr canu oedd dewis yr emyn a'r dôn yn ogystal ag arwain y canu. Yn absenoldeb y codwr canu swyddogol gofynnwyd i Tom Jones gymryd ei le, ond aeth yn draed moch with i'r myfyrwyr fethu â gwneud cyfiawnder â'r emyn *All Hail the Power of Jesus' Name* ar y dôn *Diadem*, a dechreuodd pawb chwerthin! Gwylltiodd y darlithydd mewn gofal, William John Hughes, a gwaeddodd, "Stop it! This is a religious service and not a comic opera."[7] Dyma'r tro cyntaf, a'r tro olaf, i Tom Jones godi canu yn y Normal!

Bu Tom Jones yn *Field Captain* yn ystod ei gyfnod yn y Normal. Ei ddyletswydd oedd sicrhau bod caeau chwarae'r Coleg yn cael eu cadw'n iawn. Arferai myfyrwyr y Normal chwarae ar y Ffriddoedd, ond, erbyn 1921, roedd y Coleg wedi prynu ac addasu caeau Nantporth. Fel *Field Captain*, cafodd Tom Jones yr anrhydedd o agor y maes chwarae newydd. Cyn y 1930au gelwid Ponciau, bro enedigol Tom Jones, yn *Ponkey*, ac nid yw'n syndod i fyfyrwyr y Normal fedyddio'r caeau chwarae newydd yn *Ponkey Park,* ac fel yna y cyfeirid atynt am rai blynyddoedd. Hyd yn oed yng nghyfnod Hafina Clwyd (1954–57) arferai'r myfyrwyr gyfeirio at y caeau chwarae fel *Ponkey Banks*.[8]

•   •   •

Roedd **James Idwal Jones**, Ponciau (1920–22), yn cyd-oesi yn y Normal gyda'i frawd Tom Jones. Ar ôl gadael y Coleg bu'n athro ysgol ac yn bennaeth Ysgol y Grango, Rhosllannerchrugog, ger ei bentref genedigol, cyn ei ethol yn 1955 yn AS dros y Blaid Lafur. Cynrychiolodd etholaeth Wrecsam tan ei ymddeoliad yn 1970 a chyhoeddodd nifer o lyfrau ar hanes a daearyddiaeth Cymru. Yn rhifyn canmlwyddiant y Coleg o'r *Normalydd* yn 1958 mae'n bwrw golwg dros ei gyfnod ym Mangor. Cyfeiria at ei atgofion amhleserus o'i amser yn y George yng ngaeaf oer 1920, pan nad oedd gwres yn y neuadd gan fod y gwaith o ailwampio'r hen westy yn mynd rhagddo. Yn anffodus, dioddefodd o'r dwymyn goch yn Nhymor y Pasg 1921, a bu'n rhaid iddo dreulio cyfnod mewn ysbyty heintiau ar Fynydd Bangor (Ysbyty Minffordd). Yn Chwefror 1922 bu'n bennaf gyfrifol am gychwyn cyfres o ddadleuon rhwng myfyrwyr y Normal a Choleg y Brifysgol. Testun y ddadl gyntaf oedd 'That the Education System of Wales stands condemned'. Yn ystod y ddadl cafodd gymeradwyaeth frwd gan gefnogwyr y Normal pan gyfeiriodd at gyfraniad clodwiw dau o gyn-fyfyrwyr y Coleg i fyd addysg, Syr John Rhys a Syr Henry Jones.

●   ●   ●

Ychydig ar ôl i Tom Jones a James Idwal Jones ymadael â'r Coleg daeth **Lena Lloyd (née Parry)**, Nefyn (1923–25), yno'n fyfyrwraig. Bu'n lletya yn Neuadd Eryri, a chyfeiria yn ei hunangofiant[9] at reolau "caeth iawn" y cyfnod, gyda darlithoedd o naw tan bedwar yn cael eu dilyn gan gyfnod o astudiaeth breifat o bump tan wyth yr hwyr: "Ni chaniateid cerdded o un ystafell [myfyrwraig] i'r llall yn yr oriau hyn a byddai'r drws allan yn cael ei gloi."

Yn ystod ei hail flwyddyn yn y Coleg etholwyd Lena Lloyd yn un o chwe *prefect* Neuadd Eryri. Ymysg ei dyletswyddau fel *prefect* yr oedd canu cloch am saith y bore i ddeffro'r merched, canu'r gloch eto am wyth i alw'r myfyrwyr i'r Ystafell Gyffredin ar gyfer y *roll,* canu emyn a dweud pader. Wedyn roedd gofyn i'r *prefect* ganu'r gloch ar adegau penodol eraill yn ystod y dydd, a'r gloch olaf i'w chanu oedd honno am ddeg yr hwyr, sef cloch diffodd y golau. Fel cydnabyddiaeth am wasanaethu fel *prefect,* arferai'r merched gael eu hanrhegu gan y Coleg â tharian bren, ac arni'r ddraig goch mewn enamel lliwgar, gydag arwyddair y Coleg oddi tani.

Mae Lena Lloyd yn dwyn i gof rai o ddarlithwyr y Coleg yn ei chyfnod. Arferai Gwilym Edwards, o Goleg yr Annibynwyr, Bala-Bangor, ddarlithio ar yr Hen Destament i ferched y flwyddyn gyntaf, a byddai J. Morgan Jones, Pennaeth Bala-Bangor, yn traethu i fyfyrwyr yr ail flwyddyn ar y Testament Newydd.

Cofia'n dda ddyfyniad o un o'i gwerslyfrau addysg: 'The aim of education is to form character.' Meddai hi, "Da ynte? Faint o ddynion pwysig addysg y llywodraeth heddiw sydd yn ymwybodol o hyn, tybed?"

Un a oedd newydd ei benodi ar staff y Coleg Normal oedd Ambrose Bebb, brodor o Flaendyffryn, Goginan, Sir Aberteifi. Fe'i ganed yn 1894 a chafodd ei addysg yn Ysgol Ramadeg Tregaron a Choleg y Brifysgol, Aberystwyth, lle graddiodd mewn Cymraeg a Hanes. Treuliodd bedair blynedd wedyn yn fyfyriwr yn y *College de France* a bu'n ddarlithydd Cymraeg yn y *Sorbonne*. Yn 1925 fe'i penodwyd yn ddarlithydd yn y Coleg Normal ac yno y bu am weddill ei oes tan ei farw yn anterth ei waith yn 1955. Rhwng 1932 a 1950 cyhoeddodd Ambrose Bebb chwe llyfr ar hanes Cymru yn ogystal â thair nofel. Roedd hefyd yn un o sefydlwyr Plaid Cymru ac enillodd sedd ar Gyngor Dinas Bangor yn enw'r blaid honno yn 1939. Trwy gydol ei oes bu'n Gristion ymroddgar ac yn gefnogwr brwd i'r Ysgol Sul.

Fel y tystia cyfraniadau myfyrwyr i'r gyfrol hon, roedd parch mawr i Ambrose Bebb yn eu plith. Serch hynny, nid oedd hyd yn oed Ambrose Bebb yn gallu osgoi ambell anffawd. Cyfeiria Lena Lloyd at dric a gafodd ei chwarae arno gan un o ddynion y George. Ymddengys fod y myfyriwr wedi hoelio esgidiau Ambrose Bebb i'r llawr un bore, ac yntau ar frys i fynd i ddarlithio yn *Top Coll.*!

Byddai Lena Lloyd yn mwynhau te bach yn nhai rhai o deuluoedd Bangor. Er enghraifft, cafodd de yn nhŷ Miss Eleanor Rathbone, merch William Rathbone (cyn-Lywydd Coleg y Brifysgol) a'r wraig a wnaeth enw iddi ei hun fel ymgyrchydd dros hawliau merched ac a gafodd ei hethol yn AS Annibynnol dros Brifysgolion Unedig Lloegr yn 1929. Dro arall mwynhaodd de bach efo tri o fyfyrwyr y Brifysgol a oedd yn lletya yn Ffordd y Coleg, ac yn eu mysg roedd yr englynwr adnabyddus, W. D. Williams. Mae'n debyg i'r achlysur wneud cryn argraff arni! Ar ôl gadael y Coleg dychwelodd i ardal ei phlentyndod gan sicrhau swydd fel athrawes yn Nhudweiliog.

• • •

Ychydig iawn oedd gan **William Henry Roberts**, Niwbwrch (1926–28), i'w ddweud yn ei hunangofiant am ei gyfnod yn y Coleg. Mae'n amlwg na chafodd fawr o fudd o'i gyfnod yno:

> Waeth imi heb â rhagrithio, yr oedd bron i gyd yn wastraff amser. Ar wahân i'r mymryn papur a gefais ar y diwedd yn dweud fy mod yn athro trwyddedig, yr wyf yn sicr na byddwn yn ddim salach athro pe na bai'r un o'm traed wedi bod ar gyfyl y lle.[10]

• • •

Cymraeg oedd prif bwnc **Mari Evans (née Williams)**, Garnant, Sir Gaerfyrddin (1926–28). Edmygai Ambrose Bebb yn fawr iawn, yn arbennig am ei ymdrechion i Gymreigio'r Coleg. Yn ôl Mari Evans roedd dysg a holl naws y Coleg yn "eithriadol o Seisnigaidd". Gwelai ddiffygion eraill yn y Coleg hefyd: er enghraifft, mae'n drwm ei llach ar Hilda Wilcox, a oedd yn gyfrifol am ddysgu Daearyddiaeth, ond nad oedd yn gwneud dim gwaith maes o gwbl; yr unig dro yr aeth Mari allan o'r Coleg fel rhan o'i chwrs Daearyddiaeth, oedd pan aeth ar drip ar y trên i Fae

Colwyn i arsylwi ar ddiffyg yr haul. Ond erbyn cyrraedd yno, roedd yn bwrw glaw!

Nid oedd gan Mari Evans fawr o feddwl, ychwaith, o'r cwrs Addysg. Golygai hynny un ddarlith wythnosol "ddiflas" gan y Prifathro, a darlith arall gan Olivia Griffiths, sych a dihiwmor ei harddull, yn seiliedig ar werslyfr "amherthnasol" Percy Nunn, *The Principles of Education.*

Bu Mari Evans ar ddau Ymarfer Dysgu yn Nwygyfylchi, gan deithio yno bob dydd ar y trên, a cherdded o'r orsaf i fyny i'r ysgol. Cwblhaodd ei Hymarfer Dysgu terfynol yng Nghonwy. Nid oedd ganddi fawr o feddwl o gefnogaeth y Coleg: "Byddai'r tiwtor Coleg yn dod draw yn achlysurol i arsylwi arnom ond anaml iawn y byddai'n cynnig unrhyw adborth i ni'r stiwdants."

Fel Lena Lloyd, cofia Mari Evans yn dda am y rheolau niferus oedd yn cyfyngu ar fywydau'r myfyrwyr yn ei chyfnod hi: dim mynd o'r campws; gorfod bod i mewn erbyn pump; dim ysmygu; gorfod gwisgo het with fynd allan; a *lights out* am ddeg. Bu'n lletya yn Neuadd Môn, lle "roedd angen i'r *Juniors* ddod i mewn trwy'r cefn tra roedd y *Seniors* yn dod i mewn i fyny steps y ffrynt".

Cafwyd cyfnod anodd yn y neuaddau yn ystod Streic Gyffredinol 1926 gan nad oedd modd twymo'r adeiladau oherwydd prinder glo, a sonia Mari Evans ei bod yn annioddefol o oer yn y Coleg yr adeg hynny. Arferai merched Neuadd Môn ganu carolau yn yr Ystafell Gyffredin adeg y Nadolig: "Carolau Saesneg wrth gwrs!"

Dywed mai caffi *Bobi Bobs* oedd cyrchfan boblogaidd myfyrwyr y Normal yr adeg hon. Edrychai merched Neuadd Môn ymlaen at eu hymweliad â'r lle i gael llond bol o "tsips a porc pei". Fel arfer, dim ond unwaith y tymor yr oedd yn bosib mynd i'r pictiwrs – i'r *County*, yn amlach na pheidio. Erbyn heddiw, clwb nos yr *Octagon* ydi'r *County*.

Âi Mari Evans i Gapel Pendref (Annibynwyr) pan oedd y Parchedig John Elis Williams yn weinidog yno. Cofia am ei *Coll. Mother* mewn camgymeriad yn rhoi hanner coron ar y plât casglu mewn un gwas-anaeth ym Mhendref – cyfraniad sylweddol iawn yr adeg honno! Ar ddiwedd blwyddyn derfynol y myfyriwr, yn ôl traddodiad y Normal, cyfrifoldeb y *Coll. Daughter* oedd anfon canlyniadau'r arholiadau terfynol i'w *Coll. Mother.* Os oedd y *Coll. Mother* yn llwyddiannus anfonid telegram, a disgwyliai'r *Coll. Daughter* gildwrn am ei thrafferth. Os methu oedd hanes y *Coll. Mother,* anfonid llythyr o gydymdeimlad ati gan ei *Coll. Daughter*! Derbyn telegram fu hanes Mari Evans.

•   •   •

Bu **Leonard Clark**, *Forest of Dean* (1928–30), yn olrhain ei hanes yn y Normal yng nghylchgrawn *The Teacher*.[11] Yno mae'n cydnabod ei ddyled i William John Hughes (*Moloch*), darlithydd yn yr Adran Saesneg, ac i Enid Olwen Williams (*Ginge*) yn yr Adran Gerdd. Roedd Thomas Charles Harold Parry (*Tishy*) hefyd wedi creu argraff ffafriol arno yn ei ddarlithoedd ar Seicoleg Addysg yn ogystal ag am ei allu i gynhyrchu dramâu. Yn ôl Leonard Clark, ychydig a welai'r myfyrwyr o'r Prifathro, David Harris (*Dai Barge*), heblaw am ei ddarlith wythnosol ar hanes addysg: "What names he hurtled at us: Pestalozzi, Montessori, Froebel, Herbart, McDougall!"

Byddai Leonard Clark a'i gyd-fyfyrwyr yn fwy tebygol o ddod ar draws Thomas Roberts, Dirprwy Brifathro'r Coleg, gan mai ef fyddai'n gyfrifol am fugeilio'r dynion. Wrth geryddu'r dynion am ryw drosedd neu gilydd, byddai Thomas Roberts yn ddieithriad yn ychwanegu, "Now, it isn't the right thing to do, is it?"

Ym marn Leonard Clark roedd Ambrose Bebb yn rhagori ar holl ddarlithwyr y Normal yn y cyfnod hwn: "towering above the rest was Ambrose Bebb (*Ambie*), [who] took us for history and scripture and was as fine a teacher as he was a man!" Y mae'n cydnabod bod darlithwyr y Normal wedi agor ei feddwl, a dywed iddo gael cyngor buddiol a beirniadaeth adeiladol ganddynt drwy gydol ei arhosiad yn y Coleg: "That I did so well in my final examination for my certificate was as much due to their efforts and confidence in me as to any of mine."

Yn y George y bu'n lletya, a mwynhaodd ei gyfnod yno'n fawr iawn – ond mae'n feirniadol iawn o ansawdd y bwyd. Cwyna fod y stiw, yn arbennig, yn codi cyfog arno. Edrychai ymlaen at yr afalau a'r cacennau y byddai ei fam yn eu hanfon ato. Ar ddydd Sadwrn arferai fynd am lond bol o *fish & chips,* gan ddilyn hynny efo te bach yn un o gaffis Bangor. Edrychai dynion y George ymlaen at ymweliad wythnosol y Prifathro â'r neuadd oherwydd y diwrnod hwnnw ceid cinio gorau'r wythnos, sef "braised beef and onions, and plenty of it, with spotted dick to follow".

Cai Leonard Clark lawer o bleser yng nghyfarfodydd y *Choral Society*. Byddai'r cyfarfodydd hynny'n rhoi cyfle i'r dynion gyfarfod â'r MOTS (*Maids of the Straits*), sef y merched a letyai yn neuaddau'r Coleg Uchaf.

Un o'r pethau a achosodd beth trafferth iddo allu ymgartrefu'n hapus yng nghymdeithas y Coleg oedd yr iaith Gymraeg. Fel sawl Sais uniaith arall, yr oedd yn amheus o'r Cymry pan oeddynt yn siarad Cymraeg: "When my fellow students gathered together in knots and talked in their mother tongue I always thought that they were talking about me."

Ceir nodyn trist yn ei atgofion wrth iddo gyfeirio'n gryno at farwolaeth un o'i gydfyfyrwyr, John Owen, o Garmel, pan fentrodd nofio ar draws y Fenai yn 1930. Yn fyfyriwr ar ei flwyddyn olaf ac yn disgwyl canlyniadau ei arholiadau terfynol, aeth John Owen gyda'i gyfaill coleg, Trefor Owen Jones, Carrog, i nofio i'r Fenai ger y George ar bnawn Gwener hafaidd. Cafodd ei ddal gan lif cryf y Fenai a boddi serch ymdrechion dewr ei gyfaill i'w achub. Yn y cwest[12] rhoddwyd tystiolaeth gan Thomas Roberts, y Dirprwy Brifathro, a ddywedodd fod y Coleg wedi rhybuddio myfyrwyr sawl tro rhag mentro i'r Fenai. Yn wir, ychydig ddyddiau cyn y drychineb roedd y Dirprwy wedi cynnal cyfarfod arbennig i rybuddio'r dynion eto gan danlinellu peryglon y cerrynt cryf yn yr afon ger y George. Canmolwyd dewrder Trefor Owen Jones gan y crwner a dyfarniad y llys oedd "accidental death by drowning".

Byddai Leonard Clark wrth ei fodd yn chwarae rygbi dros y Coleg, ac mae'n sôn am gemau yn erbyn timau fel Coleg y Brifysgol, Coleg Hyfforddi Caer ac Ysgol Friars. Yn dilyn gêm galed iawn yn erbyn Coleg y Brifysgol, cafodd ei alw o flaen Thomas Roberts. Meddai'r Dirprwy Brifathro wrtho:

> Mr Clark, I was present this afternoon at the football match. I thought you played a good game . . . but what a pity to spoil it all by that awful language you used on the football field. To begin with, you maintained that the University scrum half had no parentage! You attributed to one of the opposing gentlemen a colour which he does not possess. You accused the referee of being unable, through mental weakness, to perform his task. What is more, Mr Clarke, my wife was present! It wasn't the right thing to do, was it?

Do, fe gafodd y Sais, Leonard Clark, foddhad mawr o'i arhosiad yn y Normal, ac y mae'n cydnabod yn ddiffuant iawn ei ddyled i'w hen Goleg.

* • •

Flwyddyn ar ôl Leonard Clark daeth **Morfudd Griffiths (née Jones)**, Pwllheli (1929–31), yn fyfyrwraig i'r Coleg i astudio Bioleg fel ei phrif bwnc. Yr adeg hon roedd yr holl gwrs yn cael ei gyflwyno trwy gyfrwng y Saesneg – heblaw am y Gymraeg fel pwnc, a oedd yng ngofal Ambrose Bebb. Cofia Morfudd Griffiths yn dda am wersi Cerddoriaeth Enid Olwen Williams, a oedd hefyd yn gyfrifol am hyfforddi'r côr. *Griff*, sef Olivia Griffiths, oedd yn gyfrifol am Addysg yn y cyfnod hwn, ac, meddai Morfudd Griffiths, gan ategu barn Mari Evans uchod, "Roedd yn rêl hen deror!"

Gweithiodd Morfudd Griffiths mor galed yn ei blwyddyn gyntaf fel y llwyddodd i ennill *Exhibition*, a olygai rywfaint yn llai o gostau i'w rhieni yn ystod yr ail flwyddyn. Oherwydd pwysau gwaith bu'n rhaid iddi aberthu un o'i hoff ddiddordebau, sef hoci, er mawr golled iddi fel cyngapten Tîm Hoci Ysgol Ramadeg Pwllheli ac aelod o Dîm Hoci Merched Pwllheli.

Yn Neuadd Eryri y lletyai. Yno cynhelid gwasanaeth boreol yn feunyddiol, ac roedd gras bwyd yn cael ei lefaru mewn Lladin. Un o'i chas fwydydd oedd nionod: "Wna i byth anghofio fy swper cyntaf yn y Coleg – nionod 'di berwi!"

Roedd ganddi atgofion melys am fyfyrwyr gwrywaidd Coleg y Brifysgol gyfagos yn dod drosodd i erddi neuaddau'r merched "i'n serenêdio, ond roeddynt yn gorfod ei throi hi am adref cyn deg o'r gloch". Erbyn cyfnod Morfudd Griffiths roedd côr cymysg yn y Coleg, ac edrychai'r merched ymlaen yn fawr iawn, fel y dynion, at y nosweithiau ymarfer gan y câi dynion y George fynychu'r sesiynau hyn.

Cofia ddarllen y *Normalite* ond ni chafodd fawr o argraff arni: "Doedd fawr o sylwedd ynddo – dipyn o hen lol i ddwedu y gwir." Roedd dydd Sul yn ddiwrnod go brysur iddi oherwydd arferai gerdded dair gwaith o'r Coleg i gapel Pendref ac yn ôl – i oedfa'r bore, i'r Ysgol Sul ac i oedfa'r hwyr: "Roedd cerdded i Bendref dair gwaith y Sul yn fy nghadw'n reit ffit – roedd yn gwneud i fyny am golli'r hoci."

Yn ôl Morfudd Griffiths, yr arferiad ymysg llawer o ferched y Normal ar bnawn Mercher oedd "mynd rownd y dref, wedi ein gwisgo mewn *blazers* efo hetiau neu *berets* am ein pennau", gan ategu sylw Mari Evans uchod am y rheol ynglŷn â gwisgo het i fynd allan.

Yn y cyfnod hwn roedd cryn bwys yn cael ei roi ar gyfundrefn fugeiliol y *Coll. Mother* a'r *Coll. Daughter*. Sonia Morfudd Griffiths am yr arferiad i'r *Coll. Mother* fynd â'i *Coll. Daughter* am baned i *Roberts' Café*. Yn ei hail flwyddyn roedd hi'n *Coll. Mother* i Beti Iona Thomas "o ochrau Llŷn" ac roedd yn trysori'n fawr y "fowlen fach *china* ddel" a roddwyd yn anrheg ffarwel iddi, fel arwydd o ddiolchgarwch Beti Iona.

·   ·   ·

Brodor o dde-orllewin Cymru oedd **David Idwal Lloyd**, Abergwaun (1930–32),[13] ac mae'n cyfeirio, fel eraill o'i gyd-fyfyrwyr yn y cyfnod hwn, at naws Seisnigaidd y Coleg:

> Wn i ddim faint o'r athrawon oedd yn Gymry Cymraeg gan mai dim ond dau ohonynt siaradodd â fi yn fy iaith fy hun tra bum yn y Coleg.

Ychwanega y byddai Undeb Cristnogol y myfyrwyr yn trefnu darlithoedd gan siaradwyr gwadd, darlithoedd a gynhelid yn y George ar bnawn Sul, ond, yn ddieithriad, darlithoedd Saesneg oeddynt.

Fel sawl myfyriwr arall o'r cyfnod hwn, mae Idwal Lloyd yn sôn am ymarfer wythnosol y Côr Cymysg ar gyfer y Cyngerdd Blynyddol, ymarfer a fyddai'n rhoi cyfle prin i ddynion a merched y Coleg gael cymysgu. Yn 1932 yn y cyngerdd hwn, meddai, y clywyd y bariton J. J. Austin am y tro cyntaf.

Yn 1932, roedd Idwal Lloyd yn gadeirydd y Pwyllgor Drama. Y flwyddyn honno dewiswyd perfformio *Escape* Galsworthy, gyda T. C. H. Parry yn cynhyrchu. Yr adeg hon câi Llywydd y myfyrwyr y brif ran yn y ddrama, ond y cynhyrchydd fyddai'n dewis gweddill y cast. Dewiswyd Idwal Lloyd i chwarae rhan gwas fferm, a golygai hynny ei fod yn ymddangos ymhob golygfa. Mae'n amlwg fod Metron y George, Miss Roberts, wedi mwynhau ei berfformiad yn fawr iawn, oherwydd pan oedd y myfyriwr yn dod i lawr grisiau'r George am ei frecwast y diwrnod wedyn, meddai'r Metron wrtho, yn annisgwyl ond yn dderbyniol iawn i Idwal Lloyd, "Good morning, Mr Lloyd. I could have cheerfully murdered you last night!" Mae'n arwyddocaol, wrth gwrs, mai yn Saesneg y cynhaliwyd y sgwrs.

●   ●   ●

Yn ôl **Frank Grundy**, Llangefni (1928–30),[14] tueddai dynion y George i regi wrth siarad efo'u cyd-fyfyrwyr uniaith Saesneg. Byddai arbenigwyr iaith â diddordeb yn ei gynnig i esbonio'r arferiad hwn:

> Ein hanallu i barablu'r iaith [Saesneg] yn llyfn oedd y rheswm i'm tyb i. Deuai saib yn y siarad pan na allem gael yr union air i gyfleu ein meddwl. Nid oeddem am i'r Saeson ganfod ein anhawster a bwriem reg neu ddwy i mewn i'r bwlch, er mwyn cael amser i ddod o hyd i'r colledig air.

Mae Frank Grundy'n dwyn i gof rai o ddefodau ei gyfnod. Ar ei noson gyntaf yn y neuadd roedd Cadeirydd y myfyrwyr yn cyflwyno rheolau niferus y George i'r *Juniors*. Tra oedd wrthi, torrodd un o'r *Seniors* ar ei draws gan ddweud:

> "Mr Cadeirydd, mae dihiryn fan acw'n gwenu!" a llefodd y gweddill (o'r *Seniors*), "Lle mae o? Pwy mae'n feddwl ydi o, Harry Lauder?"

Cafodd y *Junior* druan ei groesholi'n ddidrugaredd ynghylch ei enw a'i gyfeiriad nes iddo sylweddoli bod rhaid iddo ragymadroddi pob sylw neu gwestiwn i'r Cadeirydd efo'r geiriau hollbwysig, "Mr Cadeirydd, . . .".

Defod arall a ddioddefodd Frank Grundy yn ei flwyddyn gyntaf oedd y drefn wrth i'r *Seniors* ddod yn ôl i'r Coleg ar ddiwedd cyfnod o Ymarfer Dysgu a chyrraedd stesion y Borth:

> Heb rybudd yn y byd claddwyd y disgwylgar [sef y *Juniors*] tan gawodydd o fagiau yn cael eu lluchio atynt drwy ffenestri agored [y trên]. Disgynnodd haid o anwariaid trwy'r drysau heb goler na thei ar eu gyddfau a'u gwalltiau tros eu dannedd, a gorchymyn yn groch arnom i gario'r bagiau a'u heglu hi nerth gwadnau'n traed am y George. Dilynwyd ni ar hyd y ffordd yn ôl i Neuadd Fenai gan reng ar ôl rheng o fyfyrwyr, yn gorymdeithio'n ysgafndroed heb fag yn llaw un ohonynt ac yn uchel ganu: "Coming home from School Practice, Normal boys don't care a damn . . ."

• • •

Cyfrannodd **Ifor Owen**, Cefnddwysarn ger y Bala (1933–35), yn helaeth i'r diwylliant Cymraeg fel athro, arlunydd, hanesydd, cynhyrchydd drama a bardd. Mae'n fwyaf adnabyddus, efallai, fel yr arian byw y tu ôl i'r comic Cymraeg *Hwyl*, y comic i blant y bu'n ei olygu o 1949 hyd nes y daeth i ben yn 1989. Gwyddoniaeth a Chelf oedd ei brif bynciau yn ystod ei gyfnod yn y Coleg. Sgotyn, Keith Miller, oedd yn gyfrifol am Gelf ac roedd gan Ifor Owen "barch mawr iddo – llwyddodd i gyflwyno syniadau cyffrous iawn inni'r myfyrwyr Celf".

Fel rhan o'r cwrs Gwyddoniaeth, mwynhai dripiau yng nghwch rhwyfo'r Coleg i astudio cerrynt y Fenai, a'r bywyd gwyllt hyd ei glannau. Saesneg, wrth gwrs, oedd cyfrwng y dysgu ac roedd naws Seisnigaidd iawn i'r Coleg. Mae sylw Ifor Owen yn atgyfnerthu sylwadau eraill o'r un cyfnod:

> Bron nad oedd y bechgyn – i gyd yn Gymry Cymraeg – yn mynd i ryw ddechrau siarad â'i gilydd yn y Saesneg oherwydd hyn.

Disgwylid i bob myfyriwr gyflwyno model o wers, naill ai yn Ysgol Glanadda neu yn Ysgol y Borth. Byddai'r tiwtor, yr athro dosbarth a'r myfyrwyr yn arsylwi ar y wers hon, y cyfan "yn dipyn o straen", meddai Ifor Owen. Yn ôl yn y Coleg, byddai'r myfyrwyr, dan arweiniad y tiwtor, yn mynd ati i gloriannu a thrafod y perfformiad.

Ar ddiwedd y flwyddyn gyntaf disgwylid i'r dynion fynd i ysgolion yn Lerpwl i wneud tair wythnos o Ymarfer Dysgu, her digon anodd ym mhrofiad Ifor Owen:

Roedd rhai myfyrwyr yn cael ysgolion ofnadwy i lawr yn y dociau. Cofiaf fod efo athro dosbarth *strict* iawn – arferai gadw geiriadur mawr, trwm ar ei ddesg a thaflai hwnnw at unrhyw blentyn oedd yn cambyhafio!

Cyfeiria at rai o ddefodau'r George yn ei gyfnod ef. Arferai'r *Seniors* ddweud jôcs gyda'r nos, ond doedd yr un o'r *Juniors* i chwerthin "neu fe fyddech yn cael eich pannu!" Defod arall a gofia Ifor Owen, sy'n ategu un o sylwadau Frank Grundy, oedd y disgwylid i'r *Juniors* fynd i orsaf y Borth i gyfarfod y trên a gariai'r *Seniors* yn ôl o'u Hymarfer Dysgu yn Lerpwl. Byddai'n rhaid iddynt gario bagiau a chesys y *Seniors* yr holl ffordd o'r orsaf i'r George "gyda'r *Seniors* yn cicio'n tinau i'n brysio yn ein blaenau".

Yng nghyfnod Ifor Owen roedd yn arferiad ar ddiwedd y cwrs (fel a welsom uchod gyda'r merched), i'r *Coll. Son* anfon telegram i'w *Coll. Father* ynglŷn â chanlyniadau'r arholiadau terfynol. Llwyddodd Ifor Owen i ennill anrhydedd yn ei ddau brif bwnc, a dyma gynnwys y telegram a dderbyniwyd gan ei *Coll. Son*: 'Congrats. Two fine honours twins.' Parodd hwn gryn fraw i'w fam, gan iddi feddwl fod gan ei mab gariad ym Mangor a honno wedi cael efeilliaid!

Sonia Ifor Owen am "ddisgyblaeth lem" y Normal yn ei gyfnod ef, yn arbennig y rheolau ynghylch bod i mewn yn y neuadd erbyn pump yr hwyr i astudio, y gwaharddiad ar fynd ar gyfyl *Top Coll.*, a'r gwaharddiad llwyr ar fynychu tafarndai.

Mynychai gapel Twr Gwyn ar y Sul. Edrychid ymlaen yn eiddgar at ddechrau'r flwyddyn academaidd am ei bod hi'n arferiad gan gapeli ac eglwysi Bangor i gynnal sosials i ddenu'r myfyrwyr: "Yn nechrau Medi byddwn yn perthyn i bob math o enwadau er mwyn cael y sosials!"

Yng nghyfnod Ifor Owen, roedd hi'n arfer gan fyfyrwyr yn eu "hychydig oriau hamdden" fynd am dro o gwmpas y dref a galw am baned yng *Nghaffi Bobi Bobs* yn y Stryd Fawr. Ar ddydd Sadwrn arferai grŵp bach o ddynion y perthynai Ifor Owen iddo "fegio lifft" i gyffiniau Llyn Ogwen, a threulio'r diwrnod yn dringo Tryfan a'r mynyddoedd cyfagos. Arferiad hamdden anghyffredin, mae'n debyg, ymysg myfyrwyr y cyfnod hwn oedd dringo mynyddoedd.

Fel gweddill myfyrwyr ei gyfnod, edrychai ymlaen yn eiddgar at yr *Woolie Cup,* sef yr enw a roddid i'r gêm bêl-droed rhwng y Normal a'r Brifysgol – gyda'r enillwyr yn derbyn y *Woolworths Cup,* sef yr *Woolie Cup* ar lafar gwlad. Meddai Ifor Owen:

Yn ystod yr *Woolie Cup* byddai Ambrose Bebb wedi ymgolli'n llwyr yn y gêm ac yn rhedeg i fyny ac i lawr yr ystlys yn gweiddi ei gefnogaeth.

· · ·

Un arall a ddaeth o'r un ardal ag Ifor Owen a thua'r un adeg oedd **Martha Jane Roberts**, Y Bala (1934–36). Martha Jane oedd athrawes olaf ysgol pentref Capel Celyn cyn boddi Cwm Tryweryn yn 1965. Yn ddwy ar bymtheg oed roedd hi'n un o naw o ferched a ddechreuodd ar gwrs newydd oedd yn cael ei gynnig gan y Coleg yn 1934, sef cwrs Gwyddor Tŷ (*Domestic Science*). Cwrs dwy flynedd oedd hwn ar y pryd, i baratoi athrawon i addysgu'r pwnc yn y sector uwchradd.

Dim ond un aelod o'r staff oedd yn gyfrifol am y cwrs wrth ei gychwyn, sef Enid B. Wilson, a oedd, yn ôl Martha Jane Roberts, yn "ferch ifanc, frwdfrydig a dymunol". Roedd yn gwrs trwm, a golygai lawer iawn o waith min nos i'r myfyrwyr. Gan fod y bwyd mor wael yn y Coleg yn y cyfnod hwn roedd un bonws pwysig o fod yn dilyn y cwrs – roedd y merched yn cael bwyta'r prydau roeddynt wedi eu paratoi yn y sesiynau ymarferol.

Cyflwynid rhan o'r cwrs Addysg ar fore Sadwrn gan y Prifathro newydd, Dr Richard Thomas (*Dic Tom*). Hanes addysg oedd ei brif faes ac meddai Martha Jane Roberts, "Yn ei ddarlith byddai *Dic Tom* yn mynd i bob man – roedd ar hyd ac ar led."

Olivia Griffiths oedd yn gyfrifol am Astudiaethau Beiblaidd a chyfeiria Martha Jane Roberts at ymdrech fach i Gymreigio'r cwrs yn ei chyfnod hi. Bu'n ddigon dewr i ofyn i awdurdodau'r Coleg ganiatáu iddi sefyll ei harholiad Astudiaethau Beiblaidd trwy gyfrwng y Gymraeg gan ei bod, fel un a oedd wedi mynychu'r Ysgol Sul a'r capel Cymraeg yn y Bala, yn cael cryn drafferth i amgyffred y cwrs a'i ddilyn trwy gyfrwng y Saesneg. Er mawr syndod iddi, bu ei chais yn llwyddiannus. Marciwyd ei phapur – a'i ganmol – gan y Parchedig Gruff Rees, Coleg Bala-Bangor.

Credai Martha Jane Roberts fod myfyrwyr y cwrs Gwyddor Tŷ, yn y dyddiau cynnar hyn, o dan beth anfantais pan aent allan i'r ysgolion ar eu Hymarfer Dysgu. Roedd y merched wedi'u hyfforddi i ddysgu pwnc penodol ar gyfer y sector uwchradd, ond i ysgolion cynradd y bu'n rhaid iddynt fynd i wneud eu Hymarfer. Cofia am gyfnod Ymarfer arbennig mewn ysgol yng Nghaernarfon, pan gafodd hi a'i chyd-fyfyrwraig eu rhoi dan ofal "athrawes hen iawn a eisteddai ar gadair uchel ger desg uchel. Roedd tân agored yn y dosbarth a byddai'r hen athrawes biwis yma yn gwneud te ac yn ei yfed drwy gydol y dydd." Roedd ei chyd-fyfyrwraig mor anhapus yn yr ysgol hon nes iddi adael ar ôl ychydig ddyddiau, a gadael y Coleg wedyn.

Mae barn Martha Jane Roberts am ddisgyblaeth y Coleg yn arwydd o'r anniddigrwydd oedd yn cyniwair ymysg myfyrwyr: "Roedd disgyblaeth y Coleg bryd hynny yn waeth na'r ysgol. Roeddem yn cael ein trin fel plant." Sonia fel y bu i un o'r merched fentro allan o'i neuadd ar ôl pump yr hwyr i gyfarfod â'i chariad. Daeth yr 'awdurdodau' i wybod am hyn a diarddelwyd y fyfyrwraig o'r Coleg ar unwaith.

Er gwaetha'r ddisgyblaeth lem roedd digon o blwc ym merched blwyddyn gyntaf y cyfnod, ac fe wnaethon nhw fentro herio'r awdurdodau ar fater gwisg. Roedd disgwyl i'r merched wisgo *blazer* swyddogol y Coleg, "hen *flazer serge*, drom, wyrdd, tywyll". Gwrthododd y merched brynu'r *blazers* hyn. Llwyddodd y brotest, oherwydd erbyn eu hail flwyddyn cafwyd caniatâd i'r merched brynu "*blazers* llawer mwy deniadol – rhai del, ysgafn efo streips".

Yn ystod ei harhosiad yn y Normal bu Martha Jane Roberts yn aelod ffyddlon o gapel Pendref. Ond, meddai hi, cyn belled ag yr oedd y myfyrwyr yn y cwestiwn, roedd mwy i fynd i gapel yn y cyfnod hwn nag i addoli:

> Roedd yn rhoi cyfle inni'r genod i gael cyfarfod hogiau'r George ac i wneud ffrindiau efo pobl y dref. Ceid gwahoddiad yn aml gan aelodau'r capel inni gael te, ac, o gofio ansawdd gwael y bwyd yn y neuaddau, roedd hynny'n dderbyniol iawn!

•   •   •

Flwyddyn ar ôl Martha Jane Roberts roedd **Megan Owen (née Williams)**, Porthaethwy (1935–37),[15] yn dilyn cwrs *Infant and Junior Training* yn y Normal gydag oddeutu pymtheg o ferched eraill. Pennaeth yr Adran bryd hynny oedd Mabel Young: "gwraig dlos, urddasol o gorff ac yn fwrlwm o frwdfrydedd yn ei darlithoedd".

Tybiai Megan Owen fod Mabel Young wedi byw am gyfnod yn yr Almaen, a byddai'n hoff iawn o gyfeirio yn ei darlithoedd at hunan-ddisgyblaeth dinasyddion y wlad honno. Cyfeiriai'n arbennig at gyfraniad yr Almaenwr, yr Athro Chisek, i faes seicoleg addysg, ac, yn wir, trefnodd iddo ddod draw i'r Normal i ddarlithio. Fodd bynnag, diddymwyd y trefniadau yn ddirybudd heb unrhyw eglurhad. Roedd yn amlwg i'r myfyrwyr fod Miss Young wedi ei siomi'n fawr gyda'r penderfyniad hwn, ac, yn fuan wedyn, ymddiswyddodd o'r Normal oherwydd afiechyd. Mae sylwadau Megan Owen am y digwyddiad yn ddadlennol:

> Roedd hyn yn loes fawr i ni [y myfyrwyr] yn enwedig o gofio na chawsom ni erioed mohoni'n cwyno. Roedd yr holl beth yn ddirgelwch. 1935–36 oedd hyn. Tybed ai'r cymylau hyll ar y cyfandir a arweiniodd at y ffrwydriad mawr yn 1939 oedd yn gyfrifol?

Roedd hwn yn gyfnod o ddirwasgiad economaidd mawr – dim ond tair o'r neuaddau preswyl ar gyfer y merched a ddefnyddid, sef Eryri a Môn ar ochr glannau'r Fenai, a Dyfrdwy ar Ffordd y Coleg. Roedd Neuadd Alun yn wag. Bu Megan Owen yn byw yn Neuadd Dyfrdwy:

> Roedd ein hystafelloedd yn ymateb i'r gofynion sylfaenol – dim moethusrwydd – *central heating* derbyniol iawn pan yn gweithio! *Coconut matting* ar y llawr– yn orfodol i ni, ar fore Llun, i symud pob dim symudol a'u rhoi ar y gwely, ac yna plygu pob cornel o'r mat at y canol er mwyn hwyluso gwaith y morynion.

Dechreuai pob dydd yn y neuadd drwy alw'r gofrestr. Yna cynhelid gwasanaeth crefyddol, gydag un o'r merched yn darllen darn o'r ysgrythur cyn i bawb ganu emyn. Cerdded wedyn trwy'r *cloisters* i'r *Central Block* i gael brecwast:

> Murmur sŵn siarad a chwerthin braf, ond, yn sydyn, distawrwydd a phawb yn codi ar eu traed pan ddeuai pennaeth y merched [Alice Mabel Evans (*Ma Evans*)] a'r darlithwyr i'w llefydd yn y *Top Table*. . . cyn eistedd i fwyta; yna, yn ddirybudd, pawb yn llafarganu gyda lleisiau hyfryd *Non nobis Domine sed nomine tuo da gloriam.*

Gyda'r nos, ar ôl cyfnod y *Private Study* byddai merched y neuaddau yn cael cyfle i fynd i ystafelloedd ei gilydd a chael hwyl yn "gwneud gwalltiau ein gilydd", yn trafod gwaith Coleg, ac, wrth gwrs, "yn trafod hynt a helynt y Tywysog a Mrs Simpson".

Cyfeiria Megan Owen, fel Morfudd Griffiths gynt, at ymweliad y dynion o'r George a rhai o fyfyrwyr gwrywaidd Coleg y Brifysgol gyfagos i serenêdio merched y neuaddau. Dyma ddisgrifiad hyfryd iawn ganddi o'r serenêdio yn ystod cyfnod o dywydd caled, gaeafol:

> A dyna sŵn eu traed yn crensian ar y rhew – haen denau ar y llwybr – a'r canu, megis clychau, yn torri ar y tawelwch – a'r gorffen traddodiadol gyda *Good Night Ladies* a'r tenoriaid ar eu gorau.

Roedd mynd mawr ar y ddrama yng nghyfnod Megan Owen, a bu'n actio rhan Barbara yn nrama *Fy Machgen Gwyn,* trosiad John Edwards o *The White Headed Boy* gan Lennox Robinson (1925). Cymerodd Megan ran hefyd mewn cynhyrchiad o waith Shakespeare gan Elsie Muriel Hall (*Bobbie Hall*):

> Nid anghofiaf byth y sbort a gawsom un gyda'r nos pan benderfynodd Miss Hall mai gwneud y *mob scene* o *Julius Caesar* oedd ein tasg – a'r brwdfrydedd ymysg yr actorion yn mynd dros ben llestri.

PIGION O'R *NORMALITE* 1933–38

Ymysg y cyfraniadau rheolaidd gan ysgrifenyddion amrywiol gymdeithasau'r Coleg, ceir adroddiad cynhwysfawr yn rhifyn Pasg 1933 am ginio a dawns flynyddol *The Bangor Normal Club* yn Llundain a gynhaliwyd ddiwedd Tachwedd 1932 yn y *Florence Restaurant, Piccadilly Circus*. Llywyddwyd gan Syr John T. Davies (1900–02) KCB, CVO, BSc, JP, gwas sifil a fu ar un amser yn ysgrifennydd personol i Lloyd George. Y gŵr gwadd oedd F. L. Attenborough (1906–08) (gweler y bennod flaenorol). Bellach roedd Frederick Attenborough yn Brifathro coleg hyfforddi *Borough Road*, Llundain. Yn ei anerchiad, cyfeiriodd at ei ddyddiau hapus yn y Normal, a diolchodd yn ddiffuant am yr hyfforddiant a dderbyniodd yno, hyfforddiant a fu'n gymaint o fudd iddo yn ei yrfa academaidd.

Mae'n amlwg fod mynd mawr ar y ddrama yn y cyfnod hwn yn hanes y Normal a cheir adroddiadau rheolaidd yn y *Normalite* gan ysgrifennydd Cwmni Drama Dynion y Gymdeithas Gymraeg. Er enghraifft, perfformiodd y dynion *Gwneuthur Brad*, sef cyfieithiad Thomas Roberts, y Dirprwy Brifathro, o *Betrayal* gan Patrick Colum. Yn ôl Ysgrifennydd Cwmni Drama Merched y Gymdeithas Gymraeg, perfformiwyd y ddrama *Unigrwydd* gan y merched. Llwyfanwyd y ddwy ddrama ar Ddydd Gŵyl Dewi, 1933.

Yn ogystal â'r ddau gwmni drama Cymraeg, roedd y *Women's Drama Society* wedi perfformio *Hobson's Choice* yn ystod tymor y Pasg 1933. Cydnabu May Owen, ysgrifenyddes y cwmni, fod castio'r ddrama wedi achosi peth trafferth gan fod saith o'r deuddeg yn y cast i fod yn ddynion! Bellach roedd cystadlaethau drama yn cael eu cynnal rhwng neuaddau'r merched. Môn a orfu yn 1933 gyda'u perfformiad o *The House Fairy*.

Yn rhifyn Nadolig 1933 ceir adroddiad difyr am Ymarfer Dysgu y

Seniors (dynion) yn Lerpwl sy'n ategu sylwadau blaenorol Ifor Owen:

> After shaking the gloom of Lime St with the coll. cheer the gathering
> broke up to seek our elusive digs.

Roedd y cyn-Normaliaid, a oedd bellach yn dysgu yn ysgolion Lerpwl, yn
dod draw i gynorthwyo'r *Seniors* i gael hyd i'w l) lety a'u hysgolion, ac i
gael newyddion am eu hen goleg. Roedd y myfyrwyr yn gwerthfawrogi'n
fawr iawn gymorth parod staff yr ysgolion a'r cyfle i arsylwi ar arferion
modern o ddysgu. Yn eu horiau hamdden byddai'r dynion yn manteisio
ar bob cyfle i'w mwynhau eu hunain yn y ddinas fawr, yn arbennig trwy
ymweld â theatr y *Playhouse*, gan gadarnhau, unwaith eto, y diddordeb
mawr mewn dramâu ymysg myfyrwyr y cyfnod. O gofio brwdfrydedd y
dynion mewn pêl-droed, y mae'n rhyfedd, rywsut, nad oes unrhyw
gyfeiriad at ymweliadau â pharc Goodison nac Anfield.

•   •   •

Ymysg yr ysgrifau Saesneg niferus ceir disgrifiad manwl o ddringo yn y
Twll Du (*Devil's Kitchen*), uwchben Llyn Idwal, yn rhifyn Nadolig 1934:

> The Kitchen ended in an immense shower bath. I wondered whether
> anyone could pass the obstacle. I managed to get behind the water-
> fall but found progress up this bare wall impossible.

Dyma gadarnhau sylwadau blaenorol Ifor Owen am boblogrwydd dringo
ymysg carfan fechan o fyfyrwyr y Normal yn y 1930au cynnar.

Mae'n arwyddocaol fod hanner yr ysgrifau yn y cylchgrawn bellach yn
y Gymraeg. Dyma garreg filltir bwysig yn hanes yr iaith Gymraeg yn y
Normal, er y bydd angen aros eto am rai blynyddoedd cyn y bydd y
myfyrwyr yn gallu dilyn eu cyrsiau drwy gyfrwng eu mamiaith. Y mae'n
bosib mai oherwydd twf mewn ymwybyddiaeth o'u Cymreictod ymysg
myfyrwyr y cyfnod hwn y gwelwyd sefydlu cymdeithas newydd yn y
Coleg, sef y Gymdeithas Geltaidd yn ystod tymor y Nadolig 1934:

> Erbyn hyn y mae'r Gymdeithas (Geltaidd) wedi ymdreiddio ym
> mywyd y coleg a mynychir ei chyfarfodydd gan Saeson brwdfrydig yn
> ogystal â Chymry.

•   •   •

Yn rhifyn Pasg 1935 mae sôn fod y set radio gyntaf wedi cyrraedd y
George, ac etholwyd O. H. Williams i'r swydd o *wireless captain*. Ymhen

blwyddyn, ar 17 Mawrth 1936, darlledwyd rhaglen radio o'r George ar rwydwaith rhanbarth gorllewinol y BBC. O ystyried arwyddocad hanesyddol y digwyddiad hwn, mae'n rhyfedd na cheir unrhyw fanylion am gynnwys y rhaglen yn y *Normalite*, na phwy gyfrannodd iddi. Yn ôl rhifyn Pasg 1937 darlledwyd unwaith eto o'r Coleg, y tro hwn rhaglen yn cynnwys cyngerdd ymadawiad y *Seniors,* a gynhaliwyd ar 17 Mawrth. Unwaith eto, ysywaeth, ni cheir unrhyw fanylion am yr eitemau na'r perfformwyr.

Yn rhifyn Pasg 1936 o'r *Normalite* ceir adroddiad unwaith eto am yr Ymarfer Dysgu yn Lerpwl. Cyfeirir at ymweliadau addysgol ag ysgolion i blant mud a byddar, ac ag ysgol arbennig i blant "mentally defective". Bu'r myfyrwyr yn eu mwynhau eu hunain yn y theatr unwaith eto ac yn cael pleser arbennig o wrando yn yr *Empire* ar "the musical capers of Mr Harry Roy", clarinetydd ac arweinydd band.

Yn ôl adroddiadau o fyd y chwaraeon y mae'n amlwg fod cryn fynd ar y bwrdd biliards newydd yn y George, a cheir disgrifiadau manwl yn *Normalite* Pasg 1937 o ornestau caled:

Seniors v. Juniors
Annexe v. The George
Old Floor v. Top Floor (George)
Staff v. Students

Yr *Annexe* yma yw'r adeilad gyferbyn â'r George a godwyd yn wreiddiol i gartrefu morynion gwesty'r George. Roedd twnel yn cysylltu'r ddau.

•   •   •

Yn rhifyn Pasg 1937 cyhoeddir erthygl broffwydol gan R. H. Brockenburgh, Capten Tenis y Coleg, dan y pennawd *Clouds*, sy'n trafod dyfodiad yr Ail Ryfel Byd, gyda'r cymylau'n cynrychioli'r frwydr fawr, dyngedfennol rhwng yr Almaen a'r Cynghreiriaid, a'r bygythiad i ddemocratiaeth yn Ewrop.

PIGION O'R *NORMALITE*
O GYFNOD YR AIL RYFEL BYD 1939–45

Oherwydd dogni papur yn ystod y rhyfel bu'n rhaid i gynhyrchwyr y *Normalite* gwtogi'n sylweddol ar ei faint. Serch hynny roedd rhifyn ar gyfer tri thymor y Coleg yn dal i gael ei ddarparu drwy'r cyfnod anodd hwn.

Ymysg y newyddion Coleg cafwyd yr eitemau canlynol yn rhifyn Nadolig 1939:

> Dymunwyd yn dda i'r Hen Normaliaid oedd bellach yn gwasanaethu yn y lluoedd arfog.

> We had the pleasure of visits from a number of last year's seniors in the army, and the least we can say is that they look extremely fit and happy in khaki.

Cyfeiriwyd at weithgareddau wardeiniaid yr ARP (*Air Raid Precautions*) yn y Coleg a cheir hanes am y corff hwn yn delio'n effeithiol â ffug ymosodiad o'r awyr. Roedd naws y rhyfel i'w theimlo hefyd yn nhrafodaethau'r *Debating Society*, gyda phynciau megis rhyfel a heddwch yn cael sylw. Gwelwyd cychwyn cymdeithas newydd yn y Coleg yn ystod Tymor y Pasg 1940, sef *The International Relations Club* – adlewyrchiad, mae'n debyg, o ofid myfyrwyr am effeithiau'r rhyfel.

Mewn gwrthgyferbyniad i'r newyddion rhyfel, yn rhifyn Nadolig 1939 llongyferchir pawb a fu'n gysylltiedig â llwyddiant y Normal yn curo CPGC yn yr Eisteddfod Golegol, a hynny am y tro cyntaf yn ei hanes. Ar nodyn ysgafn arall, yn rhifyn Pasg 1940 ceir adroddiad doniol am gêm ddartiau a chwaraewyd yn y George rhwng y myfyrwyr a phedwar o'r staff, William Pearson, Cyril Cross, Gordon Evans ac Ambrose Bebb, "who, complete with daffodil-engraved darts flighted with leeks, put his best foot forward and threw. 'Very goooood' he exclaimed!"

Nid y myfyrwyr yn unig oedd yn ymuno â'r lluoedd arfog ond hefyd rai o'r staff. Er enghraifft, yn rhifyn Haf 1941 dymunir yn dda i Cyril Cross, tiwtor yn yr Adran Gelf a Gwaith Llaw, wrth iddo ymuno â'r llu awyr. Trist gweld coffâd am y Normaliaid oedd wedi colli eu bywydau yn y rhyfel. Er enghraifft, ceir coffâd am Stuart Armstrong (1937–39), Capten yn y *9th Jat Regiment,* a gollodd ei fywyd yn yr ymladd yn y Dwyrain Pell.

Yn rhifyn Haf 1941, dan y teitl *Shelter Life*, disgrifir noson hir a dreuliwyd mewn lloches rhag bomiau o dan Neuadd Môn; rhai o'r merched yn gweu, eraill yn mân siarad, a llawer yn hepian. Mor braf oedd clywed yr *All clear!* a'r merched yn cael caniatâd i fynd yn ôl i'w gwelyau. Ategwyd yr atgofion hyn gan **Megan Lloyd**, Carmel (1939–41). Sonia hi am yr angen i ddefnyddio'r lloches yn selar Neuadd Môn am fis yn ystod tymor y Pasg 1940, pan fu cyrchoedd bomio parhaol ar Lerpwl gan awyrennau'r Almaen. Y drefn oedd i'r merched fynd i'r lloches am chwarter i naw yr hwyr, gan wneud yn siŵr fod eu mygydau nwy ganddyn nhw, ac aros yno tan oddeutu pedwar o'r gloch y bore wedyn. Roedd hyn yn peri cryn drafferth i ferched yr ail flwyddyn a oedd eisiau astudio ar gyfer eu harholiadau terfynol, gan ei bod yn anodd darllen yn llwyd-olau'r lloches. Yn ystod y mis hwn caniatéid i'r merched aros am awr yn hwy yn eu gwelyau yn y bore.

O dan y pennawd *Atgof a Myfyrdod* mae Arthur Hughes yn ysgrifennu, yn Gymraeg yn rhifyn Haf 1941 y *Normalite*, am ei bryder ar ôl ymuno â'r lluoedd arfog:

> Digalon braidd y teimlaf, a llawer eraill y mae'n eithaf tebyg yn yr un sefyllfa, wrth feddwl y dadwneir ein bywyd. Ond fe'n dygir i sylweddoli trwy gyfrwng yr heldrin, nad gwin yn unig sydd yng nghwpan bywyd a bod yn rhaid cymryd y chwerw yn ogystal â'r melys . . . gŵyr pob un ohonom fod gwneuthur dyletswydd yn hanfodol bwysig, ac, er mwyn cyflawni dyletswydd, y mae'n golygu dioddef.

O edrych ar adroddiadau'r cymdeithasau, ceir sylwadau ar ddatblygiad arloesol a hanesyddol yn hanes cangen y Coleg o'r *Student Christian Movement* (SCM), sef cynnal rhai cyfarfodydd o adran y dynion ac adran y merched ar y cyd. Fodd bynnag, nid oedd modd dianc rhag dylanwad y rhyfel, hyd yn oed yn hanes yr SCM: "Sunday morning meetings this term have been irregular owing to air-raid warnings." (Haf, 1941)

Yn rhifyn Nadolig 1944 ceir stori fer Gymraeg gan J. D. Williams yn sôn am filwr, llongwr ac awyrennwr yn hel atgofion melys am eu cyfnod yn yr "hen, annwyl George".

Yn rhifyn Pasg 1944 ceir ysgrif ddramatig a lliwgar am gyrch bomio y bu'r cyn-fyfyriwr, *Flight Lieutenant* Lyne-Smite, yn rhan ohono:

> The bomb door opens and we sweep in on the small target below. In the crowded few seconds before the bombs go down some one takes a violent dislike to us and light ack-ack shoots up uncomfortably close while a stutter from our guns in the turret shows the dislike is matched.

Ceir ambell gyfeiriad hefyd at rai o'r Normaliaid a oedd wedi cael eu hanrhydeddu am eu dewrder yn ystod y brwydro. Er enghraifft, llongyferchir Kenneth Evans, Hen Normalydd, am ennill y Fedal Filitaraidd am ei ddewrder yn gyrru *scout car* yn cludo milwyr clwyfedig yn ystod ymladd caled yn Ffrainc (Nadolig, 1944).

Gwelir dylanwad rhaglenni radio poblogaidd y cyfnod ar ambell ysgrif sy'n ceisio ysgafnhau'r cynnwys. Er enghraifft, yn *Normalite* Pasg 1945 ceir ysgrif ysgafn a doniol sy'n cyflwyno darlithwyr yr Adran Gwyddor Tŷ yn arddull *In Town Tonight*, rhaglen boblogaidd, nosweithiol a ddarlledwyd ar y *Light Programme*:

> Once more we stop the roar of Normal life to bring you famous personages who are 'In Cookery this Morning'. First of all we bring to the microphone a woman of whom you all have heard; that master of savage cult of cooking – Miss B . . .

Yn yr un arddull cawn gameo difyr, gan Eira Colman yn rhifyn Haf 1946, o fywyd myfyrwraig yn y Normal yn y cyfnod hwn. Cyfeiria hi at y clychau a oedd yn rheoli bywydau'r myfyrwyr. Roedd *lights out* yn boendod i'r merched: byddai'r golau'n cael ei ddiffodd a rhai ohonynt ar hanner golchi eu gwalltiau! Cyfeirir at yr enwog *Central Block buns,* a gwelai'r awdures y darlithoedd hir fel cyfle euraidd i ysgrifennu llythyrau, neu freuddwydio am brofiadau rhamantus Siliwen!

Yn rhifyn Nadolig 1945 manteisiodd Dr Richard Thomas, y Prifathro, ar y cyfle i gyflwyno sylwadau addas ar gyfer dathlu diwedd y rhyfel. Aeth rhagddo hefyd i gyfeirio at effeithiau tebygol Deddf Addysg 1944. Mae'n cloi ei ysgrif gyda'r sylw:

> It is doubtless the wish of all of us that the college on fair Menai's banks will through its staff and students contribute worthily to the fulfilment of the Nation's hopes.

•   •   •

Ar ddechrau'r rhyfel cafodd tîm pêl-droed y Coleg lwyddiant ysgubol. Enillwyd yr *Woolie Cup* yn 1939, ac, ar 18 Mawrth 1939, enillodd y Normal y *North Wales Junior Cup* trwy guro tîm *Connah's Quay Athletic* o dair gôl i ddwy. Y tymor hwnnw cafodd y tîm ei alw 'The Team of the Season' yng ngogledd Cymru.

Y myfyriwr Harry Lloyd, aelod poblogaidd iawn o staff yr Adran Addysg Gorfforol a Dirprwy Brifathro'r Coleg yn ddiweddarach yn ei yrfa, oedd capten tîm criced y Normal yn 1941. Yn adroddiad ysgrifennydd y tîm criced yn rhifyn Haf 1941 cyfeirir at ei ymadawiad o'r Coleg i ymuno â'r lluoedd arfog fel "great loss" i'r tîm hwnnw.

Fel yr aeth y rhyfel yn ei flaen, a mwy a mwy o ddynion y Normal yn cael eu galw i'r lluoedd arfog, mae dylanwad hynny i'w weld yng nghanlyniadau symol y tîm pêl-droed. Er enghraifft, yn ystod mis Tachwedd 1944 cafwyd y canlyniadau hyn:

> Normal 6, Ysgol Commandos Llanberis 5
> Normal 3, RAF Bodorgan 10
> Normal 1, Coleg y Brifysgol 8

Diddorol yw sylwi ar y timau y mae'r Normal yn chwarae yn eu herbyn yn y cyfnod hwn, gyda nifer ohonynt yn gysylltiedig â'r lluoedd arfog.

Yn rhifyn Nadolig 1945 ceir cyfeiriad at gyflwyno yr *Humphs Cup* (sef *Humphrey's Cup*) am y tro cyntaf i enillwyr yr ornest rygbi rhwng y Normal a Choleg y Brifysgol. Diolchir i Emyr Humphreys, perchennog y caffi poblogaidd *The Corner House Café,* sef caffi *Humphs* i'r myfyrwyr, am gyflwyno'r gwpan. Coleg y Brifysgol enillodd yr ornest gyntaf hon ar 2 Tachwedd 1945 a chipio'r gwpan!

•   •   •

Prin yw'r atgofion uniongyrchol gan fyfyrwyr o gyfnod y rhyfel. Un eithriad yw **Glenys Bell (née Brown Jones)**, Aberhonddu (1943–45). Bu'n aros yn Neuadd Môn dan ofalaeth Nellie Drage fel y warden:[16]

> Fe fuodd [Miss Drage] yn garedig iawn wrthyf pan gefais 'froncitis'. Roedd yn dod â chwpaned o laeth i mi bob nos. Gobeithio fy mod wedi diolch digon iddi.

Fel sawl myfyrwraig arall cofia Glenys Bell yn dda am ddynion CPGC yn galw draw i serenêdio merched y neuaddau ar fin nos: "Hyfryd oedd clywed lleisiau yn mynd yn ddistawach wrth iddynt gilio draw."

Fodd bynnag, gyda diflastod y cofia am seremonïau derbyn *freshers* i Neuadd Môn. Roedd y ragio yn golygu yn y bôn "gwneud ffŵl o'n hunain o flaen pawb yn y *Common Room,* er enghraifft wrth gerdded yn llinyn oddeutu'r ystafell a throi'n ôl pan oeddem yn cael gorchymyn [gan y *Seniors*]".

Wrth edrych drwy ffenestr ei hystafell yn Neuaddd Môn byddai Glenys Bell yn "mwynhau'r olygfa dros y Fenai ar ddiwrnod braf, heulog. *Catalinas* (awyrennau môr) yn codi a disgyn ar y dŵr a'r *Conway* o Lerpwl yn llochesu yno."

Sonia am y dogni adeg rhyfel. Ceid dwy owns o fenyn ac un wy yr wythnos. Er hyn, credai fod y merched yn cael digon i'w fwyta, er "fod y *Central Block buns* wedi starfio o gyrens!" Ei 'merch-coleg' oedd "geneth siriol o Landysul". Daeth mam go iawn ei merch-coleg draw ar ymweliad â'r Coleg, a dod ag anrheg o fenyn bach i Glenys: "Wel dyna trît!"

Ychydig iawn sydd gan Glenys Bell i'w ddweud am Ymarfer Dysgu, ond bod cadw'n brysur yn fodd i gadw pryderon y rhyfel draw:

> Roedd *school prac* yn beth blinedig iawn. Codi'n fore, dal trên neu fys i fynd i wahanol ysgolion – fues yn Llangefni ac yn Neganwy ddwy-waith – ac yn ôl i'r Coleg wedyn i gael swper a pharatoi at ddiwrnod arall wedyn.

ATGOFION MYFYRWYR 1946–50

Daeth **Dorothy Herbert (née Owen)**, Porthaethwy (1946–48),[17] i'r Coleg yn syth ar ôl y rhyfel pan oedd y gyfundrefn ddogni'n parhau:

> Y pethau sy'n sefyll allan yn fy nghof oedd fy nhad yn prynu cwponau [dogni] i gael dillad i mi fynd i'r coleg – mam a'i ffrind yn gwneud gŵn nos efo planced RAF. Bu'r blanced ar fy ngwely yn Hostel Dyfrdwy.

Ar ôl dod i'r Coleg gwelodd effaith y dogni ar y bwyd a oedd yn cael ei arlwyo i'r merched yn y neuaddau:

> Unwaith y mis dosbarthid jam – un pot pwys i bawb – byddech yn cadw hwnnw yn eich ystafell. Byddai'n ras wyllt am frecwast diwrnod dosbarthu'r jam.

Ond nid oedd pob dim at ei dant o ran cynnwys y brecwast:

> Roedd *scrambled eggs* wedi eu gwneud o bowdr yn hollol wrthun i mi – lwmp melynwyrdd yn nofio mewn môr o hylif *lime green*.

Gadawodd Noson Dderbyn y glas fyfyrwyr gryn argraff ar Dorothy Herbert. Cofia'n dda am rai o'r myfyrwyr a fu'n cymryd rhan ar y noson:

> Cofiaf Lisa Rowlands [Lisa Erfyl wedyn] yn canu Simon Fab Jonah; un arall roddodd ddatganiad ar y noson honno oedd Hâf Llywelyn Jones, mam y pianydd Iwan Llywelyn Jones. Roedd ei dawn hithau ar y piano yn syfrdanol.

Fel yn achos sawl myfyriwr arall, roedd un aelod o'r staff yn sefyll allan i Dorothy Herbert yn ei chyfnod hi: "Cofiaf yn arbennig am Ambrose Bebb yn arolygu'r *School Prac* [yn Llangristiolus gyda'r prifathro adnabyddus T. G. Walker]. Roedd ei gefnogaeth a'i arweiniad yn amhrisiadwy."

Cafodd eira mawr gaeaf 1947 effaith ar weinyddiad y Coleg ac ar fywyd y myfyrwyr:

> Atgof byw arall oedd cau y Coleg am bythefnos Ionawr/Chwefror 1947 – amser yr 'eira mawr'. Nid oedd tanwydd na bwyd yn y Coleg. Cawsom ein troi allan am chwech y bore – y rhai oedd yn byw ymhell fel Wrecsam yn cael paned o de cyn cychwyn a'r rhai oedd yn lleol fel Llanddona yn cychwyn heb lymaid na thamaid.

• • •

Un arall a ddaeth i'r Coleg yn y cyfnod ar ôl y rhyfel oedd **Handel Morgan**, Gogerddan (1948–50). Roedd newydd gael ei *de-mob* o'r fyddin fel *Acting Major* gyda'r *Royal Engineers* pan gafodd gyfweliad mewn gwesty yn Llundain gan y Prifathro, Dr Richard Thomas. Ar ôl cael ei dderbyn bu'n teithio'n feunyddiol o'i gartref ym Modorgan ar y trên i orsaf y Borth a cherdded oddi yno wedyn i Safle'r George.

Bu'n astudio dau brif bwnc, sef Cymraeg a Mathemateg. Roedd darlithydd y Gymraeg, y Dirprwy Brifathro Thomas Roberts, yn "ffurfiol iawn", meddai. Un o'i gydaelodau yn y dosbarth Cymraeg oedd Artro Evans, mab y Prifardd John Evans a fu ei hun yn fyfyriwr yn y Normal. Defnyddiai Artro Evans nodiadau ei dad o ddarlithoedd a draddodwyd gan Thomas Roberts flynyddoedd ynghynt!

Dyma farn Handel Morgan am Ymarfer Dysgu yn ei gyfnod ef:

> Roedd athrawon ysgol yn tueddu i ddangos parch tuag at diwtoriaid y Coleg fyddai'n arolygu'r Ymarfer Dysgu. Fodd bynnag, nid oedd hyn o reidrwydd yn wir am agwedd prifathrawon yr ysgolion – oherwydd yn aml roedd gan y prifathrawon lawer mwy o brofiadau amrywiol o ddysgu plant nag oedd yn wir am y tiwtor Coleg.

Yn y cyfnod dan sylw rhaid cofio bod mwyafrif y dynion a oedd yn fyfyrwyr yn y Coleg wedi bod yn y lluoedd arfog, a dyma sylw treiddgar Handel Morgan am ddisgyblaeth yn y Normal yr adeg hynny:

> Roedd mwyafrif o'r bechgyn yn y Normal yn fy nghyfnod i wedi cael profiadau digon anodd yn y rhyfel ac roedd y staff yn cydnabod hyn ac yn ein trin mewn ffordd gyfrifol ac aeddfed.

95

Serch hynny, cafwyd protest gan y myfyrwyr yn ystod cyfnod Handel Morgan, protest a oedd yn adlais o streic y myfyrwyr yn 1890. Penderfynodd dynion y George, a Handel Morgan yn eu mysg, gynnal protest yn erbyn ansawdd gwael y prydau bwyd, yn arbennig y cinio ganol dydd. Un diwrnod, ar ôl adrodd y gras bwyd, cododd y dynion o'u seddau a "cherddasom yn urddasol o'r neuadd fwyta". Fodd bynnag, ni chofia Handel Morgan a fu unrhyw newid arwyddocaol yn ansawdd y bwyd o ganlyniad i'r brotest hon.

* * *

Addysg Gorfforol oedd prif bwnc **Aelwyn Pritchard**, Bangor (1948–50). Atgofion yn bennaf am chwarae i dîm pêl-droed y Coleg yn ogystal ag i'r tîm enwog *Peritus* (sef 'medrus' yn Lladin) sydd ganddo ef. Tybia mai Mr Sinclair, rheolwr siop Woolworth ym Mangor ar y pryd, fu'n bennaf gyfrifol am sefydlu tîm *Peritus*, a hynny yn 1948. Roedd y tîm yn gyfuniad o hufen chwaraewyr pêl-droed y Normal a Choleg y Brifysgol. Gwisgai aelodau'r tîm grysau gwyn gyda bathodyn *Peritus* arnynt, siorts du, a sanau un ai'r Normal neu Goleg y Brifysgol.

Dewisid chwaraewyr i'r tîm yn ôl eu perfformiadau yn yr *Woolie Cup* y cyfeiriwyd ato uchod, sef gemau darbi rhwng y Normal a Choleg y Brifysgol. Cymaint oedd y diddordeb a'r brwdfrydedd o du llu o gefnogwyr y Normal a Choleg y Brifysgol i gemau'r *Woolie Cup* fel y byddai'r gemau'n cael eu chwarae'n aml ar gae tîm pêl-droed Dinas Bangor yn Ffordd Farrar. Yn ôl Aelwyn Pritchard, a aeth, ar ôl gadael y Coleg, i chwarae pêl-droed yn broffesiynol i dîm Bangor, gemau'r *Woolie Cup* oedd rhai o'r gemau caletaf iddo chwarae ynddynt: "gemau caled – at waed!" Byddai cefnogwyr y Normal a Choleg y Brifysgol yn ymgolli'n lân yn y gêm:

> Yn aml byddai'n anodd clywed lleisiau eich cyd-chwaraewyr oherwydd gymaint oedd sŵn y stiwdants. Am gyfnod arferai'r stiwdants daflu bagiau blawd at ei gilydd – son am lanast!

O gyfnod ychydig yn ddiweddarach, cadarnheir atgofion Aelwyn Pritchard am yr ymryson bagiau blawd rhwng cefnogwyr pêl-droed y Normal a Choleg y Brifysgol gan J. O. Roberts (1951–53):

> Bu sawl brwydr ym Mangor Uchaf ar ddyddiau gemau [yr *Woolie Cup*] a chefnogwyr y ddau dîm yn hyrddio bagiau papur yn llawn blawd at ei gilydd, a'r heddwas PC 23 druan yn ceisio cadw trefn![18]

Rhai o gefnogwyr mwyaf brwd yr *Woolie Cup* yn y cyfnod hwn oedd dau o ddarlithwyr y Coleg, sef Ambrose Bebb, cefnogwr o'r cychwyn cyntaf, a Dewi Machreth Ellis, a benodwyd i staff y Coleg yn 1946.

Bu Aelwyn yn aelod o dîm *Peritus* yn nhymor 1948–49 gan chwarae fel *full back* neu *centre forward*. Byddai *Peritus,* fel arfer, yn chwarae gemau 'cyfeillgar' yn erbyn timau o Gynghrair Cymru, ond llwyddiant yn y gemau cwpan fyddai'r prif nod, yn arbennig Cwpan Amatur Cymru a'r *Junior Cup.* Yn ôl Aelwyn, bu tymor 1948 yn un llwyddiannus iawn, ond, yn anffodus, collwyd y gêm derfynol yn y *Junior Cup* yn erbyn Treffynnon ar gae'r *Bell Vue* yn y Rhyl o gôl i ddim.

•   •   •

Pan oedd Aelwyn Pritchard yn gadael y Coleg yr oedd **Marian Everett Roberts (née Williams)**, Ffynnongroyw (1949–50), yn dod yno i ddilyn cwrs arbennig, blwyddyn o hyd, gan ei bod eisoes wedi bod yn dysgu am wyth mlynedd fel athrawes heb dystysgrif.[19] Roedd wedi gwirioni ar y Dewi Machreth Ellis ifanc ar y staff: "Roeddem i gyd â *crush* arno!"

Dywed, hefyd, ei bod yn arfer gan Ddirprwy Brifathrawes y Coleg, Alice Mabel Evans, un â chryn ddylanwad ganddi ar fywyd merched yn y Coleg, ddod i dŷ llety'r fyfyrwraig i chwarae *bridge* efo'r lletywraig Mrs Burrell, mam y Barnwr Glyn Burrell.

Un o'r amserau "hyfrytaf" a gafodd hi yn y Coleg oedd ei chyfnod Ymarfer Dysgu yn Ysgol Henblas, Llangristiolus, o dan arolygaeth y prifathro T. G. Walker, y naturiaethwr a'r adarwr adnabyddus, ac meddai hi amdano: "Fum i erioed yn dysgu gyda dyn mor amryddawn, mor hoffus a chymaint o help i greadur oedd ofn gweld y tiwtoriaid yn dod!" Gan fod T. G. Walker yn arlunydd mor dda roedd gan Marian Roberts gywilydd braidd i ddangos ei siartiau Ymarfer Dysgu iddo, yn arbennig rhai'n perthyn i wersi byd natur.

Cerddoriaeth oedd un o'i hoff bynciau, a chafodd amrywiaeth eang o brofiadau cerddorol yn ystod ei chyfnod yn y Coleg. Cafodd yr anrhydedd o ganu unawdau mewn perfformiad o *St Paul* Mendelsshon gan y *Bangor Normal College Choral Society* ym mis Mai 1950 "a chael John Stoddart yn canu rhan y tenor yn uchafbwynt". Bu'n cystadlu yn Eisteddfod Gadeiriol Myfyrwyr Bangor, gan ennill cystadleuaeth y ddeuawd efo Margaret Evans, Llanbrynmair (1949–51) – "contralto wych" – dan feirniadaeth G. Peleg Williams.

Mwynhaodd Marian Roberts berfformio efo Cwmni Drama Cymraeg y Coleg, a chymerodd ran gerddorol gyda Goronwy Hayes, myfyriwr o

Lanfynydd, Sir y Fflint. Cyfeiria at ei chyfnod yn y Normal fel "amser hapusaf fy mywyd" gan ychwanegu, "roedd fy narpar ŵr ar draws y ffordd yn y Brifysgol, felly roedd bywyd yn fêl i gyd".

PIGION O'R *NORMALITE* 1950–53

Yn dilyn y rhyfel ceir cyfnod o geisio ailafael yn y drefn arferol a dychwelyd i'r patrymau normal blaenorol ac adlewyrchir hynny yn nhudalennau'r *Normalite*. Erbyn dechrau'r 1950au mae'r *Normalite*, i bob pwrpas, yn gylchgrawn dwyieithog, ond yn rhifyn Nadolig 1950 mae'r Golygydd yn mynegi cryn bryder ynglŷn â difaterwch y myfyrwyr ynghylch cynnwys y cylchgrawn, gan gwyno am eu diffyg parodrwydd i gyfrannu iddo.

Yn wahanol i lawer o'i gyd-fyfyrwyr, roedd Glyn Roberts, Carmel (1950–52), myfyriwr talentog ar ei flwyddyn gyntaf yn y Coleg, wedi cyfrannu'n sylweddol i'r rhifyn, ar ffurf nifer o gerddi. Erbyn rhifyn Haf 1951 mae'n cael ei longyfarch ar ennill y goron yn Eisteddfod Gadeiriol Lewis, Lerpwl, gyda'i gerdd *Oriau'r Haf.* Yn rhifyn Haf 1952 llongyferchir Glyn Roberts unwaith eto, y tro hwn am ennill Coron Eisteddfod y Colegau gyda'i bryddest *Y Pendefig*. Does dim rhyfedd i'r cylchgrawn fynegi gyda balchder, "Dyma flwyddyn Aur y Coleg Normal!" Bu Glyn Roberts yn bennaeth ysgol gynradd Llanbedrog am flynyddoedd lawer ac yn gynghorydd brwd ar gyngor tref Pwllheli.

Yn ystod Tymor y Pasg 1952 darlledodd y BBC raglen radio *Any Questions?* ar y *Light Programme* gyda G. V. Wynne Jones yn cadeirio. Roedd Sheila Davies ymysg aelodau'r panel a oedd yn cynrychioli myfyrwyr y Normal (gweler yr adran nesaf). Yn yr un rhifyn, ceir adroddiad Saesneg gan Morien Phillips, Rhosllannerchrugog (1950–53), yn llongyfarch un o'i gyd-fyfyrwyr, J. O. Roberts, ar gael ei benodi'n olygydd cylchgrawn Cymraeg newydd *Cambria*. Yn ddiweddarach, bu'r ddau fyfyriwr hyn yn aelodau poblogaidd o Adran Ddrama'r Coleg fel actorion talentog. Yn dilyn derbyn ei dystysgrif addysg yn 1952, arhosodd Morien Phillips yn y Coleg am flwyddyn ychwanegol er mwyn cwblhau cwrs Addysg Grefyddol.

Yn newyddion y Coleg, rhifyn Haf 1952, cyfeirir at sefydlu Adran Gymraeg y *Debating Society* a cheir adroddiad am agor neuadd breswyl newydd i ddynion, sef Ardudwy, yn hen Balas yr Esgob gynt:

Visitors from the George [i Ardudwy] were much impressed by the lavish and comfortable furnishings and palatial apartments ... there is still an episcopal tone in Ardudwy.

Ym myd y chwaraeon, yn Nhymor y Nadolig 1950 ennill fu hanes y Normal yn rownd gyntaf yr *Woolie Cup* o dair gôl i ddim. Ond colli wnaeth tîm y Coleg wrth chwarae yn erbyn yr hen elyn yng nghwpan Amatur Cymru, o bedair gôl i ddwy. Ddydd Calan 1952 curodd Tîm Peritus dîm yn cynrychioli Prifysgol Rhydychen. Roedd y tîm rygbi'n cael tymor llwyddiannus iawn, gan guro tîm *Royal Artillery* Tŷ Croes o saith deg dau pwynt i chwech! J. Brynmor Davies, Ysgrifennydd Clwb Rygbi'r Coleg, ac un a ddaeth yn ddiweddarach yn ei yrfa yn aelod amlwg iawn o staff Adran Addysg Gorfforol y Coleg, fu'n croniclo hanes llwyddiant tîm y Coleg mewn cystadleuaeth rygbi saith bob ochr a gynhaliwyd yn Ysgol Rydal ar 21 Ebrill 1951.

CAUSE CÉLÈBRE 1953[20]

Nid peth anghyffredin yn hanes sefydliadau addysg yw gorfod ymateb i'r annisgwyl. Gall ambell ddigwyddiad adael ei ôl arnynt am gryn amser. Weithiau bydd diddordeb y cyfryngau yn fodd i dynnu'r achos i sylw'r cyhoedd a hynny er mawr chwithdod i'r sefydliad, wrth iddo geisio ymateb yn ddiffwdan i'r amgylchiadau sy'n codi. Ysgubo pethau dan y carped yw'r adwaith weinyddol naturiol, rhag ofn i'r achos bardduo enw da'r sefydliad a newid ei ddelwedd ym marn ei fyfyrwyr, ei ddarpar-fyfyrwyr a'r cyhoedd yn gyffredinol.

Gwelsom fod streic y myfyrwyr yn 1890 wedi bygwth enw da'r Normal, ond nid oedd hynny ond megis chwa o awel iach o'i gymharu â'r stormydd a'i bygythodd yn ystod hanner cyntaf 1953 pan gafodd y Coleg sylw hynod o anffafriol mewn penawdau papur newydd, yn lleol ac yn genedlaethol, ac ar lawr Tŷ'r Cyffredin. Roedd dwy ochr i'r achos, wrth gwrs, ond prin y talwyd sylw i fersiwn y Coleg ei hun wrth i'r cyfryngau synhwyro stori dda.

Serch y sylw a gafwyd yn y papurau newydd, llwyddodd y Coleg i gadw'r stori yn gymharol ddistaw o fewn y sefydliad, ac, yn rhyfeddol iawn, nid oes unrhyw gyfeiriad ati ar dudalennau'r *Normalydd*.

Mae'r achos yn troi o amgylch hanes y fyfyrwraig **Sheila Phippen Parry (née Davies)**, Cwm Rhondda (1950–53). Ar 13 Chwefror 1953 gwelwyd y pennawd hwn ar flaen y *North Wales Chronicle*:

Normal College Girl
Student's Dismissal
Governors' Decision.

Yn *Y Faner* yr un wythnos gwelwyd: "Helynt y Coleg Normal: yr achos yn nwylo'r aelodau Seneddol." Fel yr awgryma'r pennawd, roedd yr achos bellach ar ei ffordd i lawr Tŷ'r Cyffredin.

Ar ddechrau'r flwyddyn golegol 1952–53 roedd Sheila Davies, merch o bentref Ystrad yng Nghwm Rhondda (mae'r lleoliad yn bwysig fel y gwelwn yn nes ymlaen), yn fyfyrwraig bedair ar bymtheg oed ar ei blwyddyn derfynol yn y Coleg yn astudio Gwyddor Tŷ fel prif bwnc. Cafodd ei denu i'r Normal gan fod ei modryb o Aberdâr wedi bod yn y Coleg rai blynyddoedd ynghynt. Ar ben ei gwaith coleg arferol bu Sheila Davies yn weithgar iawn yn yr ymgyrch i sefydlu Cyngor cynrychioliadol ar gyfer merched y Coleg (*Women Students' Representative Council*) er mwyn cael fforwm ar gyfer mynegi barn merched. Roedd y dynion wedi sefydlu eu Cyngor hwy er 1951, arwydd arall o arwahanrwydd y dynion a'r merched yn y cyfnod hwn. Pwy fyddai'n gallu dychmygu sefydlu undebau myfyrwyr ar wahân i ddynion a merched yn ein colegau a'n prifysgolion y dyddiau hyn?

Erbyn dechrau 1953 roedd Sheila Davies wedi cael ei hethol yn llywydd Cyngor y merched. Dan ei harweiniad egnïol drafftwyd petisiwn i'w gyflwyno i'r Prifathro, Dr Richard Thomas, yn rhestru nifer o gwynion ynglŷn â rheolau'r Coleg. Gofynnwyd yn benodol am:

- ganiatâd i'r myfyrwyr gael aros allan o'u neuaddau tan 10.00 p.m yn y gaeaf a than 10.30 p.m. yn yr haf (Y rheol, ar y pryd, oedd y dylai myfyrwyr fod yn y neuaddau erbyn 9.45 p.m. Noder, hefyd, fod merched Coleg y Santes Fair yn cael aros allan tan 10.30 p.m. yn y cyfnod hwn.)
- hawl i'r myfyrwyr gael mynd allan o'r neuaddau heb orfod dweud i ble, nac efo pwy yr oeddynt yn mynd
- caniatâd i ddiffodd y golau yn y neuaddau am 10.45 p.m.
- mwy o ryddid i ddynion ymweld ag ystafelloedd cyffredin neuadd-au'r merched
- caniatâd i fyfyrwyr gael ysmygu yn eu hystafelloedd eu hunain yn y neuaddau
- caniatâd i fyfyrwyr benywaidd gael mynediad rhesymol i dafarndai Bangor
- gwella ansawdd bwyd y Coleg
- gwella'r ddarpariaeth i fyfyrwyr ffonio allan
- hawl i bob myfyriwr gael copi cyflawn o reolau'r Coleg.

Canlyniad cyflwyno'r petisiwn fu i Sheila Davies gael ei hanfon adref gan y Prifathro ar 30 Ionawr 1953. Ar 9 Chwefror cynhaliwyd cyfarfod arbennig o Bwyllgor Rheoli'r Coleg i drafod ei hachos. Yn y cyfarfod hwnnw cyflwynwyd y cefndir i'r achos gan y Cadeirydd, y Capten R. O. Jones, a rhoddwyd sylw i nifer o ddogfennau, gan gynnwys petisiwn Sheila Davies, cyfansoddiad Cyngor Cynrychioliadol y Merched, adroddiad y Prifathro, a gohebiaeth rhwng y Prifathro a thad Sheila Davies.

Yn ei adroddiad ysgrifenedig ef mae'r Prifathro yn disgrifio'r cyffro yn adran y merched yn y Coleg ar y pryd:

> The students of the women's department were being kept in a welter of excitement and a constant state of unhealthy ferment by the general meetings that were being held.

Mae'n priodoli hyn i ymddygiad Sheila Davies, a oedd, yn ei farn ef, yn dangos "sheer indiscipline, insolence and refusals to comply with reasonable requests made to her by the Principal".

Yn ei adroddiad llafar i'r llywodraethwyr ymhelaethodd y Prifathro ar hyn, gan honni fod Sheila Davies wedi ymddwyn mewn ffordd anghyfrifol a fyddai'n tanseilio disgyblaeth y Coleg. Ychwanegodd ei fod eisoes wedi gorfod ei cheryddu am ei diffyg ymroddiad yn ystod ei chyfnod Ymarfer Dysgu diweddaraf, cerydd a ddilynodd y sylwadau canlynol gan aelod o'r staff:

> During my supervision of Miss Sheila P. Davies when this student was doing part of her school practice at the Grammar School for Girls, Bangor, I found Miss Davies was reading 'The Daily Worker'.

Canlyniad hyn oll fu i'r llywodraethwyr ddatgan eu hymddiriedaeth lwyr yn y Prifathro a phenderfynu cymryd cam pellach fyth, sef diarddel Sheila Davies o'r Coleg yn gyfangwbl, a hynny ychydig fisoedd yn unig cyn iddi gwblhau ei chwrs.

Yn y cyfamser, cefnogwyd achos Sheila Davies gan Undeb Cendlaethol yr Athrawon (NUT). Cafodd hefyd gryn gefnogaeth gan fyfyrwyr mewn colegau hyfforddi eraill. Er enghraifft, dyma ran o lythyr a anfonwyd at Gyngor Cynrychioliadol y Merched gan fyfyrwyr y *Royal Normal College for the Blind*, fel yr ymddangosodd yn *Y Faner* ar 18 Chwefror 1953:

> Yr ydym ni, eich cyd-ddioddefwyr, yn anfon atoch ein cydymdeimlad calon â'r ffordd y gweithredoch hyd yn hyn. Gobeithiwn y bydd i chwi lwyddo yn eich hymdrech i ddiddymu syniadau ac arferion Oes Victoria a dwyn rhyddid a hapusrwydd i chwi.

Yn ddiweddarch y mis hwnnw cynhaliwyd gwrthdystiad gan ferched y Normal: gadawsant eu neuaddau ar ôl te a gorymdeithio, efo ffaglau, i ben y *Roman Camp* ger Siliwen. Yno pasiwyd pleidlais o ymddiriedaeth yn eu llywydd, Sheila Davies, a gofynnwyd am eglurhad gan yr awdurdodau am benderfyniad y Prifathro i'w hanfon adref.

Erbyn heddiw, mae'n anodd deall pam na chafwyd cefnogaeth i'r merched o du'r dynion, ond y mae'n debyg mai'r rheswm am hyn yw fod y dynion eisoes yn mwynhau cryn dipyn mwy o ryddid na'r merched. Fodd bynnag, roedd diffyg cefnogaeth y dynion i achos y merched wedi ennyn eu llid, fel y sylwodd un o'r merched, "and didn't they [y dynion] go down in our estimation!"

Ar 23 Mawrth 1953 cynhaliwyd cyfarfod arbennig o lywodraethwyr y Coleg i drafod datblygiadau pellach yn achos Sheila Davies. Yn y cyfarfod hwnnw, cyflwynwyd llythyr wedi ei arwyddo gan holl aelodau benywaidd staff y Coleg yn mynegi eu cytundeb llwyr â phenderfyniad y Prifathro a'r llywodraethwyr, ac yn datgan y byddai unrhyw gyfaddawdu yn "prejudicial to real discipline in all educational institutions".

Yn y cyfarfod hwn hefyd, cyfeiriwyd at ohebiaeth gan Undeb Cenedlaethol y Myfyrwyr (NUS) a'r NUT ynglŷn â'r mater. Rhoddwyd sylw yn ogystal i lythyr apêl Sheila Davies ynghylch y ffordd annheg yr oedd wedi cael ei thrin: "In that I have only acted as the voice of the official student body, I feel that my exclusion from college is manifestly unreasonable."

Aeth y Prifathro yn ei flaen i gyfeirio at ymholiad gan y Gweinidog Addysg, Florence Horsburgh, ynglŷn â'r achos. Roedd y Prifathro wedi ymateb trwy lythyr a oedd yn ymhelaethu ar y cefndir a'r pender-fyniadau a wnaed. Ddau ddiwrnod ar ôl anfon ei lythyr i'r Weinyddiaeth Addysg adroddodd y Prifathro sut y bu iddo gael galwad ffôn gan y Weinyddiaeth yn awgrymu y dylid trefnu cyfarfod preifat, yn Llundain, rhwng tad Sheila Davies, Cadeirydd Pwyllgor Rheoli'r Coleg Normal, y Prifathro, cynrychiolwyr o'r Weinyddiaeth, a'r aelodau seneddol perthnasol.

Adroddwyd y bu dirprwyaeth o'r Coleg, yn cynnwys Cadeirydd y Llywodraethwyr, y Prifathro, y Dirprwy Brifathro gyda gofal am Adran y Merched, ac Ysgrifennydd y Coleg i Lundain ar 7 Mawrth 1953 i gyfarfod pump o brif swyddogion y Weinyddiaeth Addysg.

Ar ôl y cyfarfod hwn anfonwyd llythyr gan y Weinyddiaeth Addysg at y Coleg. Yn y llythyr dywedir nad oedd awdurdodau'r Coleg wedi bod yn afresymol wrth gymryd camau disgyblu yn erbyn Sheila Davies, ond iddynt fynd yn rhy bell wrth ei diarddel:

Had that action led to the temporary suspension of Miss Davies the Minister is inclined to think that no reasonable objection could have been taken. The action, however, resulted in her permanent exclusion from her course of training at a critical moment in her career as a student. The Minister considers that such drastic action cannot be held to have been made on reasonable grounds and hereby so determines.

Ar 18 Mawrth 1953 ymwelodd un o Arolygwr ei Mawrhydi – Mr J. D. Powell – â'r Coleg i drafod y sefyllfa gyda'r Prifathro. Yn eu trafodaeth, awgrymwyd y gallai Sheila Davies barhau ei hastudiaeth mewn coleg Gwyddor Tŷ yng Nghaerdydd, gan na fyddai'n bosibl iddi ddychwelyd i'r Normal. Ni welai'r Prifathro unrhyw reswm i anghytuno â'r argymhelliad hwn, yn arbennig gan nad oedd y Coleg yn barod i gyfaddawdu fel arall. Cytunodd y llywodraethwyr, a hynny a ddigwyddodd. Cofrestrodd Sheila Davies yn fyfyrwraig yn y Coleg Gwyddor Tŷ yng Nghaerdydd, a chwblhau ei chwrs yno yn llwyddiannus.

Ar 11 Ebrill 1953 anfonwyd llythyr gan y Weinyddiaeth Addysg at Bwyllgor Rheoli'r Coleg yn awgrymu y dylid ystyried llacio rhywfaint ar reolau'r Coleg ac yn nodi y byddai'r Weinyddiaeth yn falch o glywed rhagor am y datblygiadau hyn.

Ar yr un pryd, ar anogaeth Fred Jarvis, llywydd newydd yr NUS, dechreuodd rhai aelodau seneddol gymryd diddordeb yn y mater. Yn eu mysg yr oedd Aelod Seneddol Gorllewin Caerdydd, George Thomas – yr Arglwydd Tonypandy yn ddiweddarach. Mewn anerchiad ar lawr Tŷ'r Cyffredin ar 17 Ebrill 1953 cyfeiriodd George Thomas at y ffaith fod mwyafrif y colegau hyfforddi athrawon yn cydnabod na ddylid trin darpar-athrawon fel plant ysgol na ellid ymddiried iddynt unrhyw fesur o gyfrifoldeb. Yn wir, yn ôl George Thomas, yn y mwyafrif o'r colegau hyfforddi roedd y myfyrwyr bellach yn mwynhau'r un rhyddid â'r rhai oedd yn cael eu paratoi ar gyfer proffesiynau megis y gyfraith, meddygaeth a'r eglwys. Pe parheid i drin darpar-athrawon fel pobl israddol, meddai, byddai gwir berygl na fyddai pobl ifainc galluog yn fodlon mynd yn fyfyrwyr i golegau hyfforddi:

Let us look at the rules which prevail in the Bangor Normal Training College. I have heard it referred to as the Bangor Abnormal Training College. Lights are put out by a main switch at 10 o'clock at night.

Aeth George Thomas yn ei flaen i gondemnio'r rheolau – "pettifogging restrictions" – oedd yn bodoli yn y Normal bryd hynny:

I submit to the Parliamentary Secretary that we shall not produce the type of teacher we want by the sort of conditions which prevail at Bangor Normal Training College.

Cafwyd cyfraniad pellach i'r drafodaeth ar lawr y Tŷ gan Aelod Seneddol Gorllewin y Rhondda, Iorwerth Thomas, gwleidydd yr oedd tad Sheila Davies yn asiant etholiadol iddo, a'r cyswllt hwnnw, mae'n debyg, a barodd i'r achos gael sylw yn San Steffan. Beirniadodd Iorwerth Thomas agwedd llywodraethwyr y Coleg Normal yn llym:

The Governors are displaying a very antiquated, a medieval and even monastic attitude to the young girls at this college, and are concerned about preparing young girls for the convent rather than the classroom.

Gobaith Iorwerth Thomas oedd y byddai'r drafodaeth ar lawr Tŷ'r Cyffredin yn fodd i lywodraethwyr y Normal newid eu hagwedd a'u gwneud yn fwy hyblyg ynglŷn ag achos Sheila Davies. Mewn ymateb i'r sylwadau gan yr aelodau seneddol cydnabu'r Ysgrifennydd Seneddol i'r Weinyddiaeth Addysg, Kenneth Pickthorn, fod mwy o reolau a rheolau mwy caeth yn bodoli yn y Coleg Normal nag mewn colegau eraill.

Rhoddir y gair olaf i brif gymeriad y ddrama, Sheila Parry erbyn hyn, wrth iddi hel ei hatgofion am yr hanes, hanner can mlynedd yn ddiweddarach:

I could not have acted any differently in 1953 than I did – I was not wise in the ways of the world and all was black or white (not red as Dr Thomas thought!).

Yn rhifyn Pasg 1953 y *Normalite* adroddir bod Sheila Davies wedi cael ei hethol yn Llywydd y Merched ac yn gadeirydd y *Debating Society*. Fodd bynnag, does dim gair o gwbl am yr helynt a ddigwyddodd yn nechrau 1953, ac nid oes unrhyw gofnod o'r helynt ychwaith yng nghyfrol canmlwyddiant y Coleg, ychydig flynyddoedd yn ddiweddarach. Mae'n debyg nad oedd yr awdur yn ymwybodol o'r achos ac na dderbyniodd unrhyw fanylion amdano gan y Coleg.

Un o'r ychydig i elwa o'r digwyddiadau hyn oedd Fred Jarvis. Defnyddiodd yr achos i sefydlu'r NUS fel corff arwyddocaol i hybu hawliau myfyrwyr a bu'n gam pwysig iddo yn bersonol ar gychwyn ei yrfa o fewn y byd undebol.

Er i'r Coleg lwyddo i ddistewi'r dyfroedd y tro hwn, roedd yr achos yn arwydd o newidiadau a fyddai'n sicr o ddigwydd yn hwyr neu'n hwyrach.

Ychydig ar ôl helynt Sheila Davies, yn 1954 daeth **Hafina Clwyd**, Rhuthun (1954–57), i'r Coleg.[21] Hi yw un o'r ychydig gyn-fyfyrwyr sydd wedi mentro gwneud sylw ar y gwerslyfrau a ddefnyddid yn eu cyrsiau. Mae hi'n sôn mewn hunangofiant am un o lyfrau gosod y cwrs Addysg, sef *The Principles of Education* gan Percy Nunn, a oedd "yn gwbl annealladwy ac amherthnasol i realiti cigog yr ystafell ddosbarth."[22]

Yng nghyfnod Hafina Clwyd roedd gan y myfyrwyr dipyn o ofn y Prifathro, Dr Richard Thomas. Honna nad oedd llawer o barch ymysg y myfyrwyr tuag ato gan ei fod "yn rhy bell, yn rhy unbennaidd ac yn rhy Seisnig."[23] Edmygai fwyafrif staff y Normal er iddi sylwi, braidd yn sinigaidd, mai prif wendid y Coleg oedd "bod y mwyafrif llethol o'r darlithwyr yn hen".[24]

Gan fod Hafina Clwyd yn astudio'r Gymraeg fel prif bwnc, ystyriai Dewi Machreth Ellis a Menai Williams "yn dduwiau". Fodd bynnag, er ei bod yn edmygu Menai Williams yn fawr iawn cwynodd am y modd y bu i'r darlithydd ei cheryddu yn ystod cyfnod yr arholiadau terfynol:

> Wedi gweithio'n hwyr neithiwr a methu codi i frecwast a chael pregeth gan Menai Williams nes oeddwn yn stond. Ew! mae hi'n medru troi min weithiau.[25]

Ar Ymarfer Dysgu yn Ysgol Syr Thomas Jones, Amlwch, cafodd ei harolygu gan Dewi Machreth Ellis:

> Dewi Mach yn eistedd yng nghefn y dosbarth yn fy ngwylio yn rhoi gwers ar *fractions*, yn eu gweithio allan ar y bwrdd du ac yn cael *pob un yn anghywir*. Chwarddai'n braf wrth ddweud: 'Tydi pawb ddim yn gwirioni 'run fath!'[26]

Roedd ganddi feddwl mawr hefyd o Ambrose Bebb, a chyfeiria'n deimladwy at ei farwolaeth ddisymwth. Ar 27 Ebrill 1955 cychwynnodd ei ddarlith ar fore cyntaf y tymor gyda'r geiriau "Diolch am gael dod yn ôl yn iach". Ymhen yr awr roedd wedi disgyn yn farw a daeth i ben gyfnod arbennig iawn yn hanes y Coleg.

Un arall o'r staff a ganmolid gan Hafina Clwyd yw'r *Rev Bach*, sef y Parchedig Robert Henry Hughes, tiwtor Addysg Grefyddol: "dyn bychan, eiddil, yn smocio fel tracsion a phesychu'n ddiddiwedd".[27]

Cofnododd ddigwyddiad doniol arall yn ystod cyfnod ei Hymarfer terfynol yn Ysgol Dyffryn Ogwen. Roedd wedi gofyn i ddosbarth yr ail flwyddyn am frawddeg yn cynnwys y geiriau 'po fwyaf'. Ymateb un disgybl oedd, "Aeth Mam i'r farchnad a phrynodd y po mwyaf yno."[28]

Bu Hafina Clwyd yn lletya yn Neuadd Aethwy. Y warden oedd Hannah Mary Williams, tiwtor Addysg a chwaer Morris T. Williams, gŵr Kate Roberts. Un o gyfeillion Hannah Williams oedd Dr John Gwilym Jones, y ddau yn dod o'r Groeslon. Arferai John Gwilym alw yn Neuadd Aethwy am de ar bnawn Sul efo Miss Williams. Byddai merched y neuadd yn synnu clywed y fath chwerthin yn dod o du ôl drws caeëdig fflat y Warden, gan fod clywed 'Hannah' yn chwerthin "fel clywed pregethwr yn rhegi."[29]

Cyfeiria at yr angen i fyfyrwyr arwyddo llyfr *exeat* i ddweud ble roeddynt yn mynd gyda'r nos; roedd rhaid bod yn ôl yn y neuadd cyn deg, wrth gwrs. Os byddai rhywun yn hwyr yn cyrraedd, hyd yn oed o ychydig funudau, byddai'r drws ar glo a byddai cosb yn dilyn, sef gorfod aros i mewn am wythnos gyfan!:

> Peth ofnadwy oedd eistedd wrth y ffenest [yn y neuadd] yn gwylio pawb yn carlamu i lawr Ffordd y Coleg tuag wyth o'r gloch yn eu *glad rags* a chwithau dan glo fel Luned Bengoch yng Nghastell Merfyn Ddu.[30]

Er gwaetha'r rheolau caeth, meddai, roedd nifer o ferched Neuadd Aethwy yn mentro allan ar ôl deg, gan nad oedd bariau ar eu ffenestri. Y gyrchfan boblogaidd oedd y dawnsfeydd yn Neuadd Prichard Jones a chyfle i gyfarfod hogiau Coleg y Brifysgol:

> Pinacl yr wythnos oedd cael mynd i ddawnsio ar Nos Sadwrn yn Neuadd PJ. Rhaid oedd bod yn ôl cyn deg. Halen ar y briw oedd clywed y band yn dal i chwarae a phawb heblaw ni yn dal i ddawnsio. Mwy o halen ar y briw oedd gwybod bod y llanc a'ch danfonodd adre wedi dychwelyd yn syth i'r ddawns a'i fod yn tywys rhyw ferch arall o gwmpas y llawr erbyn hyn. Felly, aem allan drwy'r ffenestri fel defaid drwy'r adwy yng ngolau lleuad ac yn ôl i'r ddawns. Pe baem wedi cael ein dal byddem allan ar ein pennau a byddai fy nhad wedi fy saethu.[31]

Mae'n dwyn i gof y prydau bwyd yn y *Central Block* (CB):

> Yn CB yr oedd byrddau hir dan lieiniau gwyn. Ym mhob pen ar lwyfan o flaen y ffenestri hirgul yr oedd y Byrddau Uchel. Yno yr oedd y darlithwyr yn eistedd.[32]

Cofia hefyd y gofyn bendith a'r pader Lladin cyn dechrau bwyta:

Yn ystod fy mlwyddyn gyntaf, Myra, o Fynwent y Crynwyr, oedd yn taro'r nodyn, a'r flwyddyn ganlynol, Anne o Dregarth. Y ddwy yn berchen lleisiau contralto cyfoethog. *Non*— canai'r ddwy. *Non nobis Domine* . . .canem ninnau gan symud o untroed oediog i'r llall yn ein blys am gael mynd at y bwyd. Collid y nodyn olaf yn rhyferthwy'r cadeiriau. Os byddem yn rhy annhymig canai cloch a chlywem lais y Prinni – '*Ladies!*' A byddai'n rhaid ailgychwyn—*Non nobis* . . .[33]

Byddai Hafina Clwyd a'i ffrindiau hefyd yn mwynhau'r dawnsfeydd a fyddai'n cael eu cynnal yn *Jimmy's*, Neuadd Eglwys Sant Iago, hen gwt sinc ar Allt Glanrafon, lle byddent yn mwynhau "sesiwn gwerth chweil o roc a rôl".[34] Mwynhaodd fywyd cymdeithasol y Coleg yn arw: "Dyma ble y gwneuthum rai o gyfeillion gorau fy mywyd."[35] Do, fe fwynhaodd Hafina ei chyfnod yn y Normal yn fawr iawn.

• • •

Un o gyfoedion Hafina Clwyd oedd (y Parchedig Ddoethor) **Dafydd Wyn Wiliam**, Bodedern (1954–56). Ar ôl gwneud dwy flynedd o wasanaeth cenedlaethol yn y Llu Awyr daeth i'r Coleg i astudio Arlunio fel prif bwnc. Pump o ddynion oedd yn y dosbarth Arlunio, dan ofal Douglas Williams. Er mai Saesneg oedd cyfrwng dysgu swyddogol y Coleg ar y pryd, gan fod aelodau'r dosbarth arlunio i gyd yn Gymry Cymraeg, Cymraeg fyddai cyfrwng y dosbarth.

Arferai Dafydd Wyn Wiliam wisgo bathodyn Plaid Cymru, a chafodd ei gynghori gan Douglas Williams nad oedd yn beth doeth i ddarpar-athro ddangos ei ochr wleidyddol, ond parhaodd i wisgo'r bathodyn! Cyfeiria at ddawn arlunio arbennig un o aelodau'r dosbarth, William Selwyn Jones, Caernarfon, un a wnaeth enw iddo'i hun yn ddiweddarach fel arlunydd. Mwynhaodd ei ddwy flynedd ar y cwrs Arlunio, a chan ei fod eisoes wedi ennill cymhwyster Lefel A yn y pwnc yn yr ysgol, "rhyw nofio 'mlaen yn hamddenol oedd fy hanes ar y cwrs".

Ar y cyfan cafodd Dafydd Wyn Wiliam gryn foddhad o'i gyfnodau Ymarfer Dysgu. Roedd Ysgol Carneddi, Bethesda, wedi creu argraff fawr arno:

Dyma ysgol ddiwylliannol iawn. Yn eu horiau hamdden dysgwyd y plant i chwarae gwyddbwyll ac roeddwn wedi fy nghyfareddu gan ganu deulais, swynol y plant.

Gan ei fod yn dipyn o giamstar ar arlunio nid yw'n rhyfedd iddo gael hwyl eithriadol ar gynhyrchu siartiau lliwgar deniadol ar gyfer ei Ymarfer Dysgu. Byddai David Fraser, darlithydd yn yr Adran Addysg, yn aml yn benthyca'r siartiau ac yn eu harddangos i'r myfyrwyr fel esiampl o arfer dda.

Bu Dafydd Wyn Wiliam yn aelod brwd o gôr cymysg y Coleg a arferai ymarfer yn y Coleg Uchaf. Cofia'n dda am rai o gantorion y cyfnod, megis y tenor Elwyn Dodd o'r Rhos. Byddai hefyd yn cymryd rhan yn y Gymdeithas Ddadlau. Mwynhaodd fynychu'r eisteddfodau rhyng-golegol, a chofia hefyd fel y byddai Gwenlyn Parry yn ffigwr amlwg iawn yn y Gymdeithas Gymraeg.

Yn ystod ei gyfnod yn y Normal, credai Dafydd Wyn Wiliam ei fod yn freintiedig iawn yn cael mynychu

seiadau anffurfiol, fyddai'n cael eu cynnal mewn ystafelloedd darlithio gwag gan genedlaetholwyr diwylliedig. Arferem drafod heddychiaeth a barddoniaeth gyfoes yn ogystal â thrin a thrafod y byd politicaidd. Mae'n bosib imi elwa fwy o'r sesiynau hyn nag a wnaethum o'r arlwy ffurfiol a gynigiwyd imi gan ddarlithwyr y Coleg.

Yn ystod ei gyfnod yn y Normal âi i Gapel Pendref, gan gerdded yno dair gwaith ar y Sul. Daeth i adnabod y gweinidog, y Parchedig R. G. Owen, yn dda, a gwnaeth ffrindiau da ag aelodau'r eglwys. Cafodd fendith arbennig o fynychu dosbarth Ysgol Sul R. J. Buckland, ac meddai, "Pob tro y byddai Mr Buckland yn mynd heibio Coleg Bala-Bangor byddai'n gweddïo dros y myfyrwyr."

Bellach, ac yntau'n weinidog profiadol efo'r Annibynwyr, cred Dafydd Wyn Wiliam fod y trai crefyddol wedi dechrau amlygu ei hun ymysg y myfyrwyr yn ystod y 1950au: "Unwaith roedd llawer o'r myfyrwyr wedi gadael cartref, roeddynt yn gweld cyfle i laesu dwylo ac i beidio mynychu capeli Bangor."

IS-DDIWYLLIANT NEUADD Y GEORGE

Yn ystod y degawdau rhwng y ddau Ryfel Byd, ac am rai blynyddoedd wedyn, llwyddodd dynion y George i gynhyrchu math arbennig o is-ddiwylliant. Yn yr is-adran hon edrychwn ar yr is-ddiwylliant hwnnw trwy lygaid cyfres o fyfyrwyr â'u cyfnodau'n pontio'r blynyddoedd o 1928 hyd 1956.

• • •

Roedd gan Frank Grundy (1928–30) atgofion o ddefodau'r George ddiwedd y 1920au. Yn ei hunangofiant[36] mae'n son am ddefod gorfodi'r *Juniors* i ysgrifennu llythyr serch at fyfyrwragedd Coleg Hyfforddi Abertawe. Dewisid enwau'r merched o het! Un noson, ar ôl swper, holodd y Cadeirydd pwy oedd wedi cael ateb yn ôl. Roedd un o'r myfyrwyr wedi derbyn chwe llythyr gan un fyfyrwraig o Abertawe. Gorchmynnwyd iddo ddringo i ben y bwrdd crwn i ddarllen y llythyr olaf a dderbyniodd, ac meddai Frank Grundy:

> Yn y tawelwch disgwylgar darllenodd mewn acen Gymraeg hollol 'My darling boy' – a dyna'r ystafell yn foddfa o chwerthin . . . darllenodd y bachgen coesnoeth (roedd ei drowsus wedi ei rowlio i fyny dros ei ben-gliniau gan y *Seniors*) ymlaen o air i frawddeg, o frawddeg i baragraff, nes cyrraedd y diwedd gorfoleddus 'With all my love, Mary Jane' a myfyrwyr yr ail flwyddyn yn torri ar ei draws i wyrdroi y gair moel a'r frawddeg syml ddiniwed i olygu y drygedd mwyaf anfoesol.

Yn ôl Frank Grundy, arferai'r myfyrwyr ddangos eu hanfodlonrwydd at annhegwch o du aelod o'r staff, neu at ddarlith wael, trwy i'r Cadeirydd sibrwd yn uchel wrth y myfyriwr a eisteddai o'i flaen wrth y bwrdd swper, "Who does [llysenw'r darlithydd] think he is?" Ailofynnid y cwestiwn gan bob myfyriwr yn ei dro a "Druan o'r darlithydd fyddai'n ei chael hi ac yntau'n eistedd gyda'i gymrodyr ar y bwrdd crwn wrth ymyl y ffenestr." Fodd bynnag, os byddai'r myfyrwyr wedi eu plesio efo darlith, yr arferiad oedd i'r Cadeirydd gychwyn sylw oedd yn cael ei ailadrodd gan bob myfyrwir yn ei dro ar y ffurf, "Congrats [glasenw'r darlithydd] on the lec."

Cyfeiria hefyd at un o dreialon y glasfyfyrwyr yn ei gyfnod ef. Arferid gwahodd *y Juniors* i fynychu dawns ar nos Sadwrn gyntaf tymor yr Hydref a gynhelid yn y gampfa yn y Coleg Uchaf. Rhaid oedd i'r *Juniors* wneud yn siŵr eu bod yn gwisgo coler rwber lân. Ar ôl cyrraedd yn ddisgwylgar i'r gampfa roedd y *Juniors* yn methu deall paham nad oedd golau yno. Eglurid iddynt gan rai o'r *Seniors* fod nam ar y trydan. Gwahoddid y *Juniors* druan i mewn i'r neuadd dywyll. Yn ddirybudd ymosodid arnynt gan *y Seniors* gan eu taro efo *bladder* pêl-droed wedi'i llenwi'n galed â phapur. Ar ôl y gurfa byddai'r Cadeirydd yn dweud:

> Mae gwahoddiad i chwi i swper i [gaffi] Rob Robs. Cadwch eich coleri fel prawf i chwi gael eich puro trwy dân ac yfory fe ysgrifennwn ni ein henwau arnynt yn arwydd i chwi gael eich breintio yn 'Normals'.

Yr unig freintiau a ddeilliai o'r nos Sadwrn arbennig honno oedd caniatáu i ddynion y flwyddyn gyntaf gael gwisgo bathodyn ac arwyddair y Coleg arno a chael prynu a gwisgo sgarff a *blazer* Coleg, "os oedd modd ganddynt".

Cyfeiria Frank Grundy ymhellach at un arall o dreialon y glas. Yn oriau mân y bore yn nhymor yr Hydref arferai 'bwgan', sef un o'r *Seniors* wedi ei wisgo mewn planced wen, a mwgwd ar ei wyneb, ddeffro glaslanciau'r George a'u gorfodi i gynnal talwrn. Golygai hyn fod un o'r myfyrwyr, a elwid yn 'farch', yn cario myfyriwr arall, sef y marchog, ar ei gefn. Rhaid oedd i'r marchog wisgo helmed ar ei ben, sef pot siambr! Yna, ar orchymyn y bwgan, carlamai'r meirch, gan wehyru, ar hyd coridorau'r hen westy, a'r marchogion yn waldio'i gilydd gyda chlustogau.

Gyda'r nos yn y George, ar ôl swper ac ymadawiad y tiwtoriaid, cynhelid math o 'awr hapus' yn yr Ystafell Fwyta. Disgwylid, er enghraifft, i'r *Juniors* redeg rhwng y byrddau yn dynwared awyrennau, neu orwedd o dan y byrddau yn cyfarth fel cŵn! Gorfodid *y Juniors* i gynnal sgwrs â dyn anweledig y George, Mr Pete, neu fynd â chi Mr Pete am dro. Yn yr ystafell fwyta hefyd, yn flynyddol, cynhelid y gystadleuaeth *bull drinking* – gair slang yn y George am de oedd *bull*. Gwobrwyid yr enillydd â chwpan arian. Y record swyddogol am y nifer fywaf a gwpaneidiau te i gael eu hyfed yn y gystadleuaeth oedd chwech ar hugain!

Cynhaliai dynion y George lawer o weithgareddau eraill fin nos yn yr Ystafell Gyffredin. Arferai'r *Juniors* eistedd ar silff y ffenestri yn wynebu dwy resiad o gadeiriau lle eisteddai'r *Seniors* a'r swyddogion, sef y Llywydd, y Codwr Canu, y Pianydd, y Gofalwr, ac ysgrifenyddion a chapteiniaid yr amryfal dimau chwaraeon. Ar ganol yr ystafell gosodid bwrdd mawr, crwn, derw ac ar ben hwn disgwylid i'r myfyrwyr berfformio.

• • •

Dilynid Noson y Derbyn gan y *Souvenir Night* pan disgwylid i'r glasfyfyrwyr fynd allan efo un o ferched y Normal a dychwelyd, yng ngeiriau **Richard Jones**, Llanfachraeth (1943–45), "â dilledyn o'i heiddo i'w ddangos wedi'r gwasanaeth hwyrol. Chwarae teg i'r ferch annwyl o'r Wyddgrug y cyd-gerddais â hi yn Siliwen y noson honno, daethai â hosan sbâr gyda hi fel swfenîr imi."37

Methiant fu ei ymdrech ef a'i ffrind Coleg, Eryl Williams, i dwyllo mewn un arall o dreialon y myfyrwyr newydd yn y George. Y tro hwn roedd disgwyl i'r glasfyfyrwyr redeg saith milltir o gwmpas ardal Bangor. Penderfynodd y ddau gyfaill roi'r gorau i'r rhedeg ar ôl tua milltir a llwyddo i gael pas yn ôl i'r George. Fodd bynnag, dyna lle'r aeth pethau'n chwithig oherwydd, tra oedd y ddau yn cael cawod, pwy gyrhaeddodd yn ôl o'r daith redeg ond Skuse, un o redwyr gorau'r Coleg! Fel cosb am hyn gorfu i Richard Jones ac Eryl Williams redeg y saith milltir eto, a chael rhai mân gosbau eraill. Yng nghyfnod Richard Jones roedd disgwyl i'r glasfyfyrwyr hefyd focsio yn erbyn ei gilydd. Cytunodd ef a'i bartner, Emrys Griffiths o Lanllyfni, i beidio taro'n galed na tharo'r wyneb. Nid yw'n syndod mai cyfartal fu'r ornest!

Tasg arall a osodid iddo fel cosb oedd cadw cofnod fanwl gywir o bregeth y Parchedig R. G. Owen, capel Pendref, gyda'r ddau *Senior* Evie Roberts a Ranyl Parry yn gwrando ar y bregeth ac yn marcio'r gwaith wedyn!

• • •

Credai **Norman Davies**, Trawsfynydd (1946–48),38 fod yr is-ddiwylliant hwn yn adlais o draddodiadau ysgolion bonedd, gyda'i ganeuon, y ragio, y seremonïau a'r defodau derbyn. Mae'n arwyddocaol hefyd mai caneuon Saesneg oedd nifer o'r rhai a gyfansoddwyd gan y myfyrwyr.

Er enghraifft, cenid y gân hon ar Dôn y Botel gan ddynion y George wrth iddynt ddychwelyd ar y trên o'u Hymarfer Dysgu (mae'r gân yn cynnwys cyfeiriadau at nifer o orsafoedd rheilffordd ar y daith i Fangor):

> Coming home from their school practice
> Normal boys don't care a damn,
> Griffiths Crossing, Portdinorwic
> Treborth Station, Menai Bridge,
> Benedictus from the Tutors
> "Wake up, Chairman, pass the jam",
> Coming home from their school practice
> Normal boys don't care a damn.

Mae'r gân nesaf yn enghraifft o gân ramantaidd:

> Oh a Georgeman and his MOT
> They were courting I declare,
> Down in Menai Woods
> And they didn't know I was there,
> The Georgeman was so bashful
> And the MOT she was so shy,
> He asked her a question
> And this was her reply . . .

Yn ôl y gân, dyma ymateb diniwed y MOT (*Maiden of the Straits*):

> You may kiss me if you want to
> But you better kiss me right,
> Don't kiss me this time
> Like you did the other night,
> For if you do
> I won't be true
> And I'll never never
> Kiss you again.

•   •   •

Ar ôl yr Ail Ryfel Byd bu **Elwyn Wilson Jones**, Blaenau Ffestiniog (1947–49),[39] yn lletya yn y George ac mae'n sôn fel y cafodd ei ragio gan y *Seniors*. Fodd bynnag, yn 1947 dynion wedi dychwelyd o'r rhyfel oedd pob un o'r *Juniors* yn y George. Elwyn Wilson Jones oedd yr eithriad, gan ei fod wedi dod i'r Coleg yn syth o'r ysgol. O ganlyniad i'r mewnlifiad o gyn-filwyr llesteiriwyd yn sylweddol iawn ar gyfle'r *Seniors* i ragio'r *Juniors*. Fel rhan o'r ragio gorfu iddo ddysgu darn o farddoniaeth "digon amrwd a dichwaeth" dan y ffug-deitl clasurol *Orpheus in the Underworld* a'i adrodd, yn ôl yr hen draddodiad, ar ben y bwrdd yn Ystafell Gyffredin y George: "Byth ar ôl hynny *Orpheus* oedd pawb yn fy ngalw."

Erbyn ei gyfnod ef, roedd rhai o ddynion y George, y mwyafrif ohonynt bellach yn gyn-filwyr, yn dechrau mentro allan am beint i dafarndai lleol, ac meddai Elwyn:

> Yn y cyfnod yma roedd bod yn ôl yn y George erbyn deg yr hwyr yn dipyn o bwn i'r hogiau, yn enwedig y rhai hoffai beint neu ddau, a bu aml i wrthdaro rhwng ein blwyddyn ni â Richard Thomas, y Prifathro, a Thomas Roberts, y Dirprwy Brifathro.

Yn ystod yr *Initiation Night* (Noson y Derbyn) byddai'r *Juniors* yn gorfod rhedeg ar hyd coridor hir y George tra'n cael eu peltio efo tywelion gan *y Seniors*. Un o dreialon mwyaf anodd y noson oedd gorfodi'r *Juniors* i ddringo polyn wedi ei iro â saim, gyda channwyll yn cael ei dal o dan eu penolau! Y treial mwyaf peryglus o bell ffordd oedd gorfodi'r *Juniors* i groesi planc wedi ei osod dros ran uchaf y *well* yn y George. Disgwylid hefyd i'r *Juniors* foesymgrymu o flaen delw gerfedig *Socco*, sef delwedd cysegredig i bêl-droed.

• • •

Yn ei hunangofiant mae **J. O. Roberts**, Llangwyllog (1951–53), yn cyfeirio at arwyddocad y 'bwrdd crwn mawr' yn yr Ystafell Gyffredin:

> Os dôi'r awgrym lleiaf bod unrhyw un wedi'i ddal yn torri rheolau neu'n euog o ryw fistimanars, yna byddai'r wybodaeth berthnasol yn cael ei chyhoeddi a gorfodid yr euog i wneud ei ffordd i gyfeiliant pob math o sylwadau at y bwrdd crwn mawr yng nghanol yr ystafell a sefyll arno yn ymwybodol iawn ohono'i hun. Doedd dim modd osgoi'r gosb a rhaid oedd rhoi perfformiad o ryw fath o flaen cynulleidfa – yr un fwyaf beirniadol y gellid ei chael.
>
> Hwyrach nad oedd yr un ohonom yn sylweddoli'n llawn ar y pryd werth y profiad o berfformio o flaen eich cyd-fyfyrwyr ond ar y bwrdd crwn hwnnw y bwriodd y doeth swildod ei brentisiaeth lafar.[40]

Cyfeiria hefyd at un arall o ddefodau dynion y George, sef yr arferiad, ar ddiwedd y cwrs dwy flynedd, o losgi copi o werslyfr addysg Percy Nunn, *Principles of Education*:

> Llosgi tudalen wrth dudalen ar lawnt glannau'r Fenai a phob un yn siantio cymal neu frawddeg o'i eiddo gan orffen gyda chorws yn gofyn y cwestiwn mawr tyngedfennol, "Why don't gravy flow like water?" Wedi i'r dudalen olaf losgi camodd gŵr mwyn, tal, gosgeiddig o'r cysgodion a dweud yn dawel, "Gadewch i ni ganu emyn, fechgyn, cyn noswylio." Cafwyd cyflwyniad hyfryd o'r dôn 'Llef' ac Ambrose Bebb, y gŵr ar ddyletswydd y noson honno, yn mwynhau ymuno yn y canu.[41]

• • •

Bu Dafydd Wyn Wiliam (1954–56) (y cafwyd ei hanes uchod) yn rhannu ystafell yn y George am ei ddwy flynedd yn y Normal. Cyfeiria at "agosatrwydd bywyd yn y George – roedd yn gymdeithas glos, gyfeillgar", gan ychwanegu, "y gosb fwyaf gyffredin i fyfyriwr oedd angen ei 'dynnu i lawr' fyddai ei daflu i fath dŵr oer."

• • •

Cyn gadael hanes y George mae'n werth cyfeirio at un ddefod arall, sef honno a gynhelid ar nos Sul, a'r dynion yn canu *Myfanwy* yn ddigyfeiliant ar risiau'r hen westy. Dyma sut y mae J. O. Roberts yn disgrifio'r achlysur:

> Defod pob nos Sul wrth adael ystafell gyffredin [y George] oedd fod pawb yn sefyll ar y grisiau oedd yn arwain i drydydd llawr yr hen adeilad . . . ac wedi diffodd pob golau'n canu 'Myfanwy' yn dawel i gofio am gyn-fyfyrwyr a gollwyd yn y rhyfel. Profiad rhyfeddol oedd hwnnw.[42]

• • •

Gwelwn yn y bennod nesaf fod rhai o'r arferion hyn yn parhau i'r Cyfnod Olaf. Ond wrth adael y Cyfnod Canol rydym hefyd yn gadael diniweidrwydd un genhedlaeth ac yn symud i oes diwylliant 'modern' a gynrychiolir gan y *Beatles* a'r *swinging sixties* ac ymateb y sefydliad a'r myfyrwyr i'r newid hwnnw.

NODIADAU

1. ACN42.
2. Dafydd Wyn Parry (9 Chwefror 1996) *Y Goleuad*, t. 5.
3. Thomas William Jones (1970) *Fel Hyn y Bu*. Dinbych: Gwasg Gee. t. 51.
4. Ibid., t. 94.
5. Ibid., t. 96.
6. Ibid., t. 98.
7. Ibid., t. 95.
8. Hafina Clwyd (1987) *Buwch Ar Y Lein*. Aberystwyth: Honno. t. 12.
9. Lena Lloyd (1993) *Cof Am Yr Amser Gynt* (hunangofiant heb ei gyhoeddi).
10. W. H. Roberts (1981) *Aroglau Gwair*. Caernarfon: Gwasg Gwynedd. t. 163.
11. Leonard Clark (7 Ionawr 1966) 'Two Years Training At Bangor', *The Teacher*. Gweler hefyd ACN24.
12. ACN3.
13. ACN44.

14. Frank Grundy (1961) *Hogyn y Rhes*. Traethawd arobryn Eisteddfod Môn, Amlwch, heb ei gyhoeddi.
15. ACN4.
16. ACN42.
17. ACN72.
18. J. O. Roberts (2006) *Ar Lwyfan Amser*. Caernarfon: Gwasg Gwynedd. t. 108.
19. ACN75.
20. Daw'r manylion am achos Sheila Davies o ddogfennau a gyflwynwyd gan gyn-fyfyrwyr (ACN10, ACN24, ACN42 ac ACN82), o gyfweliad gyda Mrs Sheila Parry (ACN134), o gofnodion cyfarfodydd llywodraethwyr, o Archifdy Caernarfon (Ffeil XD91/180 1953 *Achos Sheila Davies*), ac o adroddiadau'r wasg a phapurau *Hansard* (ACN135).
21. ACN23.
22. Hafina Clwyd (1987) *Merch Morfydd*. Caernarfon: Gwasg Gwynedd. t. 116.
23. Ibid., t. 115.
24. Ibid., t. 117.
25. *Buwch Ar Y Lein*. t. 13.
26. Ibid., t. 46.
27. *Merch Morfydd*. t. 116.
28. Ibid., t. 118.
29. Ibid., t. 115.
30. Ibid.
31. Hafina Clwyd (1997) *Clust y Wenci*. Llandysul: Gwasg Gomer. t. 55.
32. Ibid., t. 120.
33. Ibid.
34. *Merch Morfydd*. t. 117.
35. Ibid., t. 113.
36. *Hogyn y Rhes*.
37. Richard Jones (1995) *Dic Tŷ Capel*. Caernarfon: Gwasg Gwynedd. t. 153.
38. ACN69.
39. ACN71.
40. *Ar Lwyfan Amser*. t. 107.
41. Ibid., t. 114.
42. Ibid.

PENNOD 3

Y CYFNOD OLAF 1957–1996

Dyma gyrraedd cyfnod olaf hanes y Normal. Gan fod yr awdur wedi darlithio yn y Coleg am bron chwarter canrif o'r cyfnod hwnnw, gall fod yn anodd sicrhau'r gwrthrychedd disgwyliedig wrth drafod y blynyddoedd hyn. Does dim ond gobeithio na ddaw ei ragfarnau i'r amlwg yn ormodol!

BLYNYDDOEDD Y NEWIDIADAU: GOROLWG

Yn 1958 roedd y Coleg yn dathlu ei ganmlwyddiant. Ar fore 4 Mehefin y flwyddyn honno, cynhaliwyd gwasanaeth dwyieithog yng nghapel Twr Gwyn, dan arweiniad y Parchedig Robert Henry Hughes gyda chymorth y Parchedig Donald Ambrose Jones, y ddau yn ddarlithwyr yn Adran Astudiaethau Crefyddol y Coleg. Y pnawn hwnnw, cynhaliwyd cyfarfod cyhoeddus, eto yn y Twr Gwyn, a fynychwyd gan fyfyrwyr, cyn-fyfyrwyr a staff. Y siaradwr gwadd cyfrwng Cymraeg oedd Syr Ifor Williams, ysgolhaig ym maes astuiaethau Celtaidd a chyn-bennaeth Adran Gymraeg CPGC, a'r siaradwr cyfrwng Saesneg oedd Syr Edward Boyle, Ysgrifennydd Seneddol i'r Weinyddiaeth Addysg.

Gyda'r hwyr ar 5 Mehefin cynhaliwyd Cyngerdd Dathlu'r Canmlwyddiant yn Neuadd Ymgynnull y Coleg, a chymerwyd rhan gan y Gymdeithas Gorawl. Ar noson 7 Mehefin cynhaliwyd dawns yng Nghastell y Penrhyn, a chawn isod beth o hanes un fyfyrwraig a fu yn y ddawns honno.

●　●　●

Bu'r tri deg naw mlynedd o 1957 hyd 1996 yn gyfnod o newid parhaus o ran trefnu ac ad-drefnu cyrsiau, penodi staff newydd, ac addasu ac ychwanegu at yr adeiladau – y cyfan yn ddylanwadau uniongyrchol ar brofiadau myfyrwyr. Yn wir, bu llawer mwy o weithgaredd yn y Coleg yn ystod y cyfnod olaf hwn nag yn y ddau gyfnod cynt efo'i gilydd.

Efallai mai'r newid mwyaf arwyddocaol ar gychwyn y cyfnod oedd sefydlu cwrs cyfrwng Cymraeg yn y flwyddyn academaidd 1957–58, a chawn yn y bennod hon beth o hanes rhai o'r myfyrwyr cyntaf fu'n dilyn y cwrs hwn.

Yn 1960 gwelwyd datblygiad arwyddocaol arall yn hanes y Coleg gyda chychwyn cwrs tair blynedd i olynu'r cwrs dwy flynedd. O ganlyniad i'r newid hwn gwelwyd cynnydd sylweddol yn nifer y myfyrwyr, cynnydd a effeithiodd ar eu bywyd academaidd a chymdeithasol, ac a arweiniodd at ragor o densiynau o ran cynnal disgyblaeth draddodiadol y sefydliad.

Yn sgil argymhelliad Pwyllgor Robbins dechreuwyd cynnig cwrs gradd pedair blynedd yn 1965 yn ychwanegol at y cwrs tystysgrif tair blynedd. Yn yr un flwyddyn gwelwyd newid arwyddocaol yn nhrefn yr Ymarfer Dysgu: yn lle dau gyfnod o dair wythnos ym mhob blwyddyn o'r hen gwrs dwy flynedd, roedd y myfyrwyr bellach yn cael cyfnod o dair wythnos yn eu blwyddyn gyntaf, cyfnod o fis yn yr ail flwyddyn, a chyfnod saith wythnos yn y flwyddyn olaf. Effaith arall y cynnydd yn nifer y myfyrwyr oedd angen i awdurdodau'r Coleg geisio cael digon o lefydd yn yr ysgolion i osod myfyrwyr ar gyfnod eu Hymarfer Dysgu, a bu'n rhaid i'r myfyrwyr gael eu gosod mor bell â siroedd Morgannwg, Brycheiniog a Maesyfed. Eto cawn glywed yma am effaith y profiadau ehangach hyn ar y myfyrwyr.

Datblygiad pellach oedd cychwyn cwrs BEd mewn-swydd yn 1972, gyda Bryn Lloyd Jones, gŵr bywiog a brwdfrydig, yn cael ei benodi'n Gydlynydd iddo. Bwriad y cwrs oedd rhoi cyfle i athrawon trwyddedig a phrofiadol gael astudio'n rhan-amser am radd BEd dros gyfnod o dair blynedd. Rhwng 1979 a 1988 llwyddodd 139 o athrawon i raddio trwy gyfrwng y cwrs arbennig hwn.

Yn 1972, hefyd, cychwynnwyd cwrs newydd arall ar gyfer darpar-athrawon cynradd, sef y cwrs Tystysgrif Addysg i Raddedigion (TAR), y cwrs 'TT', fel y cyfeirid ato. Cofrestrodd 17 o raddedigion arno am y tro cyntaf yn hanes y Normal.

Yn y cyfnod hwn hefyd y datblygwyd yr amrywiaeth o gyrsiau a oedd yn arwain at raddau BA mewn meysydd galwedigaethol a chawn beth o brofiad y myfyrwyr 'newydd' hyn yn y bennod hon.

Datblygiad newydd ym Mehefin 1978 oedd dechrau trefniadau

cyfnewid myfyrwyr rhwng y Normal a'r *Ecole Normale* yn *Quimper*, Llydaw. Cawn yma beth o hanes un o'r myfyrwyr a fanteisiodd ar y trefniant hwn.

Tybed ai arwydd o'r hyn oedd i ddod oedd dechrau cydweithio rhwng y Normal ac Adran Addysg Coleg y Brifysgol ym Medi 1987? Roedd y cydweithio'n canolbwyntio ar y cwrs blwyddyn i raddedigion, a golygai fod myfyrwyr y ddau sefydliad yn cael eu haddysgu ar y cyd gan dîm o ddarlithwyr o'r ddau sefydliad. Ar yr un pryd ehangwyd ar y rhaglenni hyfforddiant mewn-swydd, ac, yn 1990, gwelwyd torri cwys newydd gyda chychwyn cwrs MEd mewn Addysg Mathemateg, a chofrestrodd 17 o athrawon arno.

● ● ●

Yn 1959, gwelwyd cychwyn rhaglen adeiladu sylweddol yn y Normal. Ar safle'r Hen Goleg dechreuwyd codi Neuadd John Phillips, Adran Gerdd, ystafelloedd tiwtorial, ac Ystafell Gyffredin i'r staff. Yr un pryd, ar Safle'r Fenai, dechreuwyd codi dwy hostel newydd (neuaddau Arfon a Seiriol), ffreutur a chegin, yn ogystal â blociau dysgu. Fodd bynnag, nid aeth y gwaith adeiladu yn ei flaen mor rhwydd â'r disgwyl ar Safle'r Fenai oherwydd ymyrraeth gan y myfyrwyr a chawn beth o'r hanes yn ddiweddarach. Yn Nhymor y Nadolig 1963 y dechreuwyd defnyddio'r cyfleusterau newydd hyn a ychwanegodd gymaint at fywyd cymdeithasol a diwylliannol y myfyrwyr.

Yn 1965 agorwyd labordy iaith, a fu'n adnodd pwysig i hyrwyddo dysgu Cymraeg fel ail iaith ac addysg ddwyieithog. Menai Williams, Beti Wyn Williams a Dr Emrys Parry oedd yn gyfrifol yn y labordy am gynnal cwrs dysgu Cymraeg fel ail iaith, a Cyril Hughes oedd yn hyfforddi'r myfyrwyr ynghylch sut i ddefnyddio'r labordy efo disgyblion ysgol.

Gwelwyd y dechnoleg newydd, ar ffurf camera fideo, yn cyrraedd y Coleg yn 1971, a bu John Ronald Thomas, o'r Adran Addysg, gyda chymorth y technegydd Terry Williams, wrthi'n brysur yn defnyddio'r camera i ffilmio myfyrwyr ar eu Hymarfer Dysgu.

Yn ystod y 1970au, bu rhaglen adeiladu pellach ar safle'r Coleg Uchaf ac ar Safle'r Fenai. Yn Ebrill 1975 agorwyd llyfrgell newydd ar Safle'r Fenai gan un o gyn-fyfyrwyr y Coleg, Barry Jones, AS, a oedd ar y pryd yn Is-Ysgrifennydd Gwladol Seneddol yn y Swyddfa Gymreig. Cawn yma beth o hanes Barry Jones pan oedd yn fyfyriwr yn y Coleg.

Ym mis Mawrth 1975 caniataodd y llywodraethwyr i'r myfyrwyr gael bar ar Safle'r Fenai, gyferbyn â'r George. Beth, tybed, fyddai barn cyn-

Brifathrawon y Coleg, yn arbennig hoelion wyth yr Hen Gorff, am y datblygiad hwn? Cawn glywed yma gan rai o'r myfyrwyr a fu'n mwynhau eu hunain yn y bar. Agorwyd, hefyd, adnodd a fyddai'n fodd i hyrwyddo iechyd corfforol y myfyrwyr, sef y Neuadd Chwaraeon newydd ar Safle'r Fenai. Agorwyd y neuadd yn swyddogol yn Chwefror 1976 gan y chwaraewr rygbi rhyngwladol Gerald Davies.

Ym mis Mawrth 1980 cynhaliwyd agoriad swyddogol arall: y tro hwn agorwyd y Ganolfan Adnoddau ar Safle'r Fenai gan yr Arglwydd Cledwyn o Benrhos. Syr Goronwy Daniel a gafodd y fraint o agor y Ganolfan Gyfathrebu yn swyddogol ym mis Tachwedd 1981. Bellach, gydag agor y Bloc Crefftau, Dylunio a Thechnoleg ym mis Mai 1982 roedd holl fyfyrwyr y Coleg yn gallu cael eu haddysgu a'u hyfforddi ar yr un safle, sef Safle'r Fenai.

•   •   •

Cyrhaeddwyd carreg filltir arwyddocaol iawn, eto yn 1972, pan gyflwynwyd adroddiad y Prifathro i'r llywodraethwyr yn Gymraeg am y tro cyntaf yn hanes y sefydliad. Roedd llawer o'r diolch am hyn yn ddyledus i'r aelodau staff hynod frwydfrydig dros y Gymraeg yng ngweinyddiaeth y Coleg, yn arbennig Dafydd Orwig a John Lazarus Williams. Gwelwn yn y bennod hon sut y cyfrannodd nifer o fyfyrwyr y Coleg at yr ymgyrch iaith yn lleol ac yn genedlaethol.

Nid oedd awdurdodau'r Coleg am anghofio ychwaith am anghenion ysbrydol y myfyrwyr, ac, ar 6 Rhagfyr 1978, cynhaliwyd Gwasanaeth Cysegru Capel Newydd yn hen Ystafell Bwyllgor y Coleg Uchaf. Cadeirydd y llywodraethwyr, y Parchedig D. J. Mihangel Williams, a gafodd y fraint o arwain y Gwasanaeth Cysegru.

•   •   •

Dros y blynyddoedd gwelwyd llanw a thrai yn nifer y myfyrwyr llawn-amser yn y Normal ond erbyn cyfnod yr integreddio yn 1996 roedd y cyfanswm yn fwy na mil, gyda'r niferoedd ar y cyrsiau BA yn draean o'r cyfanswm hwnnw:

BEd	594
BA	329
TAR	69
Cefn Gwlad	10
Cyfanswm	1002

Yn ogystal, roedd 29 o athrawon yn dilyn y cwrs MEd (Addysg Mathemateg) a 10 yn dilyn cwrs mewn-swydd Diploma Anghenion Addysg Arbennig.

Y NORMALYDD 1958 –
RHIFYN Y CANMLWYDDIANT

Yn y rhifyn arbennig hwn, manteisiodd y Prifathro, Dr Richard Thomas, ar y cyfle i gyflwyno ei anerchiad ymadawol gan gyfeirio at y modd y bu i griw bychan o ddynion brwdfrydig a selog, drwy eu llafur caled, agor y Coleg ganrif yn ôl:

> The existence of the Normal College has had, and still has, real significance for Wales and indeed for Britain generally.

Manteisiwyd ar y cyfle i wahodd rhai o gyn-fyfyrwyr disglair y Coleg i gyfrannu i'r rhifyn, gan gynnwys y brodyr Tom Jones a James Idwal Jones, y ddau aelod seneddol y cawsom eu profiadau yn y bennod flaenorol, a Francis A. Norwell, cyn-fyfyriwr a chyn-ddarlithydd o gyfnod y brodyr Jones. Gydag ymddeoliad Richard Thomas a phenodiad Edward Rees fel ei olynydd yn 1958 mae rhifyn y canmlwyddiant yn symbol o gau un bennod ac o gychwyn pennod newydd yn hanes y Coleg.

Roedd Richard Thomas wedi dangos cryn hyblygrwydd wrth ymateb yn greadigol i'r her o ehangu darpariaeth Gymraeg y Coleg. Arwydd bychan, ond symbolaidd, o'r newid hwnnw oedd i'r *Normalite* fabwysiadu y teitl dwyieithog *Y Normalydd/Normalite* yn ystod y flwyddyn 1956–57, a hynny cyn i Edward Rees afael yn yr awennau. Yr her i Edward Rees fyddai cynnal y weledigaeth.

Roedd hefyd nifer o newidiadau cymdeithasol ar droed a diwylliant pobl ifanc yn gynyddol dan ddylanwad cerddoriaeth fodern. I ategu hyn ceir adroddiad yn rhifyn y canmlyddiant o drafodaeth yn y *Debating Society* ar y testun 'That Rock 'n Roll is detrimental to culture'. Ar yr un pryd, adlewyrchir nifer o'r gwerthoedd traddodiadol, megis mewn adroddiad ar ymweliad un o fawrion y genedl, y Parchedig Tegla Davies, pregethwr grymus gyda'r Wesleaid a llenor toreithiog, i annerch y Gymdeithas Gymraeg.

Fel erioed, mae'r adroddiadau o fyd chwaraeon yn cadw'n traed ar y ddaear. Ymysg yr uchafbwyntiau yn y rhifyn hwn ceir disgrifiad o ornest focsio a gynhaliwyd yn *Drill Hall* Bangor rhwng myfyrwyr y Normal a Choleg y Brifysgol fel rhan o ddathliadau'r canmlwyddiant. Y Normal a orfu, o bedair gornest i un. Colli fu hanes y Normal yn yr *Woolie Cup* yn 1958, ond enillwyd yr *Humphs Cup* am y tro cyntaf ers blynyddoedd. Diolchir i'r tiwtoriaid Llewelyn Rees, Harry Lloyd a Gwynn Roblin am ddyfarnu mewn sawl gêm rygbi.

ATGOFION MYFYRWYR 1957–61

Roedd diwedd y 1950au yn gyfnod euraidd yn hanes bywyd cymdeithasol a diwylliannol y Coleg, a phriodolir hynny, yn anad dim, i ddylanwad yr athrylith Ryan Davies, Glanaman (1957–59). Cronclir llawer o'i hanes gan **Rhydderch Jones**, Aberllefenni (1957–59), un o'i gyd-fyfyrwyr ac un a ddaeth i gryn amlygrwydd ei hunan fel dramodydd a chynhyrchydd rhaglenni teledu adloniadol. Ar ôl gadael y Normal bu Rhydderch Jones yn dysgu Saesneg mewn ysgolion yn Llundain ac yn difyrru Cymry Llundain mewn nosweithiau llawen. Ymunodd â'r BBC yn 1965 a bu'n gyfrifol am gynhyrchu sawl rhaglen boblogaidd gan gynnwys *Fo a Fe*. Y rhaglen honno, ynghyd â'r gyfres deledu *Ryan a Ronnie*, a ddaeth â Ryan Davies i amlygrwydd cenedlaethol, ond manteisio ar gyfleoedd yn y Normal oedd ei gam allweddol cyntaf.

Yn ei gofiant[1] sonia Rhydderch Jones fel y bu i Ryan ddewis dau o'i gyd-fyfyrwyr, Wil Ifor Jones a Phil Hughes, i ffurfio Triawd y Normal. Yn raddol, tyfodd aelodaeth y criw nes y mentrwyd cynnal nosweithiau llawen yn y pentrefi o gwmpas Bangor. O'r profiad cynnar hwn yn diddori pobl y dechreuodd Ryan sylweddoli bod ganddo ddawn arbennig i ddeall cynulleidfa.

Oherwydd ei dalent fel actor, cafodd Ryan ei gastio yn 1957 fel Valère ym mherfformiad y Gymdeithas Ddrama o *Le Médecin Malgré Lui* gan Molière. Roedd ei gyfaill, Phil Hughes, wedi ei gastio i chwarae rhan Lucas, ac roedd adolygydd *Y Faner,* Rhagfyr 1957, wedi dotio at eu perfformiadau:

> Cawsom actio rhagorol gan Ryan Davies (Valère) a Philip Hughes (Lucas) yn eu darllen medrus o gonfensiynau cymdeithasol y ddeunawfed ganrif.

Yn 1958, yn nathliadau canmlwyddiant y Coleg, perfformiwyd *The Lady Is Not For Burning* a chastiwyd Ryan i chwarae Thomas Mendip, y brif ran. Ym marn Rhydderch Jones, "Ei berfformiad yn y ddrama hon oedd un ddangosodd yn fwy na dim gymaint ei athrylith fel actor."

Byddai'r ddau yn aml iawn yn mynychu'r tair sinema yn ninas

Bangor, a chyfeiria Rhydderch Jones at un achlysur oedd yn dangos dawn gerddorol Ryan. Roeddynt newydd weld y ffilm *The Glass Mountain* a Ryan wedi ei gyfareddu gan y gerddoriaeth yn y ffilm. Aeth y ddau am baned i gaffi *Kit Rose*, ac yna, hanner awr cwta ar ôl gweld y ffilm eisteddodd Ryan wrth y piano yn y caffi a chwarae holl themâu *The Glass Mountain* yn berffaith gywir.

Roedd arferion y George yn rhoi cyfle pellach i Ryan arddangos ei ddoniau. Ar ôl y 'rôl' byddai llywyddion y gwahanol gymdeithasau'n gwneud cyhoeddiad, a chapteiniaid y gwahanol dimau chwaraeon yn rhoi eu hadroddiadau. Wedyn ceid y busnes ysgafn, yn aml ar ffurf achos llys, gyda myfyriwr yn cael ei gyhuddo o ryw 'drosedd', a'r erlynwyr yn cynnig tystiolaeth i gadarnhau'r drosedd honno. Câi'r cyhuddedig gyfle i'w amddiffyn ei hun, a galw tystion, a byddai'r cyfan yn cael ei arolygu gan y Llywydd. O'ch cael yn euog, y gosb oedd gorfod perfformio'n gyhoeddus, rhywbeth a oedd wrth fodd Ryan. Cofia Rhydderch Jones glywed Ryan, fel cosb, yn chwibanu *In a Monastery Garden* ar ben y bwrdd.

• • •

Daeth **Margaret Laura Griffith (née Owen)**, Rhoshirwaun (1957–60), i'r Coleg i ddilyn y cwrs cyfrwng Saesneg tair blynedd mewn Gwyddor Tŷ. Gwerthfawrogodd Margaret arweiniad y tair tiwtor, Eluned Parry (Roblin yn ddiweddarach), Elizabeth Eileen Price (Gwnïo a *Dress-making)* a Miss Lloyd (*Home-Keeping*). Cofia ei Hymarfer Dysgu yn ysgolion uwchradd Môn ac Arfon:

> Arferai Mrs Roblin wisgo het fawr grand tra'n arolygu'r Ymarfer Dysgu a byddai gweld, drwy ffenestr ystafell ddosbarth, yr 'het' yn dod ar hyd y coridor yn codi ofn ynof!

Un o'i hatgofion eraill am ei Hymarfer Dysgu oedd arferiad un o'r athrawesau Gwyddor Tŷ mewn ysgol uwchradd arbennig, gwraig i ffarmwr, o olchi dillad budr a drewllyd ei gŵr ym mheiriant golchi dillad yr adran.

Mwynhaodd ei nosweithiau yn Neuadd Hafren lle arferai criw o ferched ganu o gwmpas y piano, neu wrando ar yr recordiau pop diwedd-araf. Dathlwyd sawl parti pen-blwydd y merched yno, ond, yn ddieithriad, roeddynt yn bartïon "strictly TT". Cyfeiria gyda hoffter at y gyfundrefn *Coll. Mother* a *Coll. Daughter*. Ei *Coll. Mother* hi oedd Alwena Williams, Llanddona: "bu'n ffrind da imi ar ôl dyddiau coleg – buom mewn cysylltiad agos serch cael ein gwahanu oherwydd gofynion galwedigaethol a theuluol".

Yn ystod Wythnos y Glas yng nghyfnod Margaret Griffith, roedd yn arferiad i drefnu *blind dates*. Cofia hi fynd i gyfarfod ei *blind date* mewn siop tsips yn y Borth; ond ni ddaeth dim o'r cyfarfyddiad hwn!

Fel Annibynwraig, arferai fynd i Gapel Pendref a bu, fel Dafydd Wyn Wiliam, yn aelod ffyddlon o ddosbarth Ysgol Sul R. J. Buckland. Byddai hefyd yn mynd i Gapel Ebenezer (Annibynwyr) ar noson waith: "Roedd giang o stiwdants Cymraeg (merched) yn gwisgo dillad parch, gan gynnwys het wrth gwrs, yn parhau i fynychu capeli Bangor yr adeg yma." Does dim rhyfedd iddi briodi gweinidog yn ddiweddarach!

Pictiwrs y *Plaza* oedd prif atyniad merched Hafren yn ei chyfnod hi. Ar ôl bod yno, ceid pryd o *fish & chips* yn y *Bay Tree*. Yn 1958, mwynhaodd swper a dawns fawreddog, a gynhaliwyd yng Nghastell y Penrhyn, i ddathlu canmlwyddiant sefydlu'r Coleg. Cofia am Ryan Davies (1957–59) yn canu'r *grand piano* yno, a Margaret Williams (1957–59) yn canu i gyfeiliant y delyn:

> Roedd yn hawdd gweld fod gan y ddau yma dalent arbennig iawn ac y byddent yn mynd ymhell yn y byd adloniant.

●   ●   ●

Roedd **Anne Parry-Jones (née Parry)**, Llanberis (1959–61),[2] yn un o chwech o blant o'r un teulu a fynychodd y Coleg rhwng 1948 a 1969: Maureen, 1948–50; Awen, 1955–57; Gordon, 1956–58; Anne, 1959–61; Gwyneth, 1963–66; a Hefin, 1966–69. Tipyn o gamp!

Gan fod ganddi lais canu da, Anne Parry-Jones oedd codwr canu'r merched gan arwain canu'r bendith cyn bwyd yn y *Central Block*: "Byddai Miss Catherine Griffiths (*Tati*) yn sefyll uwch y bwrdd uchel a gweddill y darlithwyr o bobtu. Roeddwn yn canu'n ddigyfeiliant *Non nobis Domine* . . . a phawb yn ymuno tua'r diwedd. Trawai Miss Griffiths y gloch ar y bwrdd i bawb ddistewi, a byddwn innau'n codi'r nodyn o'r gloch bob tro."

Menai Williams oedd warden Neuadd Eryri bryd hynny: "I ni, Miss Menai Williams oedd Brenhines y Coleg ac roedd yn edrych fel *film star* . . . Dyma'r tro cyntaf iddi gael blwyddyn o Gymry yn Eryri ac roedd wrth ei bodd. Galwai ni yn 'Genod Stryd y Glep', ar ôl merched siaradus Stryd y Glep yn nofel Kate Roberts."

Roedd Anne Parry-Jones a'i ffrind Magi, o Ben Llŷn, wedi cael anrhydedd gan Menai Williams: "Ni oedd yn edrych ar ôl ei thân pan âi allan, a'n cyfrifoldeb ni oedd eistedd o bobtu'r tân a rhoi lwmp o lo arno a gofalu na fyddai'n diffodd. Am hyn roedd tebotaid o de inni a rhyw deisen neu ddwy. Sôn am deimlo'n bwysig gan nad oedd tân yn unlle arall yn y neuadd ond yn ystafelloedd Miss Catherine Griffiths a Miss Williams."

* * *

Pump o gyfoedion a fu'n fyfyrwyr yn y Normal dros y cyfnod 1959–61 oedd John Albert Evans, Elwyn Jones-Griffith, David Meredith, Barry Jones a May Castrey – y tri cyntaf yn Gymry Cymraeg a'r ddau olaf yn ddi-Gymraeg. Er iddynt rannu'r un cyfnod, gwahanol iawn oedd eu profiadau a'u hatgofion.

Daeth **John Albert Evans**, Bwlch Llan (1959–61), i'r Coleg ar ôl cyflawni dwy flynedd o *National Service* yn y *Royal Army Service Corps*. Bu'n lletya yn Neuadd Ardudwy ac mae ganddo lawer o atgofion hapus am ei gyfnod yno. Warden Ardudwy bryd hynny oedd Harold Stanley-Jones (*Birdie*), darlithydd yn yr Adran Saesneg: "Hen lanc oedd *Birdie*, ac edrychai ar bob un ohonom fel ei blant."[3] Mae John Albert Evans hefyd yn taflu rhagor o oleuni ar fasgot enwog Ardudwy:

> Cyn fy amser i yn y coleg ro'dd rhywun wedi cerfio pen aderyn, yn fedrus iawn, allan o ddarn sylweddol o bren, oedd yn edrych yr un peth â phen Stanley Jones. Bob tro y cynhelid ymarfer tân, byddai *Birdie*'n mynd i'r man ymgynnull yn yr ystafell gyffredin gan gario'r cerflun yn gariadus o dan ei fraich.[4]

Disgrifia awyrgylch parti Nadolig Ardudwy, y "wledd o frechdanau a chacennau, digonedd o sudd oren a dŵr", ond dim sôn, sylwer, am ddiodydd cryfach! –

> Ar ôl y swper, byddem yn ymgynnull yn yr ystafell gyffredin ac yn diffodd y golau, ac ym mhen draw'r ystafell eisteddai *Birdie* wedi'i oleuo gan gannwyll, yn adrodd stori ysbryd iasoer wrth ei gynulleidfa ... Yn wir, cofiaf fod ofn arnaf fynd i'm hystafell ar ôl y perfformiadau hyn.[5]

Mae hefyd yn cyfeirio'n annwyl at nifer o aelodau'r staff, ond y seren iddo ef ac i fyfyrwyr eraill ei gyfnod oedd Menai Williams: "Ro'dd hi'n ifanc, hardd, byrlymus a brwydfrydig, ac, yn goron ar y cyfan, yn hoff iawn ohonom ni'r bechgyn."[6] I gadarnhau'r sylw mae'n adrodd hanesyn o'r ddawns olaf iddo ei mynychu yn y Coleg cyn ei arholiad terfynol. Yn ôl eu harfer roedd dynion y George ac Ardudwy wedi treulio tipyn o amser yn nhafarn y *Victoria* ym Morthaethwy cyn mynd i'r ddawns, a John Albert Evans, o ganlyniad, wedi magu digon o *dutch courage* i fentro gofyn i Menai Williams am ddawns! Cytunodd hithau ar unwaith:

> Does gen i (na hithau, gobeithio) ddim llawer o gof am y ddawns. Y bore Llun canlynol yn y ddarlith, dywedodd Menai ei bod am weld pob un ohonom yn unigol i drafod ein gwaith. Pan ddaeth fy nhro i, dywedodd, "Dw i ddim eisiau eich gweld chi, John – fe wnaethon ni drafod eich gwaith yn y ddawns, on'd do?" Fel un corff, protestiodd y myfyrwyr, "Wel dyna beth i'w drafod mewn dawns, Miss Williams!" Daeth yr ateb yn syth fel bwled: "Fe geisiais ei gael i siarad am bethau eraill, ond wnâi o ddim!"[7]

Bydd gan myfyrwyr y 60au cynnar atgof am 'helynt y bws'. Yn ôl John Albert Evans, arferai dynion a oedd yn lletya ar Safle'r Fenai ddefnyddio bysiau *Crosville* yn achlysurol i hwyluso'r daith i'r Coleg Uchaf ac yn ôl. Un bore Mawrth yn 1960 ar y daith o Fangor Uchaf i Safle'r Fenai canodd un o fyfyrwyr y Coleg gloch y bws tra oedd y *conductor* wedi picio â pharsel i siop gyfagos ym Mangor Uchaf. Aeth y bws yn ei flaen ac aros ger Safle'r Fenai, gan ollwng y myfyrwyr. Canwyd y gloch unwaith eto wrth i'r myfyrwyr adael y bws ac ymlaen â'r cerbyd, heb y *conductor* druan, am Borthaethwy. Bu tipyn o helynt, gan gynnwys dau achos llys yn arwain at ddirwy o bunt yr un i'r troseddwyr a dwy bunt i'r prif droseddwr, David Meredith! Yn ddiweddarach, llwyddodd David Meredith i wneud apêl lwyddiannus yn erbyn ei ddedfryd ac, fel yr adroddir gan John Albert Evans, "ni chafodd ei drosedd effaith andwyol ar ei yrfa ddiweddarach fel athro, nac fel aelod o staff y Bwrdd Croeso, HTV na S4C!"[8]

•   •   •

Bu **Elwyn Jones-Griffffith** (*Cyrli*), Y Groeslon (1959–61), yn ddisgybl yn chweched dosbarth Ysgol Dyffryn Nantlle. Yno roedd yn astudio Daearyddiaeth lefel A dan arweiniad Dr Peter Ellis Jones (*Spaceman*). Ar ôl cyflawni ei ddwy flynedd o wasanaeth milwrol gorfodol, a chofrestru fel myfyriwr yn y Normal, dewisodd astudio Daearyddiaeth fel ei brif bwnc. A phwy oedd ei diwtor yno? Ie, Peter Ellis Jones!

> Gan fy mod wedi cael fy nysgu drwy gyfrwng y Saesneg yn y chweched dosbarth cefais hi'n anodd iawn dygymod â Peter Ellis Jones yn darlithio i mi drwy gyfrwng y Gymraeg – ond roedd ei nodiadau ysgol yn handi iawn!

125

David Fraser, Pennaeth yr Adran Addysg, oedd yn darlithio ar addysg i grŵp Elwyn Jones-Griffith:

> Byddai David Fraser yn aml rhyw chwarter awr yn hwyr yn cyrraedd y ddarlith. Yn ddieithriad ei sylw agoriadol fyddai, "Roedd gwaith gweinyddol yn galw. Trowch i dudalen wyth deg wyth *Hughes & Hughes*", ac allan a fo eto!

Treuliodd gyfnod Ymarfer Dysgu yn Ysgol Eifion Wyn, Porthmadog, gan aros yn y *Madoc Hotel* yn Nhremadog gyda rhyw ddeg o fyfyrwyr eraill o'r Normal a oedd yn gwneud eu Hymarfer Dysgu mewn ysgolion cyfagos:

> Doedd dim bar yn y *Madoc*, felly arferem fynd am beint i'r *Fleece*, tafarn hen ffasiwn iawn yr adeg hynny efo'r hen Anti May yn llenwi'n gwydrau o jwg enamel mawr. Roedd hyn yn gyfle gwych i'r hogiau gyfnewid profiadau a syniadau i helpu efo'r paratoi.

Ni chredai Elwyn Jones-Griffith fod y ffaith fod llawer o'i gyd-fyfyrwyr yn y Normal yn ei gyfnod ef yn fyfyrwyr aeddfed, wedi cyflawni dwy flynedd o wasanaeth milwrol, yn creu unrhyw anhawster gyda disgyblaeth eithaf llym y Coleg. Yn ei farn ef:

> Roeddem wedi hen arfer gyda disgyblaeth yn y lluoedd arfog ac felly roedd yn hawdd dygymod â'r drefn yn y Normal. Efallai bod disgyblaeth coleg yn fwy anodd i'r myfyrwyr hynny ddaeth yn syth i'r Coleg o'r ysgol, ac yn fwy awyddus i gael penrhyddid. Yn sicr y nhw oedd fwyaf tebygol o fynd dros ben llestri yn hytrach na hogiau'r *National Service*.

Yn ei gyfnod ef, arferai myfyrwyr cyfrwng Cymraeg y Normal fynychu dau gaffi, sef caffi *Bobi Bobs* yn y Stryd Fawr a oedd yn gyrchfan y Gymdeithas Gymraeg, a chaffi *Humphs* Bangor Uchaf. Arferai'r myfyrwyr Cymraeg ganu emynau yng nghaffi *Humphs*, yn arbennig ar nos Fercher.

Safodd fel ymgeisydd yn etholiad 1960–61 am Lywyddiaeth y myfyrwyr. Ei wrthwynebydd llwyddiannus oedd Barry Jones (gweler isod). Yn ôl Elwyn Jones-Griffith, byddai bron yn amhosib i ymgeisydd Cymraeg lwyddo yn yr etholiad hwn gan fod y Cymry Cymraeg mewn lleiafrif yn y Coleg.

Sylwai fod nifer sylweddol o fyfyrwyr Cymraeg yn dechrau mynd adref ar benwythnosau yn y cyfnod hwn, ac i'r duedd hon fod yn andwyol i fywyd cymdeithasol a diwylliannol y myfyrwyr. Honna fod yr arferiad hefyd wedi bod yn niweidiol i dimau chwaraeon y Coleg.

Bu Elwyn Jones-Griffith yn aelod brwd o Barti Noson Lawen y Normal ac mae'n cofio'n arbennig am ymweliad gan y Parti, yn 1961, â'r Groeslon, ei bentref genedigol, i gynnal noson i godi arian i'r neuadd bentref. Un o sêr y Parti oedd y gantores Margaret Williams; ei chyfeilydd oedd Geraint Jones, ei gŵr yn ddiweddarach. Richard Griffith (*Dic Dêr*), bas-bariton, oedd yr unawdydd arall. Yn ogystal ag arwain y noson, cymerodd Elwyn ran yn sgets *Y Cyfieithydd* gyda'i gyfeillion David Meredith a John Lloyd.

Ar ôl gadael y Normal bu Elwyn Jones-Griffith yn athro yn y sector cynradd cyn ei benodi'n bennaeth Ysgol Maesincla, Caernarfon. Bu'n gynrychiolydd undeb gydol ei yrfa gan hefyd gyfrannu'n helaeth i fywyd diwylliannol a chrefyddol ei gymuned yn ardal Pen-y-groes.

• • •

Un o bennaf ffrindiau Elwyn Jones-Griffith yn y Coleg oedd **David Meredith**, Aberystwyth (1959–61), y cawsom ei hanes uchod ynghylch 'helynt y bws'. Elwyn Jones-Griffith oedd partner David Meredith yn nhîm y Normal mewn gornest areithio gyhoeddus yn erbyn tîm Coleg y Brifysgol. Eu gwrthwynebwyr llwyddiannus oedd R. Alun Evans (gweinidog a darlledwr) ac Elwyn Jones (a fu'n asiant gweithgar iawn gyda'r Torïaid Cymreig).

Tra ar Ymarfer Dysgu yng Nghricieth bu David Meredith yn ddigon anffodus i gael 'ei ddal' gan y tiwtor, darlithydd adnabyddus yn yr Adran Addysg Gorfforol, J. Bryn Davies:

Da y cofiaf gyfnod o Ymarfer Dysgu yng Nghricieth a hithau'n ddiwrnod oer, a gorfod llusgo'r plant allan i wneud ymarfer corff ar yr iard. Safwn â'm cefn yn erbyn y wal yn fy nghôt fawr a'm sgarff wedi ei lapio'n dynn amdanaf. Yn sydyn 'ar ddiarwybod droed a distaw duth' ymddangosodd y darlithydd Ymarfer Corff o'm blaen, y ffanatic Ymarfer Corff ei hun, brenin y trowsus byr a'r fest wen![9]

Ychydig iawn oedd gan y tiwtor i'w ddweud, a chyfarchodd y myfyriwr druan yn y trydydd person, "Dyma fi'n cyrraedd Cricieth a phwy welwn i yn ei gôt fawr a'i sgarff ond – Mr Meredith!"

Ar ôl gadael y Normal bu David yn athro Cymraeg fel ail iaith yng Nghaerdydd gan deithio o ysgol i ysgol ar gefn ei feic! Yn y man ymunodd â Bwrdd Twristiaeth Cymru cyn mentro i'r byd cysylltiadau cyhoeddus. Mae'n awdur sawl llyfr ar y celfyddydau.

• • •

Barry Jones, Mancot (1959–61), oedd gwrthwynebydd llwyddiannnus Elwyn Jones-Griffith yn yr etholiad am Lywyddiaeth y Myfyrwyr yn 1960. Daeth i'r Normal yn dilyn dwy flynedd o wasanaeth milwrol cenedlaethol. Ar ôl gadael y Coleg bu'n gweithio am gyfnod byr yng ngwaith dur Shotton cyn mynd yn athro Saesneg a'i benodi'n bennaeth Adran Saesneg ysgol uwchradd Glannau Dyfrdwy. Aeth ymlaen wedyn i fod yn drefnydd rhanbarthol gyda'r NUT. Yn 1970 fe'i etholwyd yn aelod seneddol Llafur gan ddal sedd Dwyrain Fflint o 1970 hyd 1983 ac yna sedd Alun a Glannau Dyfrdwy o 1983 tan 2001. Rhwng 1974 a 1979 bu'n Is-Ysgrifennydd Cymru yn llywodraeth Lafur Harold Wilson a llywodraeth James Callaghan. Yn 2001 fe'i dyrchafwyd i Dŷ'r Arglwyddi fel Barwn Jones.

Ei brif gwrs yn y Normal oedd Saesneg, ac roedd ganddo feddwl mawr o Harold Stanley-Jones, Pennaeth yr Adran Saesneg: "Mr Jones was a very caring gentleman and a committed lecturer." Roedd ganddo, hefyd, dipyn o feddwl o'r Dirprwy Brifathro, T. C. H. Parry, ac o Bennaeth yr Adran Wyddoniaeth, Gwynn Roblin: "a strong, determined character." Credai fod Pennaeth yr Adran Addysg, David Fraser, hefyd yn ddarlithydd ymroddgar ac abl, ac yn un a fyddai'n paratoi ei ddar-lithoedd gyda gofal manwl iawn. Cofia'n dda am Bennaeth yr Adran Addysg Gorfforol ar y pryd, Harry Lloyd, "a gifted and zealous gentleman".

Yn ystod ei Ymarfer Dysgu yn Ysgol Gynradd y Fflint, daeth dan ddylanwad pennaeth yr ysgol, Norman Baker, undebwr brwd gyda'r NUT, a chredai Barry Jones iddo gael ei ysgogi ganddo i ymddiddori mewn undebaeth athrawon yn ddiweddarach yn ei yrfa. Roedd cyfnodau ei Ymarfer Dysgu yn "very stressful, particularly if the class teacher and college tutor were observing you at the same time", a chredai fod gormod o sylw wedi cael ei roi i'r paratoi ar bapur yn y llyfr Ymarfer Dysgu ar draul ystyriaethau mwy ymarferol yr addysgu ar lawr y dosbarth.

Bu'n aros yn y George yn ystod ei gyfnod yn y Normal. Yr argraff bennaf a gafodd yr hen neuadd arno oedd

> the general shabbiness of the George, in complete contrast to the beautiful location. I have very happy memories of the month of June at the George, seeing the porpoises leap out of the blue waters of the Menai and the multi-coloured sailing boats skimming gracefully over the glassy surface.

Erbyn ei gyfnod ef yn y George roedd y ragio a'r is-ddiwylliant arbennig a berthynai i'r neuadd yn prysur ddiflannu, yn bennaf, fe gredai, oherwydd mewnlifiad o ddynion aeddfed i'r neuadd a oedd wedi cyflawni eu gwasanaeth milwrol cenedlaethol. Gan ei fod yn cysgu mewn ystafell ger yr ysgol ddihangfa dân, cai ei ddeffro'n aml yn y nos gan y dynion yn dychwelyd i'r neuadd ymhell ar ôl *roll call* yr hwyr.

Wrth edrych yn ôl ar ei dymor fel Llywydd y Myfyrwyr, cred Barry Jones fod y cyfnod hwnnw wedi cyfrannu at ei ddiddordeb mewn gwleidyddiaeth ond mai ychydig o drafod ac ymrafael gwleidyddol go iawn a ddigwyddodd yn ystod ei lywyddiaeth.

Er ei fod bellach yn aelod ffyddlon a gweithgar yn ei Eglwys Fethodistaidd leol yn Ewloe, mae Barry Jones yn cydnabod mai anfynych y byddai'n bresennol mewn man addoliad yn ystod ei gyfnod yn y Normal. Yn hyn o beth, meddai, "I didn't behave differently to the majority of Normal men at that time", sylw sy'n cadarnhau casgliad Dafydd Wyn Wiliam.

Anfynych hefyd, meddai, y byddai myfyrwyr y Normal yn ymweld â thafarndai Bangor, heblaw am y dynion a fyddai'n chwarae pêl-droed a rygbi, ond ni pherthynai i'r garfan honno. Ni chredai fod unrhyw ddrwg-deimlad rhwng y myfyrwyr a siaradai Gymraeg a'r rhai di-Gymraeg. Ymhellach, ni chredai, fel Cymro di-Gymraeg, ei fod ar ei golled drwy fethu ymwneud â bywyd a diwylliant Cymraeg a Chymreig y Normal. Ar y cyfan, mwynhaodd ei gyfnod yn y Normal.

•   •   •

Celf oedd prif bwnc **May Castrey (née Alderson)**, Penarlâg (1959–61).[10] Cafodd gryn foddhad o'r cwrs er nad oedd mor siŵr pa ddefnydd y gallai ei wneud o waith gwehyddu a rhwymo llyfrau pan fyddai'n athrawes ysgol!

Fel pob myfyrwraig arall, bu'n rhaid iddi fynychu'r sesiynau gorfodol Addysg Gorfforol: "We wore a white Fred Perry-type shirt with a green wrap-around skirt and a dark green undergarment with elastic at the knees!" Kathleen Patrick oedd yn gyfrifol am ddysgu dawns i'r merched, er mai ychydig ohonynt a fyddai'n mwynhau ceisio dynwared coeden, neu ryw anifail, fel rhan o'u hymarferiadau.

Cofia May Castrey yn dda am y sesiynau hyfforddiant lleisiol a fyddai'n cael eu darparu i'r myfyrwyr cyn iddynt fynd allan ar Ymarfer Dysgu, gydag aelodau o'r Adran Ddrama yn gyfrifol am y ddarpariaeth. Cofia hefyd am yr holl baratoi llafurus a oedd yn rhan o'r Ymarfer Dysgu: ysgrifennu nodiadau gwersi, a pharatoi siartiau a chyfarpar gweledol eraill. Yn y cyfnod hwn, disgwylid i'r myfyrwyr gymryd gofal o'r holl ddosbarth o gychwyn cyntaf yr Ymarfer Dysgu:

The class teacher gave very little help and usually disappeared to the staff room. We sank or swam on our own, with very little help from college tutors if we were in trouble.

Yn ei chyfnod yn y Normal bu'n aros yn Neuadd Dyfrdwy, a chredai nad oedd y cyfleusterau yno fawr gwell na'r hyn a geid yn y wyrcws! Cyfeiria at y *coconut matting* ar lawr ei hystafell, at y ffrâm gwely haearn du a'r fatres galed, bwrdd bychan a chadair, a'r *Dr Barnado's* fel y galwai'r merched un teclyn, sef *wash stand* efo caead yn codi gyda phowlen ymolchi a chwpwrdd oddi tani. Y peth gwaethaf yn yr ystafell oedd y bariau ar y ffenestr: "I'm still not sure whether the bars were to keep the women in or the men folk out!" O gymharu ei disgrifiad o'i hystafell yn Neuadd Dyfrdwy â disgrifiad cynharach Megan Owen gwelwn nad oedd pethau wedi newid llawer iawn yn neuaddau'r merched mewn chwarter canrif.

Yng nghyfnod May Castrey roedd yn rhaid arwyddo llyfr cofrestru'r neuadd erbyn 10.30 p.m., a byddai'r warden yn cadw llygad barcud ar bresenoldeb y merched:

> One well known warden would come out to College Road with her torch and insist that couples prise themselves apart and retreat to their rooms. The men would have to walk down to the George Site to their hostels. We were kept well apart!

Mae hi'n ategu sylw Elwyn Jones-Griffith ynglŷn â'r duedd gynyddol i lawer o'r myfyrwyr fynd adref dros y penwythnos. O ganlyniad i hyn yr oedd hi'n eitha unig ar y rhai a oedd yn y neuaddau o bnawn Gwener tan nos Sul.

Sonia May Castrey mor ddarbodus y bu'n rhaid iddi fod i allu byw ar ei grant cynnil. Golygai brynu llyfrau ail-law, a'i chyfyngu ei hun i un *treat* wythnosol, sef ŵy a sglodion ar ddydd Sadwrn yng nghaffi'r *Bay Tree* ger yr orsaf.

Y *SWINGING SIXTIES*

Er gwaetha'r cyfyngiadau ar ryddid myfyrwyr doedd y Normal ddim yn gallu osgoi chwyldro'r 1960au – y *swinging sixties* – ac roedd cryn fynd ar gerddoriaeth roc a phop. Rhan o chwedloniaeth y 60au erbyn hyn yw ymweliad y *Beatles* â'r Normal yn Awst 1967 er mwyn cyfarfod *guru* ysbrydol y cyfnod, y Maharishi Mahesh Yogi, a oedd yn cynnal cynhadledd yn y Coleg ar *Transcendental Meditation*. Bu'r *Fab Four* yn aros yn Neuadd Dyfrdwy ac yn swpera yn y *Senior Chinese Restaurant* yn y dref. Ymysg y ffans a ddaeth draw i'r Normal i gael cipolwg ar eu heilunod ac ar y Maharishi oedd gŵr ifanc hirwallt (bryd hynny) a ddaeth yn ddiweddarach yn Brifathro'r Coleg – Gareth Roberts!

Ar y bore Sul roedd y cynadleddwyr yn loetran yn y cwad rhwng Neuadd Dyfrdwy a Neuadd Alun pan ganodd y ffôn yn y ciosg cyhoeddus yng nghyntedd Neuadd Alun. Ymhen hir a hwyr, â'r ffôn yn parhau i ganu, penderfynodd Paul McCartney mai gwell fyddai rhoi taw ar y sŵn. Cododd y ffôn a derbyniodd y newyddion syfrdanol am farwolaeth eu rheolwr, Brian Epstein, yn ei fflat yn Llundain. Daeth penwythnos y *Beatles* i ben, anfarwolwyd y ciosg, a gwelwyd cychwyn ar gyfeiriad newydd yn hanes y grŵp.

Gwyn Thomas, Cofrestrydd y Normal ar y pryd, oedd wedi gwneud y trefniadau ar gyfer cynnal y gynhadledd. Daeth yr holl achlysur â llawer o gyhoeddusrwydd i'r Coleg, er mawr foddhad iddo, ond nid oedd pawb mor frwd. Yn ôl Gwyn Thomas, aeth nifer o straeon ar led fod cynadleddwyr hanner noeth wedi bod yn gorweddian ar hyd lawntydd y Coleg ac ymysg y llwyni. O ganlyniad derbyniodd gerydd ffurfiol gan lywodraethwyr y Coleg am ei fod wedi caniatáu i'r fath ddigwyddiad ddwyn anfri ar y sefydliad!

Roedd y 60au hefyd yn gyfnod o wrthdystio. Ymunodd llawer â rhengoedd CND a'r Mudiad Gwrth-Apartheid. Yng Nghymru bu llawer o bobl ifanc yn weithgar gyda Chymdeithas yr Iaith Gymraeg. At ei gilydd, eithaf diniwed fu cyfraniadau myfyrwyr y Normal i gyfnod y chwyldro. Cawn gip ar bethau trwy lygaid pedwar o'r myfyrwyr: Gerallt Lloyd Owen, Edward Morus Jones, John McBryde a Hefin Parry.

ATGOFION MYFYRWYR 1963–69

Prif bynciau **Gerallt Lloyd Owen**, y Sarnau, Meirionydd (1963–66), oedd Cymraeg, Celf a Chrefft, a Drama. Menai Williams, Betty Wyn Williams, Lilian Hughes a John Lazarus Williams oedd yn darlithio iddo yn y Gymraeg, ac roedd ganddo barch mawr at y darlithwyr hyn. Yn ei hunangofiant[11] adrodda hanesyn bach am John Lazarus yn gofyn iddo, ar y stryd ym Mangor, a oedd yn cael unrhyw fudd o fynychu ei ddarlithoedd, ac, yn gwbl ddiffuant, atebodd yntau y cwestiwn annisgwyl hwn yn gadarnhaol.

Roedd ganddo dipyn o feddwl hefyd o Douglas Williams, pennaeth yr Adran Gelf: "Hen foi clên ac arlunydd campus." Ceir sylwadau gwerthfawrogol ganddo hefyd am aelodau'r Adran Ddrama, Edwin Williams a Huw Lloyd Edwards: "y ddau'n dîm perffaith". Mynega ei ddiolchgarwch i Huw Lloyd Edwards am ei berswadio i aros yn y Coleg pan gafodd gyfnod "anniddig iawn" yn ystod ei ail flwyddyn yn dilyn cyfnod o Ymarfer Dysgu "trychinebus" yng Nghefncoedycymer, ger Merthyr Tudful.

Cyfeiria yn ysmala at sesiwn Ymarfer Corff yn y Gampfa a oedd yn cael ei dilyn gan ddarlith ar Addysg Iechyd. Roedd angen i'r dynion newid yn sydyn iawn ar ôl y sesiwn Ymarfer Corff er mwyn cyrraedd y ddarlith mewn pryd. Llwyddodd pawb, heblaw Arwel Roberts, Clynnog, i fod yn brydlon i ddarlith Jim Bryn Davies. Ugain munud ar ôl pawb arall y llwyddodd Arwel i gyrraedd y ddarlith, gan fod rhywun wedi pwytho ei drôns!

Nid oedd Gerallt Lloyd Owen ac Emyr Hywel Owen, Dirprwy Bennaeth yr Adran Addysg, yn cyd-dynnu. Ar achlysur Ymryson Areithio'r Colegau gofynnodd am ganiatâd Emyr Hywel Owen i gael ei ryddhau o ddeuddydd o'i Ymarfer Dysgu er mwyn cael cynrychioli'r Coleg yn yr ornest yng Nghaerdydd. Doedd Emyr Hywel Owen ddim yn barod i "roi ystyriaeth" i'r cais. Fodd bynnag, dywedodd Gerallt Lloyd Owen wrtho ei fod eisoes wedi cael caniatâd y Prifathro i fynd i Gaerdydd: "Roedd yn amlwg wrth wep [Emyr Hywel Owen] fod y lempen honno'n brifo".

Fel y nodwyd yn barod, ni chafodd Gerallt Lloyd Owen fawr o hwyl ar ei ail Ymarfer Dysgu yng Nghefncoedycymer. Ei diwtor coleg oedd William George Croker, Pennaeth yr Adran Saesneg. Cyfeiria Gerallt Lloyd Owen at achlysur a oedd yn tanlinellu arwyddocâd y llyfr Ymarfer Dysgu. Wrth gyflwyno gwers Ddaearyddiaeth, gofynnwyd cwestiwn perthnasol ynglŷn ag aredig gan un o'r disgyblion ac aeth Gerallt Lloyd Owen ati i'w ateb. Fodd bynnag nid oedd Croker, a oedd yn arsylwi ar y wers, wedi ei blesio a nododd yn y llyfr Ymarfer Dysgu, "Your digression on the subject of ploughing and furrows was not part of your planned lesson."

Os bu'r Ymarfer Dysgu yng Nghefncoedycymer yn fethiant, roedd Ymarfer Dysgu terfynol Gerallt Lloyd Owen yn Ysgol Troed-yr-allt, Pwllheli, yn un hapus a llwyddiannus, yn bennaf oherwydd y cyngor a'r hyfforddiant a roddwyd iddo gan y pennaeth, John Williams, a'r athro dosbarth, Peredur Roberts:

A dweud y gwir roedd Ysgol Troed-yr-allt gryn chwarter canrif o flaen y Coleg Normal bryd hynny ac mi ddysgais i fwy am ddysgu plant mewn chwe wythnos ym Mhwllheli nag a ddysgais mewn tair blynedd ym Mangor.

Cyfeiriodd hefyd at y problemau a oedd yn cael eu creu gan ddisgyblaeth lem y Coleg yn ei gyfnod. Roedd un o'r rheolau'n gwahardd myfyrwyr gwrywaidd rhag bod yng nghyffiniau neuaddau'r merched ar ôl deg yr hwyr. Ar y pryd roedd yn canlyn un o ferched y Coleg ac roedd newydd ei hebrwng i Neuadd Eryri ryw ychydig ar ôl yr awr dyngedfennol. Cyn gadael cyffiniau'r neuadd gwelodd dair o wardeiniaid neuaddau'r merched yn dod i'w gyfarfod, ac, yn ei banig, cuddiodd y tu ôl i lwyn rododendron, a llwyddo i ddianc heb gael ei weld.

Un o'r profiadau a roddodd bleser mawr i Gerallt Lloyd Owen yn ystod ei yrfa yn y Coleg oedd cymryd rhan yn y ddrama flynyddol a fyddai'n cael ei llwyfanu yn neuadd John Phillips. Yn ei flwyddyn olaf bu'n chwarae rhan yn nrama Huw Lloyd Edwards, *Y Gŵr o Gath-Heffer*: "Rhaid cyfaddef i mi fwynhau'r profiad hwnnw, y profiad o berfformio a chael rhyw ymdeimlad o rym a oedd yn dra meddwol ei effaith arnaf."

Yng nghaffi *Humphs*, Bangor Uchaf, bu'n ysgrifennu llawer o'i draethodau coleg yn ogystal â llunio sawl englyn, gan gynnwys yr englynion canlynol (yn Saesneg!) i ddiolch i Wil Lloyd, un o'i gyd-fyfyrwyr a oedd yn bregethwr lleyg, am gael benthyciad o bunt:

> William, you filled my wallet and a pound
>> You put in my pocket.
>> A poor student poet
>> Owes the dough and pays the debt.

> I sat in Hymffs, yet I knew not a soul;
>> Who brought signs of rescue;
>> A villain of no value,
>> Of no fags, not even few.

> When I failed to pay my fee, yes, I cast
>> This question to many:
>> To a bard could there yet be
>> Any man who'll give money?

> This faintish, foolish failure sought a friend
>> Of the best free nature,
>> And a quick thought did occur:
>> I'll approach the lay-preacher.

In a crisis so crucial I was down
In a state of burial,
Yet your pound, my true pal,
Rescued this poor rascal.

Caffi *Humphs* felly oedd magwrfa'r egin Brifardd!

Yn ystod ei ddyddiau coleg cyhoeddodd ei gyfrol gyntaf o farddoniaeth, *Ugain Oed a'i Ganiadau*, a bu'n ddyledus i rai o ddarlithwyr y Normal a'i gyd-fyfyrwyr am eu cefnogaeth ymarferol wrth ddwyn y gyfrol drwy'r wasg. Ar ôl cyfnod o bum mlynedd fel athro cynradd gadawodd fyd addysg a sefydlu Gwasg Gwynedd yn 1972. Yn yr un flwyddyn cyhoeddodd *Cerddi'r Cywilydd*, cyfrol a'i sefydlodd fel bardd o bwys. 'Ifanc sydd hen eleni' yw llinell gyntaf ei gyfres o englynion sobreiddiol yn y gyfrol honno i goffáu cyd-fyfyrwraig:

Huna merch oedd ddoe'n ein mysg
Ym mhridd heddiw mor ddiddysg.[12]

Enillodd Gadair Eisteddfod Genedlaethol Bro Dwyfor yn 1975 am ei awdl 'Afon' ac yna Gadair Eisteddfod Genedlaethol Abertawe yn 1982 ar y testun 'Cilmeri'. Yn Feuryn *Talwrn y Beirdd* Radio Cymru ac ar faes yr Eisteddfod bu'n ysbrydoliaeth i genhedlaeth gyfan o feirdd ifainc.

• • •

Fel Gerallt Lloyd Owen, daeth **Edward Morus Jones**, Llanuwchllyn (1963–66), i'r Normal o Ysgol Ramadeg y Bechgyn, y Bala. Gwyddoniaeth a Mathemateg oedd ei brif bynciau ef, ac mewn byr amser roedd wedi'i daflu'i hun i mewn i fywyd cymdeithasol a diwylliannol y Coleg. Fel Gerallt Lloyd Owen, cofia am y pleser a'r gwaith caled o actio yn *Y Gŵr o Gath-Heffer* ac yn *Y Ferch Dda o Sechwan*, y ddwy ddrama wedi'u cynhyrchu gan Edwin Williams: "seren o gynhyrchydd".

Bu'n aelod ffyddlon o Gôr Madrigal y Coleg dan arweiniad "dawnus" Rowland Wyn Jones, a lwyddodd i sicrhau "safon anhygoel". Ym mis Mehefin 1964 recordiodd y côr raglen ar gyfer *Songs of Praise* y BBC yng nghwmni'r canwr croenddu Cy Grant.

Cafodd hefyd bleser mawr o'i aelodaeth o'r Gymdeithas Gymraeg, a oedd yn fywiog iawn yn ei gyfnod ef. Cofia'n dda am y Parchedig Robin Williams, cyn-aelod o 'Driawd y Coleg' enwog CPGC, yn dod draw at aelodau'r Gymdeithas i ddarlithio, yn neuadd y Coleg Uchaf, ar *Y Tri Bob* yn 1965. Cafodd y ddarlith ei recordio, a bu gwerthu mawr arni.

Roedd Edward Morus Jones yn un o griw o fyfyrwyr a benderfynodd gynorthwyo Gerallt Lloyd Owen i dalu costau cyhoeddi ei gyfrol gyntaf o farddoniaeth. I godi'r arian, trefnwyd cyngerdd mawreddog gan y myfyrwyr yn Neuadd John Phillips, gyda Ritchie Thomas a Carys Williams (née Puw; myfyrwraig yn y Coleg o ardal y Bala) yn unawdwyr, a Thriawd y Normal, gyda Trefor Selway yn arwain a Walter Glyn Davies (*Walt*) yn cyfeilio. Roedd y neuadd yn orlawn, a'r noson yn llwyddiant ysgubol. Fodd bynnag, nid oedd pawb yn y gynulleidfa wedi'u bodloni, oherwydd, yn ôl Edward Morus Jones, "Nid oedd Menai Williams wedi ei phlesio o gwbl gan y credai fod jôcs Trefor Selway yn rhy goch o lawer!" Ceir stori ynghylch cyfraniad Ritchie Thomas at hanes y noson gan Walter Glyn Davies:

> Ar y noson daeth un o'm cyfeillion (Edward) ataf a dweud, "Walt, tyrd, brysia, mae Ritchie ar y botel!" "Ew, dydio ddim yn yfed?" medda fi. Ond yno yn yr *ante-room* ger y llwyfan roedd Ritchie Thomas â photel yn ei geg. "Mi fydd y llais yn well rwan", meddai. A be' oedd ganddo ond potel o *olive oil*![13]

O ystyried yr holl weithgarwch hwn, gan gynnwys ei gyfraniad ar y cae pêl-droed i dîm enwog *Y Gym Gym XI* (sef tîm y Gymdeithas Gymraeg), mae'n anodd deall sut gafodd Edward Morus Jones gyfle i astudio! Fel petai hyn ddim yn ddigon, gwnaeth enw iddo'i hun fel perfformiwr gyda Pharti Noson Lawen y Coleg. Dyma, i raddau, fu cychwyn ei yrfa fel canwr poblogaidd. Yn fuan ar ôl dod i'r Coleg ffurfiwyd Triawd y Normal ganddo, gydag ef ei hun yn canu i gyfeiliant ei gitâr ac yn cael ei gynorthwyo gan Margaret Davies (1963–66) a Caryl Williams (nèe Owens) (1963–66), cyn-ddisgyblion Ysgol Ramadeg y Merched, Pontypridd, y ddwy yn aelodau o Barti Sgiffl Ynysybwl cyn dod i'r Normal. Bu'r Triawd yn perfformio mewn nosweithiau llawen yn y Coleg, a chawsant wahoddiad i ymddangos ar raglenni radio a theledu'r BBC, gan gynnwys *Sêr y Siroedd* a *Hob y Deri Dando.* Cyfansoddodd Edward Morus Jones nifer o ganeuon newydd ar gyfer y Triawd, yn ogystal â throsi rhai caneuon poblogaidd Americanaidd i'r Gymraeg. Dyma enghraifft o'i waith trosi o *Normalydd* Haf 1964:

DYGA'R BAICH O' R GALON HON
(Cyfieithiad o *Take these Chains from my Heart*)

Dyga'r baich o'r galon hon,
    A rho i mi
Ennyd fach o'r llonder sy'n
    Dy galon di.
Er i ni fod ar wahân
    Nid ei di byth mwy o'm cân,
Pam na ddoi di 'nôl yn awr
    Fy ngeneth lân?

Sycha ddagrau'r llygad hyn
    Pan af ar hynt;
Fel y gwelwyf beth o'r serch
    Fu rhyngom gynt,
Er i ti gael rhywun cu
    Ceisia gofio'r hyn a fu.
Gwrando arnaf, ferch, pan redo
    'Nagrau'n llu.

Yn nodweddiadol o'r cyfnod, cynhyrchwyd llyfr canu dwyieithog[14] gan y myfyrwyr yn ystod y flwyddyn 1964–65. Meddai'r rhagair i'r llyfr:

Un o agweddau pwysig yn unrhyw goleg y dyddiau hyn yw canu ac erys caneuon o bob math yng nghof y rhan fwyaf o fyfyrwyr am flynyddoedd wedi iddynt adael y sefydliad. Mynegwyd dymuniad, felly, ers tro bellach i gael llyfr argraffiedig yn cynnwys y caneuon mwyaf poblogaidd fel y gellid ei ddefnyddio ar achlysuron arbennig fel y byddai'r galw. Ffurfiwyd pwyllgor arbennig o chwe aelod o Gyngor y Myfyrwyr ac aethpwyd ati o dan gyfarwyddyd ein hysgrifennydd i gasglu o ddifri, a dyma'r canlyniad. Ceisiwyd plesio pawb wrth gasglu a dethol a hefyd ceir cymorth i'r Saeson [*sic*] ar sut i ddarllen y geiriau Cymraeg. Gobeithio y ceir mwynhad a budd oddiwrtho gan Normaliaid oll.

Yng nghyfnod Edward Morus Jones roedd tuag ugain o fyfyrwyr yn perthyn i'r Parti Noson Lawen, a arferai berfformio mewn neuaddau pentref a festrïoedd capeli ledled gogledd Cymru, gan gynorthwyo i godi arian at achosion da. Yn ogystal â pherfformiadau gan y Triawd, byddai Carys Williams, gyda'i llais soprano "hyfryd", yn canu unawdau. Ceid hefyd lawer o hwyl yn cymryd rhan mewn sgetsys diniwed. Cofia'n dda am sgets arbennig a lwyfannwyd yn festri Capel Seilo, Caernarfon. Yn ystod y sgets, rywfodd neu'i gilydd, disgynnodd bwnsied o fananas i grombil y piano, ac meddai Edward Morus Jones, "Wel dyna gyfarfod hollol fananas!"

Bu Parti'r Noson Lawen yn cystadlu'n frwd mewn sawl Eisteddfod Ryng-Golegol yn erbyn yr 'hen elyn', sef parti'r Cymric, Coleg y Brifysgol. Llwyddodd Parti'r Normal i drechu'r Cymric yn Eisteddfod 1965.

Byddai'r Parti'n perfformio yn y Coleg, wrth gwrs, a byddai rhai o aelodau'r staff yn ei 'chael hi' ar adegau. Er enghraifft, dyma barodi o gerdd Ceiriog, *Y Gwcw*, wedi ei anelu at aelod adnabydddus o'r Adran Addysg yr ydym eisoes wedi dod ar ei draws, sef Emyr Hywel Owen (*Hippo*):

> Wrth ddychwel tua'r dosbarth bu bron i mi gael strôc,
> Fe safai Hippo yno yn handlo darn o *chalk*
> A Hippo cynta'r tymor a safai wrth y drws
> R'un fath â'r Hippo cyntaf – ond heb fod cweit mor dlws!
>
> O diolch iti Hippo ein bod ni yma'n cwrdd,
> Mi sychais i fy llygaid a'r Hippo aeth i ffwrdd.
> Mi gerddais nes dychwelais i Goleg mwyna'r nen
> A dyna lle roedd Hippo yn chwerthin am fy mhen!

Wrth edrych yn ôl dros ei gyfnod yn y Coleg gallai Edward Morus Jones yn hawdd ddweud, yng ngeiriau'r gân boblogaidd, *Ond doedda nhw'n ddyddiau da?* –

> Roedd hwn yn gyfnod arbennig yn hanes y Coleg, cyfnod pan roedd criw o fyfyrwyr dawnus â diddordeb yn y pethe. Roeddwn yn falch o gael bod yn fyfyriwr yn y Normal yr adeg yma mewn coleg roedd enw da iddo nid yn unig yng Nghymru ond yn Lloegr hefyd.

· · ·

Cymraeg oedd prif bwnc **John McBryde**, Corris (1964–67). Roedd Dewi Machreth Ellis a'r Dr Emrys Parry, aelodau o'r Adran Gymraeg, yn "ddau fonheddwr", meddai, "ac roedd rhyw urddas ac addfwynder yn perthyn iddynt". Am Dewi Machreth y canodd y myfyriwr R. Goodman Jones ychydig o flynyddoedd yn ddiweddarach yr englyn hwn:

> Gŵr tal o wedd fonheddig – ac urddas
> I'w gerdded gosgeiddig;
> Gŵr od ei ddawn – gŵr di-ddig
> Yw Dafydd, ein Pendefig.[15]

137

Yn ei ddarlith gyntaf i'r glas-fyfyrwyr byddai Dewi Machreth yn hoff iawn o wneud sylwadau ysgafn am darddiad enw'r ardal neu'r pentref lle roedd cartref y myfyrwyr. Yn achos John McBryde, meddai Dewi Machreth wrtho:

Mae tarddiad yr enw Corris yn gysylltiedig â dau ŵr ifanc – Rhys a Dafydd – oedd yn digwydd mynd am dro yn yr ardal. Gwelsant hogan handi yn cerdded heibio ac meddai Dafydd wrth Rhys, "Cor! Rhys!"

Cyfareddwyd John McBryde gan ymdriniaeth Lilian Hughes o gywyddau Dafydd ap Gwilym, ond byddai un o'r myfyrwyr, R. (Bob) J. H. Griffiths (*Machraeth*), yn sicr o dorri ar draws y ddarlith gan ofyn yn gellweirus farn y ddarlithwraig am ryw gywydd yr oedd ef newydd ei gyfansoddi. Gwerthfawrogai John McBryde hefyd gyfraniad gwerthfawr y 'drindod' yn yr Adran Hanes bryd hynny, Geraint James, Bryn Lloyd Jones a Tom Bassett. Dr Gwilym Arthur Jones oedd tiwtor Addysg John McBryde: "darlithydd deddfol, annwyl a diniwed braidd". Unwaith eto byddai *Machraeth* ar y blaen i geisio arwain Gwilym Arthur Jones druan oddi ar drywydd ei ddarlith.

Yn ei ail flwyddyn roedd John McBryde yn gwneud ei Ymarfer Dysgu yn Ysgol Gymraeg Ffynnongroyw. Roedd yn eira mawr, ac, o ganlyniad, dim ond pump o'r plant oedd wedi llwyddo i gyrraedd yr ysgol. Dyna ble roedd y myfyriwr yn ceisio cynnal gwers efo'r plant o amgylch tanllwyth o dân. Yn annisgwyl, pwy "landiodd o'r eira" ond ei diwtor, Peter Ellis Jones, ac roedd yn eitha beirniadol o'r wers. Meddai wrth John McBryde, "Does dim siâp ar bethau yma. A ydych yn hapus yn dysgu trwy gyfrwng y Gymraeg?"

Yn anffodus iawn cafodd ei "landio" efo Peter Ellis Jones ar Ymarfer Dysgu arall, y tro hwn yn Llannerch-y-medd, ond cafodd gefnogaeth gant y cant gan brifathro'r ysgol, Idwal Roberts. Rhoddodd y cyngor buddiol hwn iddo, "Gwnewch bopeth fel *dwi'n* dweud wrthych, a gadewch Peter Ellis Jones i mi!" Cafodd Ymarfer Dysgu "llwyddiannus iawn" yn Llannerch-y-medd.

Ar un arall o'i gyfnodau Ymarfer Dysgu, bu yn Ysgol Maenofferen, Blaenau Ffestiniog. Ymwelwyd ag ef yno gan neb llai na Dirprwy Bennaeth yr Adran Addysg, Emyr Hywel Owen, y gŵr nad oedd yn cyd-dynnu â Gerallt Lloyd Owen. Ar ddiwedd ei adborth, dywedodd wrth John McBryde:

'Da chi'n gweld i ba gyfeiriad y mae fy ngherbyd yn pwyntio? Wel peidiwch â meiddio ffonio ymlaen i'r ysgol nesaf i rybuddio myfyriwr yno am fy ymweliad oherwydd efallai y byddaf yn llywio'r cerbyd i gyfeiriad arall!

Agorwyd Neuadd Seiriol yn 1964, gyda 93 o ddynion yn lletya yno a John McBryde yn bennaeth ar y myfyrwyr. Yn ystod ei flwyddyn gyntaf yn y neuadd, Emlyn Davies, tiwtor yn yr Adran Mathemateg, oedd y warden. (Roedd pennaeth y neuadd yn cael ei ethol i'r swydd gan ei gyd-fyfyrwyr tra oedd y warden yn aelod o staff a gâi ei benodi gan y Coleg.) Yn ddamweiniol, cafodd dynion Seiriol gyfle i gael *spec* ar ffeil darlithoedd Emlyn Davies: roedd y darlithoedd wedi eu rhannu'n daclus gan sylwadau ysgrifenedig megis: 'Pause for a joke with the boys.'

Dilynwyd Emlyn Davies fel warden gan y cerddor Heward Rees:

> Anaml iawn y byddem yn gweld Heward Rees o gwmpas yr hostel ond byddem yn ei ogleuo gan yr arferai smocio baco *Holland House* a byddai arogl hyfryd y baco i'w glywed tua hanner nos pan fyddai'r warden ar ei ddyletswydd olaf.

Cyn pen dim roedd dynion Seiriol am geisio efelychu os nad rhagori ar is-ddiwylliant enwog y George. Yn ôl John McBryde, roedd rhesymau doeth dros greu'r defodau a'r arferion arbennig hyn:

> Roeddynt yn gyfrwng i gael gwared o swildod, o gael yr hogiau newydd i deimlo eu bod yn perthyn ac roeddynt yn gyfrwng hefyd i ddynnu lawr ambell i lanc. Doedd llawer ohono yn ddim byd ond hwyl diniwed.

Ymysg arferion Seiriol roedd gwneud *raids* ar *y* neuaddau eraill, yn ystod y dydd yn achos hosteli'r merched, ac yn y nos ar Safle'r George. Fel arfer ceisid dwyn masgotiaid y neuaddau.

Yn ystod *roll call* olaf y flwyddyn yn Seiriol, byddai'n draddodiad i osod tasgau i ddynion y flwyddyn gyntaf, megis nôl llwch o'r iard goed yn y Borth, neu nôl baner deunawfed twll cwrs golff Bangor. Yr uchafbwynt, un flwyddyn, oedd nôl ebol o gae ger tafarn yr *Antelope* a mynd â fo i *well* y George!

Cyfeiria John McBryde at un achlysur pan oedd angen torri crib un o lanciau'r flwyddyn gyntaf. Am dri o'r gloch y bore dyma griw o ddynion Seiriol, wedi eu gwisgo fel y *Klu Klux Klan,* yn torri i mewn i ystafell wely'r hogyn, clymu ei ddwylo y tu ôl i'w gefn, a'i lusgo i lawr i ystafell gyffredin Seiriol. Fe'i rhoddwyd i eistedd mewn cadair a goleuwyd lamp gref i'w ddallu. Y cyhuddiad yn ei erbyn oedd iddo fentro tyfu barf i gystadlu â barf enwog pennaeth y neuadd, John McBryde! Fe'i dyfarnwyd yn euog o'r drosedd ddifrifol hon, a'i gosb oedd eillio ei farf efo *cut-throat razor* hen ffasiwn. Chwifiwyd y rasal o flaen y llanc druan. Diffoddwyd y golau. Ar yr union amrant tynnwyd darn o gardbord miniog ar draws gwddw'r troseddwr! Yn ddiweddarach cwynodd y llanc wrth ei rieni a bu "tipyn o helynt".

Nadolig 1966 dechreuwyd traddodiad ardderchog gan ddynion Seiriol, sef cynnal te parti i blant Ysgol Arbennig Treborth. Ond nid hynny oedd yr unig gyswllt â Threborth: "Roedd angen o leiaf ddwy goeden Nadolig ar gyfer pob un o'r tri llawr yn Seiriol, a bu ymweliadau â thir Treborth yn ystod y nos i ddiwallu'r angen!"

Yr unig adeg i ddynion y George a Seiriol gydweithio oedd i ddial ar weithwyr cwmni *Pochin* a oedd yn gweithio ar safle adeiladu ger y George wrth iddynt baratoi i godi trydedd neuadd breswyl ar y safle, sef Arfon. Bu'r gweithwyr yn ddigon annoeth i wneud sylwadau sarhaus am rai o'r myfyrwyr Cymraeg a oedd yn pasio'r safle. Yn ôl John McBryde:

> Dysgwyd gwers iddynt trwy i fyfyrwyr y George a Seiriol ymweld â'r safle yn ystod y nos a llenwi'r holl ffosydd oedd wedi eu paratoi ar gyfer y sylfeini.

Roedd ganddo atgofion melys iawn am Neuadd Seiriol: "Cofio'r hafau poeth a *Radio Caroline* wedi dechrau darlledu – torheulo ar do Seiriol a gwrando ar *Whiter Shade of Pale!*"

Roedd y Gymdeithas Gymraeg yn gref iawn yn y cyfnod hwn. Cynhelid gweithgareddau wythnosol, megis seiat holi, noson lawen a thwmpath dawns. Bu cryn gystadlu hefyd yn Eisteddfod y Coleg, a'r Eisteddfod Ryng-Golegol:

> Ffurfiwyd côr meibion i gystadlu ar *Tydi a Roddaist* a phender-fynwyd canolbwyntio ar yr *Amen* yn gyntaf, ond yn y gystadleuaeth aeth y tenoriaid allan o diwn ar y dechrau, a methu dod nôl i diwn tan yr *Amen*. Cafwyd gwell hwyl arni yn yr ail flwyddyn gyda *Llef* a mynd i Eisteddfod Mynydd y Cilgwyn ac ennill.

Roedd nifer o fyfyrwyr y Normal yn mynd i gapeli Bangor ar fore Sul: "Byddai galeri Tŵr Gwyn yn llawn o fyfyrwyr, a'r blaenoriaid yn cadw llygaid barcud arnom." Roedd mynd ar gyfarfodydd y *Student Christian Movement* (SCM) hefyd, ac arferid cynnal oedfa gan y myfyrwyr eu hunain yn y George cyn cinio dydd Sul. Cofia John McBryde fod y BBC wedi recordio rhaglen *Caniadaeth y Cysegr* o'r Normal ryw dro yn ystod y cyfnod hwn.

Caffi *Kit Rose* oedd cyrchfan poblogaidd y myfyrwyr yn ystod y dydd:

"Sawl porc pei Roberts gafodd ei fwyta i sŵn *Spanish Flea* a'i debyg ar y *Juke Box* yng nghaffi *Kit Rose?*" Gyda'r nos, y gyrchfan boblogaidd oedd tafarn y *Menai Vaults* ym Mangor Uchaf. Ar nos Sadwrn mwynheid sawl peint yn nhafarn y *Gwynedd* cyn mentro i lawr i'r *Senior Chinese Restaurant* ger y cloc: "Ychydig iawn o drafferth fyddai ym Mangor yn yr hwyr, a doedd dim ond angen i'r gwron PC Vaughan ymddangos ac roedd unrhyw wiriondeb yn diflannu."

Yn ystod tymor y gaeaf arferai John McBryde chwarae rygbi dros y Coleg, gyda gemau bob pnawn Mercher a Sadwrn. Chwaraeodd sawl gwaith yn yr *Humphs Cup*, ac, yn 1967, enillwyd y gwpan gan y Normal gyda John McBryde ei hun yn cicio'r ddwy gic gosb dyngedfennol i ddod â'r sgôr yn chwech i dri.

Dros y Pasg byddai tîm rygbi'r Normal yn teithio i dde Cymru ac yn chwarae yn erbyn timau fel Aberhonddu, Glyn-nedd a Phen-y-bont. Cofia am un daith pan chwaraewyd yn erbyn Coleg Maudsley yn Swydd Stafford:

> Aethpwyd ati ar ôl y gêm i fwynhau rhyw beint neu ddau ac wedyn i hel *souvenirs* o'r dafarn. Ond cawsom ein dal ac aethpwyd â thri ohonom i'r ddalfa. Yn ffodus iawn roedd Prif Gwnstabl Swydd Stafford – Arthur Rees – yn f'adnabod yn dda gan ei fod yn gadeirydd tîm rygbi gogledd Cymru a minnau'n chwarae'n rheolaidd i'r tîm hwnnw. Bu'n rhaid ymddangos o flaen y Prifathro ac anfon llythyr o ymddiheuriad i berchennog y dafarn, Mr John Shufflebotham.

Roedd safon y chwaraeon yn uchel iawn yn y cyfnod hwn oherwydd, yn marn John McBryde, nad oedd myfyrwyr wedi dechrau'r arferiad o fynd adref ar y penwythnos (yn groes felly i safbwynt Elwyn Jones-Griffith a May Castrey), a hefyd oherwydd bod staff yr Adran Addysg Gorfforol, yn arbennig Harry Lloyd, yn mynnu ac yn llwyddo i gael ymroddiad llwyr i'r chwaraeon:

> Roedd yna hwyl, roedd yna fwynhau ac mae'n siŵr mai dyna oedd un o gyfnodau euraidd olaf y Coleg Normal – canol y chwedegau – cyn i'r niferoedd ostwng ac i'r cyrsiau newid.

• • •

Mae **Hefin Parry** (brawd Anne Parry-Jones uchod), Llanberis (1966–69),[16] yn ategu sylwadau John McBryde am ragio'r glas yn Neuadd Seiriol: "Dwi'n cofio ni'n gorfodi fy ffrind i fynd allan i chwilio am geffyl gwyn a dod â fo i'r neuadd cyn y bore. Gorfodid ffrind arall i fynd i chwilio am faw ceffyl mewn pwced. Y ddau'n mynd allan yn bryderus, a ninnau i'n gwlâu. Yn oriau mân y bore deffro i sŵn mawr, edrych drwy'r ffenestr a gweld ceffyl gwyn yn cael ei arwain at y drws a fy ffrind arall, John Walters, yn dilyn â phwced o dan ben ôl y ceffyl. Chwerthin a chyffro mawr fu hi wedyn!"

HELYNT YR YSTAFELLOEDD AGORED

Amlygwyd gwrthdaro rhwng y myfyrwyr ac awdurdodau'r Coleg yn y Cyfnod Cynnar gan streic y myfyrwyr yn 1890 ac yn y Cyfnod Canol gan achos Sheila Davies yn 1953. Nid oedd y Cyfnod Olaf chwaith heb ei drafferthion. Ond roedd gwahaniaeth y tro hwn wrth i'r Coleg lwyddo i osgoi cyhoeddusrwydd. Yr ymgyrch a ddatblygodd i sefydlu 'ystafelloedd agored' oedd achos y gynnen rhwng y myfyrwyr a'r awdurdodau.[17]

Cyfeiriwyd yn barod at gwynion a fynegwyd gan rai myfyrwyr yn y Cyfnod Olaf ynglŷn â rheolau caeth y neuaddau preswyl, yn arbennig rhai'r merched. Cafwyd hefyd ambell erthygl yn y *Normalydd* yn cwyno am y rheolau hyn. Er enghraifft, yn rhifyn Gaeaf 1963, mewn erthygl dan y pennawd *To Make you Think,* mae myfyriwr dienw'n cymharu rheolau neuaddau preswyl colegau hyfforddi Lloegr â rhai'r Normal, ac yn dod i gasgliad sy'n adleisio dadleuon George Thomas yn Nhŷ'r Cyffredin yn 1953:

> I can think of no valid reason for the restrictions under which we live at this college, in fact I consider some of them contrary to the aims of education.

Mae'n deg cydnabod bod awdurdodau'r Coleg wedi ceisio hyrwyddo peth cyfathrach rhwng y dynion a'r merched yn ystod y 1950au a'r 60au, a hynny drwy gyfrwng *conversazione.* Dan y trefniant hwn rhoddwyd cyfle i ferched gyfarfod â dynion y George yn ystafelloedd cyffredin neuadd-au'r merched, i fwynhau sgwrs a phaned, a hyd yn oed i ddawnsio i gyfeiliant recordiau. Fodd bynnag, byddai aelodau'r staff hefyd yn bresennol yn y cyfarfodydd hyn ac yn cadw llygaid barcud ar yr holl sefyllfa! Byddai'r *conversazione* yn cael ei gynnal unwaith neu ddwy-waith y flwyddyn, yn nhymor yr haf fel arfer.

Bu helynt yr ystafelloedd agored yn saga hir a ddechreuodd ym mis Mai 1965 gyda chais gan y myfyrwyr mewn llythyr gan lywydd Cyngor y Myfyrwyr (CYM) i'r Prifathro, Edward Rees, yn gofyn am ganiatâd i fyfyrwyr ymweld â'i gilydd yn eu hystafelloedd preifat yn y neuaddau preswyl, sef i fabwysiadu polisi 'ystafelloedd agored'. Ar 10 Mai 1965 bu'r wardeiniaid a'r *Board* (sef cynrychiolwyr o blith staff academaidd y Coleg, dan gadeiryddiaeth y Prifathro) yn trafod y cais. Penderfynwyd yn unfrydol i'w wrthod gan nodi y byddai mabwysiadu polisi ystafelloedd agored yn achosi sŵn ac ymddygiad afreolus. Ceir ymdeimlad o ddifrifoldeb y sefyllfa yn y dyfyniad hwn o'r cofnodion:

> Mr Douglas Williams [Pennaeth yr Adran Gelf]: On moral grounds he is against it and his responsibility as parent and as a tutor cannot be separated.

Ym mis Ionawr 1966 daeth cais arall llai 'chwyldroadol' gan y myfyrwyr, y tro hwn am i oriau agored ystafelloedd cyffredin y neuaddau gael eu hestyn, er mwyn rhoi mwy o gyfle i'r dynion ymweld â'r merched. Yn ei lythyr, ar ran y *Students' Representative Council*, noda'r llywydd, E. F. Boyd, "the requested extensions do not interfere with hostel P.S. times", a bod caniatâd eisoes i fyfyrwyr fynychu dawns nos Sadwrn a dychwelyd i'r neuaddau mor hwyr â 12.15 a.m. Ond, os nad oedd myfyrwyr am fynychu'r ddawns ac am gymdeithasu yn yr ystafelloedd cyffredin, roedd rhaid iddynt adael y neuaddau erbyn 10.30 p.m. fan bellaf. Meddai'r llywydd:

> This does not seem entirely fair to us. Again it is surely far more desirable that friends be invited into a hostel common-room at this time than linger outside.

Cyfarfu'r wardeiniaid a'r dirprwy brifathrawon i drafod y cais ddiwedd Ionawr 1966, a'r tro hwn roeddynt yn barod i gyfaddawdu a chaniatáu i'r dynion aros hanner awr yn hwyrach ar noson waith a nos Sul (tan 10.30 p.m.), ac estyn hyn o hanner awr ar nos Sadwrn (tan 11.00 p.m.).

Erbyn mis Mai 1966 roedd y myfyrwyr unwaith eto'n pwyso ar yr awdurdodau i ddiwygio eu polisïau. Anfonodd llywydd newydd y *Students' Representative Council* lythyr pellach at y Prifathro. Ynddo mae'n cyfeirio at anniddigrwydd ymysg y myfyrwyr oherwydd amharodrwydd awdurdodau'r Coleg i weithredu polisi ystafelloedd agored. Ychwanega fod pleidlais gudd wedi ei chynnal ar y mater ymysg y myfyrwyr, gyda 604 yn pleidleisio o blaid newid a 60 yn erbyn:

> This, Sir, is as accurate an assessment of student opinion as we can devise and accordingly I request that a policy of "open rooms" be considered.

Fodd bynnag, yn eu cyfarfod ddiwedd Mai nid oedd y wardeiniaid na'r

Board yn barod i gytuno â'r cais "on the grounds that since the last time when this request was last brought to us neither have the circumstances nor our opinioms changed in any way". Wrth ei wrthod, ychwanegir bod angen gwahardd rhagor o geisiadau o'r math hwn.

Ymateb y myfyrwyr oedd gwneud cais eto am fabwysiadu polisi ystafelloedd agored, a hynny trwy lythyr ar 3 Rhagfyr 1966 yn enw Richard E. Jones, Llywydd y *Students' Union*, corff a olynodd y *Students' Representative Council*. Mewn llythyr hir mae'r Llywydd yn cyfeirio at chwerwder y myfyrwyr ynghylch amharodrwydd y Coleg i ymateb yn ffafriol i gyfres o geisiadau i weithredu polisi ystafelloedd agored. Gofynnir sawl cwestiwn treiddgar, gan gynnwys:

- If the parents of a large percentage of the College students allow members of the opposite sex to visit their sons and daughters in their homes, why must this be restricted in the Normal College?
- It is known that open rooms have been granted in most colleges, many of which also possess union buildings where students can be entertained. The Normal College can boast of neither. Is this fair?
- If local opinion is feared, why is this factor never related to the University College's granting of this privilege?

Cwyna'r Llywydd yn hallt am y diffyg ymddiriedaeth yn y myfyrwyr gan y Coleg a chyflwynodd gais i gynnal cyfnod prawf ar gynllun ystafelloedd agored yn ystod tymor y Gwanwyn 1967.

Cyfarfu'r wardeiniaid a'r *Board* i drafod y cais hwn ddiwedd Ionawr 1967. Y tro hwn caniatawyd i bum cynrychiolydd o blith y myfyrwyr fod yn bresennol. Cafwyd trafodaeth frwd – "much discussion took place" – ar sail cais y myfyrwyr i gynnal cyfnod prawf ar oriau penodol (rhwng 8 p.m. a 10.30 p.m. yn ystod yr wythnos a rhwng 2 p.m. a 10.30 p.m. ar y Sadwrn a'r Sul). Yn ddigon diniwed, roedd y myfyrwyr hefyd wedi addo na fyddai unrhyw gais i estyn y cynllun ymhellach: "nothing further could ever be requested by future students". Addawodd y myfyrwyr y byddent yn goruchwylio'r cynllun gan sicrhau "that whatever rules would be enforced would be adhered to". Parhawyd â'r drafodaeth ar ôl i gynrychiolwyr y myfyrwyr adael. Ni ddaethpwyd i unrhyw gasgliad terfynol ond cytunwyd gydag awgrym craff gan y Prifathro i gylchlythyru rhieni'r myfyrwyr i gael eu barn hwy ar y mater – ar y dealltwriaeth na fyddai disgwyl i staff oruchwylio unrhyw gyfnodau agored!

Erbyn mis Mawrth 1967 roedd y Prifathro'n gallu adrodd fod ymgynghoriad â'r rhieni wedi digwydd, a bod 478 o'r 511 y danfonwyd yr

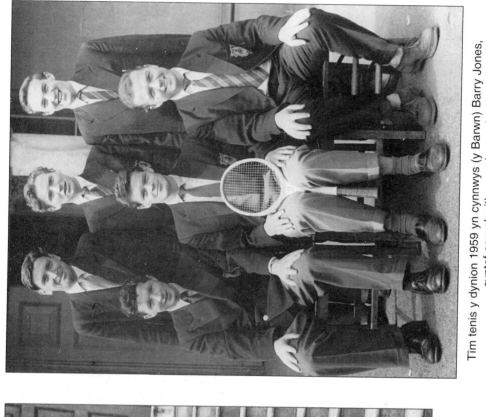

Tîm tenis y dynion 1959 yn cynnwys (y Barwn) Barry Jones,
cyntaf ar y chwith yn y rhes gefn

Côr Madrigal 1957–59
Yn y blaen, Ryan Davies; *ail res (o'r chwith)*: Doreen Peters a
Cathryn Parry; *trydedd rhes*: Non Jones ac Anne Williams;
rhesi cefn: ansicr

Dynion yr *Annexe* 1959–60

rhes gefn (o'r chwith): John Ll. Williams, David Jones, Terrance Vaughan;

rhes ganol: Denis Jones, Geoff Griffiths, Bill Rogers, Ivor Pritchard, Merfyn Douglas Jones, David Meredith, Ken Williams;

rhes flaen: Phillip Parry, Elwyn Jones-Griffith, David Meredith (HTV), Ken Morgan, David Williams

Seibiant smôc rhwng dwy ddarlith yn 1963 i ddynion y grŵp cyfrwng Cymraeg, y mwyafrif ohonynt ar gwrs 1961–64 a rhai ar gwrs 1960–63

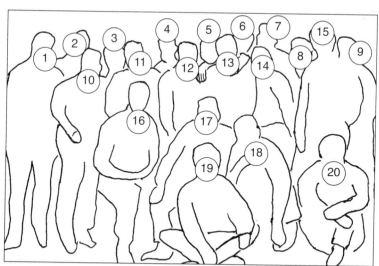

1–Thomas Prys Jones, Llangybi; 2–Dafydd Jones, Nefyn; 3–Vincent Roberts, Bethesda; 4–Gwilym Edwin Williams, Mynydd Llandegai; 5–John Bellis, Coedllai; 6–Gwynfor Williams, Pwllglas; 7–Berwyn Roberts, Penrhyndeudraeth; 8–Aneurin Prys Jones, Penrhyndeudraeth; 9–Gwyndaf Roberts, Tudweiliog; 10–Owen Gwilym Jones, Llithfaen; 11–Emrys Patrick Owen, Nanhoron; 12–Donald Glyn Pritchard, Pentre Berw; 13–Eurwyn Williams *(Wil Port)*, Porthmadog; 14–Trygarn Arwyn Hughes, Abererch; 15–Robin James Jones, Dolwyddelan; 16–John Roberts, Rhosgadfan; 17–Robert Gapper, Trefor; 18–Geraint Lloyd Jones, Penrhyndeudraeth; 19–Dennis Williams, Trefor; 20–Alun Roberts, Capel Iwan

Parti Nadolig 1963 yn Neuadd Alun gyda'r Warden Miss Theodisia Cambridge

Myfyrwyr 1963–66 ar risiau'r George
o'r chwith: Wil Lloyd Davies, Gerallt Lloyd Owen,
Trefor Bertram Owen (*Mills*), Edward Morus Jones,
John Charles Owen, Walter Glyn Davies,
William Henry Owen (*Wil Hen*)

Edward Morus Jones,
John Roberts a
Gwyndaf Roberts, y
tri duw mewn
cynhyrchiad 1966 o *Y
Ferch Dda o
Sechwan*, addasiad
Huw Lloyd Edwards o
ddrama Bertolt
Brecht, *Der gute
Mensch von Sezuan*.
Cyfarwyddwyd y
ddrama gan Edwin
Williams

Walter Glyn Davies
(1963–66) yng
nghwmni John
Phillips ac
Yncl Huw,
sef y gofalwr
Huw Owen

Côr Meibion myfyrwyr 1964–67

rhes flaen (o'r chwith): (llysenwau), Tangnefedd, Gwil, T.V., Ieu, Dic, Daf, Ray, Rhys, Coch, Twrog, Dic, John; *rhes ganol:* Charlie, Ifan, Brian, Ifan, Alun, Wil, Ger, Buckley, Colin, Mac, Hywel, Ken, Jac Êl, Ellis, Geraint, Mills, Huws, Glyn, Vic; *rhes gefn:* Lodge, Sythe-Jones, Eryl, Parry, Huw, Mike, Owain, Evans, –, Dic, Eric, Wil, Billy

Tîm rygbi tymor 1964–65

yn eistedd (o'r chwith): Ray Beech, David Evans, Terry Bryer, Gareth Jones, Angus Dunphy, Bryn Davies, Brian Watkins, Mr J. Bryn Davies; *rhes ganol:* Ian Macleod, Mike Flynn, Paul Strickland, Llew Morris, Alan Beaumont Jones, Gwilym Antur Edwards, Ieuan H. Jones, Chris Reynolds; *rhes gefn:* John McBryde, Rhun ap Harri, Alun Kenwrick Williams, Richard Gwyn Jones (hyfforddwr), Jonathan Topham

Staff a myfyrwyr Neuadd Ardudwy 1965, gan gynnwys masgot ar ffurf aderyn a enwyd ar ôl y warden cyntaf, Harold Stanley-Jones, gyda'r llysenw *Birdie*. Yr enw anffurfiol ar y Neuadd oedd *The Cage*. Dyma'r merched cyntaf i fyw yn Ardudwy: 'the first birds in the Cage'. *rhes flaen (o'r chwith)*: Mrs Morris (gofalwr), Joan Lloyd, Rosemary Fisher, Sarah, Mrs Gwladys Windor (warden), Glenys, Margaret, MrsThomas (glanhawraig); *rhes ganol*: Elizabeth Jeffrey Jones (Betty), Jacquie Lloyd, Sandra Jones, Eirwen Evans, Catrin Jones, Gwyneth Foulkes, Ann Jane Jones, Annwen Evans, Eifiona Ashton, Anna Jones, Carol Williams; *rhes gefn*: Elsa Morris, Jennifer Bennett, Mary Hughes, Gillian Lewis, Annwen Thomas, Gaynor Edwards, Beryl Ashton, Nita Thomas, Megan Evans, Ruth Evans

Triawd y Normal –
Caryl Williams,
Edward Morus Jones a
Margaret Davies – yn
difyrru'r gynulleidfa yn y
Castle Hotel, Bangor
c.1965

Cyngerdd codi arian at
gyhoeddi cyfrol
farddoniaeth gyntaf
Gerallt Lloyd Owen,
Ugain Oed a'i Ganiadau

Paratoi ar gyfer noson
yn Neuadd John Phillips
1966:
Sandra Evans (ar y
chwith) a
Margaret Davies, aelod
o Driawd y Normal

CYNGERDD - CONCERT

Neuadd John Phillips, Bangor
yn — at

NOS FERCHER, RHAGFYR laf, 1965
gan — with

RITCHIE THOMAS, Tenor

CARYS PUW, Soprano

TREFOR AC ALWYN SELWAY

TRIAWD Y NORMAL

Cyfeilydd—WALTER DAVIES

I ddechreu am 7-30   To Commence at 7-30

TOCYN-5s   **TICKET-5s.**

Cofeb ymweliad y *Beatles* â'r Coleg yn 1967

Cast a chriw *Amser Dyn* gan Dr John Gwilym Jones, sef aelodau'r Gymdeithas Ddrama 1980–81,
y rhan fwyaf ohonynt yn dilyn y cwrs Cyfathrebu

rhes flaen (o'r chwith): Owain Glyn, Dafydd Rhys, Linda Williams, Bethan Dwyfor, Ceren Lloyd (née Roberts), Rhian Mair Jones,
Tony Llewelyn, Rhun Griffith; *rhes gefn:* Harry, Carys Edwards (née Richards), John Clifford Jones, Garfield Lloyd Lewis, Bobby Arfon,
Huw Vaughan Roberts, Angharad Mair, Gaynor Howells, Ianto

Merched blwyddyn olaf Neuadd Eryri 1980–81 gyda'r warden

rhes flaen (o'r chwith): Gaynor Davies, Sioned Pritchard, Mrs Parry (warden), Menna Jones, Ceren Hughes; *rhes gefn*: Mallt Davies, Karen Roberts, Janet Parry, Anwen Edwards, Gwenda Evans, Elen Williams, Beti Ffrancon, Siân Eirian Hughes, Nia Wyn Roberts

Sel Williams yn cyflwyno myfyrwyr i rai o ryfeddodau natur ar gampws y Coleg *c.*1985

Cledwyn Hughes a John Arwel Edwards yn tywys myfyrwyr i fyd mapiau *c.*1985

Parti Nadolig 1994
Myfyrwyr yn parhau traddodiad hir o ddiddanu plant ysgolion arbennig lleol

Pethau'n poethi: tân yn rhuo trwy do y *Central Block* ar 3 Ebrill 1995

Y Côr Merched ar lwyfan Eisteddfod yr Urdd yn 1995 dan arweiniad Delyth Rees

Yn dilyn y tân yn 1995 ailagorwyd y *Central Block* ar 31 Mai 1996 a'i fedyddio gan yr Arglwydd
Cledwyn o Benrhos yn Adeilad Hugh Owen
Dan arweiniad Delyth Rees ac i gyfeiliant Ann Hopcyn, diddanwyd y gynulleidfa
gan y Côr Merched

Matilda Longfield Vaughan,
y myfyriwr olaf i dderbyn
gradd trwy'r Coleg Normal,
Gorffennaf 1996

Menai Williams (ar y dde), "Brenhines y Coleg",
gyda'i chwaer, Nesta Davies, gweddw Dr Jim

Pedwar o'r Prifathrawon ar achlysur ailagor yr Hen Goleg, Chwefror 1994
o'r chwith: Gareth Roberts, Jim Davies, Edward Rees, Ronald Williams,
gyda cherflun o'r Prifathro cyntaf, John Phillips, yn y cefndir

holiadur atynt wedi ymateb, sef canran arbennig o uchel o 94 y cant. O blith y pleidleiswyr roedd 159 o blaid newid y polisi a chynifer â 319 yn erbyn. O ganlyniad, roedd y Prifathro'n gallu dweud nad oedd yn bosibl gwneud dim pellach ynglŷn â'r mater, ac y byddai'n cyflwyno'r wybodaeth hon i'r myfyrwyr. Mewn llythyr at rieni ychwanega, "many [parents] expressed their appreciation of the action of the College in consulting [them] on this question".

Mae'n debyg fod y dacteg gyfrwys hon gan Edward Rees wedi llwyddo i dynnu'r colyn o ddadl y myfyrwyr druan. Dyma atgof un fyfyrwraig a oedd yn y Coleg yr adeg hon, sef **Siân Longfoot (née Wyn Jones)** (1967–69).[18] Ar y pryd roedd hi'n lletya yn Neuadd Arfon ar Safle'r George ac aeth â chylchlythyr y Prifathro adref i'w mam gael ymateb iddo. Credai Siân Longfoot, fel sawl myfyrwraig arall, mae'n debyg, y byddai ei mam yn cytuno â diwygio'r polisi. Er mawr syndod iddi, roedd ei mam yn wrthwynebus i unrhyw newid yn y drefn, gan ddadlau nad oedd yr hyn y gofynnwyd amdano gan y myfyrwyr yn weddus!

O ganlyniad i hyn oll, cytunodd llywodraethwyr y Coleg yn 1969 i ohirio penderfyniad ar y mater o ddiwygio'r polisi ystafelloedd agored hyd nes byddid wedi penodi Prifathro newydd i olynu Edward Rees erbyn mis Medi y flwyddyn honno.

O gofio'r holl helynt blaenorol, braidd yn annisgwyl efallai oedd penderfyniad y llywodraethwyr ym mis Rhagfyr 1969 i dderbyn, yn hollol ddidrafferth, argymhelliad y Prifathro newydd, Dr Jim Davies, i ddiwygio'r polisi a dod â'r hen drefn i ben. Roedd y Prifathro'n hen law ar drin pwyllgorau, ac, fel tad i ddwy o ferched, yn argyhoeddedig fod angen i'r Coleg symud efo'r oes, gan gynnwys gweithredu polisi ystafelloedd agored. Felly, o 1969 ymlaen, wele ganiatâd i ymwelwyr aros yn ystafelloedd preifat myfyrwyr yn y neuaddau preswyl tan 10.30 p.m. ar noson waith a nos Sul, a hyd at 12.15 a.m. ar nos Sadwrn. Bellach, nid y wardeiniaid fyddai'n goruchwylio ymadawiad yr ymwelwyr gwryw-aidd; gadawyd hynny i'r fyfyrwraig ar ddyletswydd. Byddai'r fyfyrwraig hon yn canu'r gloch i rybuddio ymwelwyr i ymadael, ac, ar ôl sicrhau eu bod wedi mynd o'r neuadd, ei chyfrifoldeb olaf fyddai cloi'r drws allan a dychwelyd yr allwedd i'r warden.

O dipyn i beth gwelwyd rhagor o lacio ar oriau aros allan o'r neuaddau, ac erbyn canol y 1970au roedd caniatâd i'r myfyrwyr aros allan tan dri o'r gloch y bore, a chyfrifoldeb y porthor druan oedd agor drysau'r neuaddau i adar y nos gael clwydo. Erbyn diwedd y 1980au, y myfyrwyr eu hunain oedd yn gweithredu fel wardeiniaid ac erbyn hyn roedd y neuaddau yn rhai cymysgryw. Do, daeth tro ar fyd!

Dyfal donc a dyrr y garreg, a does dim dwywaith mai'r myfyrwyr a orfu yn y frwydr hir i lacio rheolau caeth neuaddau merched y Normal. Wrth edrych yn ôl ar helynt yr ystafelloedd agored mae'n bosibl fod y tri Phrifathro, yn eu tro, wedi trafod y broblem mewn ffyrdd tra gwahanol oherwydd y gwahaniaethau rhyngddynt fel personoliaethau. Wrth gwrs, roedd yr amgylchiadau roedden nhw'n gweithredu ynddynt yn wahanol hefyd. Roedd Dr Richard Thomas yn ymwybodol iawn ei fod *in loco parentis,* sef bod ganddo ef, a wardeiniaid y neuaddau merched yn arbennig, gyfrifoldeb am les a buchedd y merched dan eu gofal. Roedd Edward Rees yn fwy hyblyg, ac yn barod i wrando ar lais rhieni'r merched drwy gyfrwng yr holiadur tra'n ceisio cadw'r ddysgl yn wastad efo'r wardeiniaid yr un pryd, gan gofio fod rhai ohonynt yn fatriarchaidd iawn! Pragmatydd oedd Dr Jim Davies, yn barod i newid efo'r oes ac yn ymwybodol fod y bleidlais gan fyfyrwyr deunaw oed erbyn hynny. Efallai ei fod yn haws iddo ef, hefyd, gan fod rhai o'r wardeiniaid mwyaf matriarchaidd bellach wedi ymddeol a bod llai o wrthwynebiad i fab-wysiadu polisi ystafelloedd agored o ganlyniad.

PIGION O'R *NORMALYDD* 1963–66

Yn rhifyn Gaeaf 1963 cyfeirir at lwyddiant sefydlu corff unedig Cyngor Cynrychioliadol y Myfyrwyr (*Students' Representative Council*) i gynnwys dynion a merched efo'i gilydd am y tro cyntaf. Mewn undod mae nerth, a gwneir apêl yn y rhifyn i gynnal rhagor o drafodaethau efo awdurdodau'r Coleg i sicrhau mwy o freintiau i fyfyrwyr y Normal, fel a drafodwyd uchod.

Yn y rhifyn hwn ceir llawer o gyfeiriadau at agor Neuadd John Phillips, adnodd pwysig yn hanes bywyd diwylliannol a chymdeithasol y Coleg. Dyma argraffiadau'r fyfyrwraig Sarah Owen o'r neuadd newydd:

Teimlad od oedd cerdded i mewn i Neuadd John Phillips am y tro cyntaf . . . Y Gymdeithas Gymraeg a gafodd y fraint honno. Cerddai pawb i mewn yn ysgafn eu traed, y merched i gyd yn eu sgidiau fflat a gwnai Yncl Huw [y porthor[19]] yn siŵr na anafwyd y llawr gan un sawdl stileto.

Ymysg adroddiadau'r cymdeithasau yn y rhifyn cyfeirir at Gymanfa Ganu lwyddiannus a gynhaliwyd ar ddechrau Tymor y Nadolig gyda Peleg Willliams yn arwain.

Roedd y tîm pêl-droed yn cael tymor eithaf llwyddiannus, wedi chwarae pedair gêm ar ddeg, gan ennill deg a cholli pedair. Llwyddodd saith o ddynion y Normal i gael eu dewis i chwarae i dîm *Peritus*: Bob Gapper (golygydd Cymraeg y *Normalydd* 1962–63), Bob Hughes, Cemlyn Jones, Bob Munston Jones, Arwel Pierce, Elfed Price a Dic Roberts (capten y tîm, ac, yn ddiweddarch yn ei yrfa, Cyfarwyddwr Addysg *Prince Edward Island*, Canada).

Yn rhifyn Gaeaf 1965 ceir erthygl Saesneg gan fyfyriwr dienw dan y pennawd *Bangor College* sy'n beirniadu'n llym y modd yr oedd y Coleg, yn ei dyb ef, yn methu paratoi'r myfyrwyr ar gyfer addysgu. Dyma sylw sy'n nodweddiadol o'i ysgrif:

> We are told that we must make our lessons interesting . . . yet so often are we struggling to merely keep awake during the lectures!

Yn yr un rhifyn, ceir erthygl sy'n feirniadol iawn eto, wedi ei hysgrifennu yn Gymraeg y tro hwn, gan Celt Roberts. Ynddi mae'r awdur yn cyfeirio at fyfyrwyr di-Gymraeg y Coleg ac yn dweud nad oedd rhai ohonynt yn or-gyfeillgar â'r myfyrwyr Cymraeg eu hiaith:

> Yn y pen pellaf o'r ystafell [sef caffi *Humphs*] roedd criw o Saeson yn eistedd. Nid oedd rhaid eu gweld i wybod eu bod yno. Rhwng y chwerthin-gwneud Saesneg, y siarad mor acennog Seisnig a'r moesgarwch seicolegol ni allwn beidio â gwybod eu bod yno.

Â yn ei flaen i adleisio pryder a fynegwyd yn y bennod flaenorol gan rai fel Idwal Lloyd (1930–32) ac Ifor Owen (1933–35) mewn cenhedlaeth gynt fod yr iaith Saesneg yn llygru Cymraeg llafar y myfyrwyr. Meddai, "Yn ôl pob golwg rydym ninnau wedi mynd i'r mwd [*sic*] o hanner siarad Cymraeg a hanner siarad Saesneg."

Pryder tebyg sy'n cael ei fynegi gan 'WHO' mewn erthygl yn yr un rhifyn o'r *Normalydd* dan y pennawd *Cymreigrwydd ein Coleg*. Mae'r awdur yn cwyno mai Saesneg yw prif iaith y Coleg honedig Gymraeg, "am fod y Cymry yn rhy ddifater ac yn anghofio eu Cymreigrwydd". Mae'n apelio ar i fyfyrwyr Cymraeg y Coleg hyrwyddo'r iaith y tu mewn i'r Coleg, yn ogystal â'r tu allan iddo.

Eto, yn rhifyn y Gaeaf 1995 o'r cylchgrawn, ceir ymosodiad llym gan Maureen Whetton ar ragio'r glasfyfyrwyr:

> It is discouraging to see the appetite for power which some students show during the ragging, particularly when it is realized that the same people will soon have control over a class of children . . . traditions die hard and ragging is certainly one that we can do without.

Yn yr un rhifyn y mae Is-Olygydd y *Normalydd,* Gerallt Lloyd Owen, yn holi Huw Lloyd Edwards am fyd y ddrama. Dewisodd Sophocles, Anouilh a Saunders Lewis fel y tri dramodydd oedd wedi cael y dylanwad mwyaf arno. O gofio fel mae'r ddrama bellach wedi cael ei hesgymuno o'r Cwricwlwm Cenedlaethol yn ein hysgolion, perthnasol yw nodi sylw Huw Lloyd Edwards ynglŷn â lle allweddol y ddrama ym myd addysg fel rhan hanfodol o hyfforddiant darpar-athrawon:

> Yr wyf o'r farn y dylai 'Drama' fod yn destun gorfodol mewn Coleg Hyfforddi. Ni allaf feddwl sut y gall unrhyw athro ddysgu plant heb ddefnyddio rhyw fath o ddull dramatig.

Yn rhifyn Haf 1966 y *Normalydd* ceir ysgrif ddifyr gan Gwyneth Morus Jones (née Morris), gwraig Edward Morus Jones yn ddiweddarach, yn disgrifio adeg paned prysur iawn, rhwng darlithoedd, yn un o gaffis Bangor Uchaf (*Humphs* tybed?):

> I fyny'r grisiau ar garlam, trwy'r drws ac i fyny mwy o risiau. Dyna olygfa! Ar y dechrau gellir credu mai copa'r Wyddfa ar ddiwrnod niwlog ydyw. Ond wedi arfer efo'r mwg, gwelir canolfan foreol gymdeithasol y Coleg ar ei orau . . . Ceir dadlau brwd yn un cornel – ar wleidyddiaeth hwyrach – a thrafodaeth chwaethus ar 'Nos Sadwrn diwethaf' mewn cornel arall.

Ymysg penawdau newyddion y Coleg ceir cyfeiriadau at: lwyddiant ysgubol yr Eisteddfod Golegol a gynhaliwyd yn y JP; llwyddiant Gerallt Lloyd Owen a Mair Owen yn ennill Ymryson Areithio'r BBC a chipio Brysgyll *Y Cymro* y flwyddyn honno; ymddeoliad Theodosia Helen Cambridge, a fu yn y Normal am ddeunaw mlynedd yn darlithio, yn bennaf yn yr Adran Wyddor Tŷ, ac a fu hefyd yn warden ar Neuaddau Eryri, Hafren ac Alun; ymddeoliad Ernest Roberts, brodor o Fethesda, a fu am flynyddoedd yn Gofrestrydd y Coleg ac yn Ysgrifennydd y llywodraethwyr; agor y gampfa newydd i'r dynion; llanast ar Safle'r George wrth i Gwmni Pochin godi Neuadd Arfon; cychwyn gwasanaeth bws rhad ac am ddim i gludo'r myfyrwyr rhwng y Coleg Uchaf a Safle'r George.

O ddarllen y nodiadau gan ysgrifenyddion gwahanol gymdeithasau'r Coleg, gwelwn fod y Gymdeithas Gymraeg wedi mwynhau tymor difyr iawn, gan gynnwys cyfarfod i groesawu ymwelwyr o Batagonia, nosweithiau llawen, eisteddfodau, a *Lobsgows,* sef cyfraniadau gwreiddiol gan amrywiol fyfyrwyr talentog.

Roedd Clwb Mynydda bellach wedi ei sefydlu yn y Coleg, a cheir adroddiad gan yr Ysgrifennydd, John Roberts, am ymweliadau â mynyddoedd Eryri ac Ardal y Llynnoedd. O gofio bod rhai o fyfyrwyr y Normal yn arfer mynydda mor fuan â'r 1930au (gweler hanes Ifor Owen yn mynydda yn Nyffryn Ogwen) mae'n drawiadol bod rhaid aros tan 1966 i weld sefydlu Clwb Mynydda. Atega hyn sylwadau Dewi Jones mai gweithgaredd hamdden cynnyrch ysgolion bonedd oedd mynydda yn y dyddiau cynnar:

> Aelodau o'r dosbarth uwch oedd y mynyddwyr cynnar Prydeinig yn ddieithriad ac felly y bu hyd at y blynyddoedd a ddilynodd y Rhyfel Byd Cyntaf . . . Derbyniodd Y Clwb Alpaidd 823 o aelodau rhwng 1857 ac 1890 a phob un ohonynt o deuluoedd dosbarth canol ac wedi derbyn addysg prifysgol. Dyma'r bobl oedd yn mynd i chwilio am berygl.[20]

Hyd yn oed yn y 1980au pan oedd prif gwrs Addysg Awyr Agored yn cael ei gynnig yn y Normal, ychydig iawn o bobl ifanc o Gymru fanteisiodd ar y cyfle hwn.

Cafodd y Clwb Rygbi dymor llwyddiannus iawn yn 1966 gan ennill pob gêm, heblaw am yr un yn erbyn Coleg Hyfforddi Caer. Mynd o nerth i nerth hefyd oedd hanes y Clwb Pêl-droed gyda'r Coleg bellach yn llwyddo i gynnal pum tîm. Roedd pump o ddynion y Normal – Cemlyn Jones, Alan Caughter, Arwel Pierce, Hefin Jones a John Jones – wedi eu dewis i chwarae i dîm *Peritus* a enillodd Gwpan Amatur Gogledd Cymru, gan drechu Rhuthun o bedair gôl i un mewn gêm ailchwarae. Ac o sôn am bêl-droed, rhaid peidio ag anghofio cyfeirio at yr enwog *Gym Gym XI* (y tîm bu Edward Morus Jones yn chwarae iddo): ceir disgrifiad bywiog o gêm fwdlyd yn erbyn Ysgol Brynrefail a thîm y *Gym Gym* yn colli o dair gôl i un.

GWTHIO'R FFINIAU YN Y 1960au

Mae'r tair enghraifft a ganlyn yn nodweddiadol o fyfyrwyr yn ceisio gwthio'r ffiniau yn erbyn yr awdurdodau. Wrth edrych yn ôl, digon diniwed a braidd yn blentynnaidd yw'r gweithgareddau ond mae'n debyg iddynt ymddangos yn ddigon beiddgar ar y pryd.

• • •

Roedd cryn fynd ar *blind dates* yn ystod Wythnos y Glas yn y 1960au cynnar. Yr arferiad oedd i ferched y flwyddyn gyntaf gael eu gwahodd i sefyll o flaen Neuadd Dyfrdwy erbyn 6.30 p.m. ar noson arbennig i ddisgwyl ymweliad gan eu *blind date*, sef un o ddynion y flwyddyn gyntaf. Fodd bynnag, byddai dynion yr ail a'r drydedd flwyddyn, a oedd bellach yn gyfarwydd â'r drefn, yn cael y blaen arnynt gan ddod draw i *Top Coll.* ychydig cyn yr awr ddisgwyliedig er mwyn cael y dewis cyntaf ar y genethod mwyaf 'handi'!

Roedd y traddodiad o ddod â *souvenir* yn ôl o'r *blind date* i'w arddangos i'w cyd-fyfyrwyr yn parhau. Cofir hanes Richard Jones o gyfnod cynt a fachodd hosan gan ei gymar. Fodd bynnag, erbyn y *swinging sixties* roedd y disgwyliadau wedi codi, ac, o ganlyniad, byddai Ystafell Gyffredin y George wedi ei haddurno am ddyddiau wedi noson y *blind date* efo eitemau o ddillad isaf lliwgar y merched!

· · ·

Yn ôl **Frank James**, Pwllheli (1960–63), ddiwedd Tymor yr Haf 1963 penderfynodd criw o ddynion y drydedd flwyddyn a oedd yn lletya yn y George a'r *Annexe* fynd am sbri i ddathlu eu hymadawiad â'r Coleg. Ar ôl i'r tafarnau gau am 10.30 p.m. aethant draw i serenêdio'r merched y tu allan i'r neuaddau yn *Top Coll.* Ar ôl mynd trwy eu rhaglen arferol o emynau aeth pethau dros ben llestri wrth i'r dynion ddechrau ar ganeuon braidd yn anweddus eu cynnwys. Daeth pethau i ben pan ymddangosodd y Prifathro Edward Rees, a oedd yn byw yn gyfagos yn Athrolys, a'u gorchymyn i ddychwelyd yn ddiymdroi i'w neuaddau eu hunain.

Rai dyddiau'n ddiweddarch cynhaliwyd ymholiad swyddogol i'r digwyddiad gan aelodau hŷn y staff. Dirwywyd y dynion ddecpunt yr un, gyda'r bygythiad na fyddent yn derbyn eu tystysgrif oni fyddent yn talu'n llawn. Talodd pawb ei ddyled ar ei ben.

Mae'n bosibl fod yr arfer o serenêdio wedi parhau ychydig yn hirach, ond, mewn cyfarfod o Fwrdd y Coleg yn 1965,[21] dadleuodd Edward Rees yn gryf, ar sail diogelwch myfyrwyr, ei fod yn hen bryd i serenêdio ddod i ben ac mae'n debyg fod yr hen arferiad annwyl hwn wedi dirwyn i ben rywbryd yn ystod y cyfnod hwn.

· · ·

Yn ystod gaeaf 1963 manteisiodd dynion y George ar ddarlith gyhoeddus ar ddaearyddiaeth, a oedd yn cael ei chynnal gyda'r nos yng Ngholeg y Santes Fair, i gynnal *raid* ar y sefydliad hwnnw. Yn nhywyllwch oriau'r nos, llwyddodd criw o'r dynion i gymryd dau *souvenir* o'r coleg, sef nifer o glychau llaw a 'baner' y coleg. Aethpwyd â'r ysbail draw i gaffi *Bobi Bobs* i'w harddangos. Cafwyd ychydig o fraw wrth i'r myfyrwyr sylweddoli mai lliain allor capel y Santes Fair oedd y 'faner', a llwyddwyd i'w ddychwelyd yr un noson heb i neb o'r coleg sylwi ar ei ddiflaniad. Ymlaen wedyn i'r George ond cafodd y dynion 'gopsan' yno gan aelod cydnerth ac awdurdodol o'r staff a oedd ar ddyletswydd yn y neuadd, neb llai na Gwynn Roblin! Erbyn y bore roedd pennaeth Coleg y Santes Fair, Miss Helen Stevens, wedi cysylltu â'r Normal gan fygwth galw'r heddlu oni ddychwelid y clychau. Y noson honno, gan fanteisio eto ar y tywyllwch, dychwelwyd y clychau yn ddirgel gan y lladron edifeiriol ac ni chlywyd dim pellach am y mater – tan rŵan!

ATGOFION MYFYRWYR 1968–95

Erbyn y 1970au a'r blynyddoedd dilynol mae golygon myfyrwyr yn troi fwyfwy at weithgareddau y tu allan i'r Coleg, yn rhannol wrth i hualau'r ddisgyblaeth draddodiadol fewnol edwino ac yn rhannol wrth i fyfyrwyr ymateb i newidiadau cymdeithasol a diwylliannol allanol, boed wrth iddynt gyfrannu at ymgyrchoedd Cymdeithas yr Iaith neu fel arall. Mae'r chwe phortread a gynhwysir yma'n dangos gweddau amrywiol ar y newidiadau hyn, ond, o ystyried natur y Coleg, mae'n naturiol mai'r ymgyrch iaith sy'n cael y sylw pennaf. Yn ôl Dafydd Iwan: "Roedd criw o Gymry ifanc yn benderfynol na fyddai'r iaith Gymraeg farw a'i bod yn bryd gweithredu dros yr iaith."[22] Daeth nifer dda o'r Cymry ifanc hyn o fagwrfa'r Normal.

• • •

Codi ei ymwybyddiaeth o'i Gymreictod oedd dylanwad mwyaf y Normal ar **Ieuan Wyn**, Bethesda (1968–71), un arall ddaeth yn y man yn Brifardd ar y llwyfan cenedlaethol ac yn ymgyrchydd iaith diflino. Cydnabu ei ddyled i aelodau o'r Adran Gymraeg, gan gyfeirio at "fwyneidd-dra" Lilian Hughes a Rhiannon Davies Jones. Cafodd sylwadau Cyril Hughes ar arddull trochi, yng nghyd-destun addysg ddwyieithog, gryn ddylanwad arno hefyd. Ysgogodd Dewi Machreth Ellis ynddo ddiddordeb mewn enwau lleoedd, a chafodd ei "gyfaredddu" gan gyflwyniad Wenna Williams (gwraig Prifathro diweddarach y Coleg, Ronald Williams) o sonedau a thelynegion R. Williams-Parry:

> Cafodd y darlithwyr hyn, trwy eu hathroniaeth a'u safbwyntiau ar fywyd, barddoniaeth a llenyddiaeth Cymru, argraff fawr arnaf. Efallai nad *beth* a ddywedwyd ond y *ffordd* ei dywedwyd gafodd yr argraff fwyaf arnaf.

Cafodd ef a'i gyd-fyfyrwyr cyfrwng Cymraeg brofiad cynnar o brotestio pan fu gwrthdystiad ganddynt yn erbyn arferiad yr Adran Addysg bryd hynny o gyflwyno Darlith Fawr Addysg trwy gyfrwng y Saesneg yn unig. O ganlyniad i'r gwrthdystiad llwyddwyd i gael darlith yn y Gymraeg yn ogystal â'r Saesneg.

Yn yr Adran Addysg, bu Dr Gwilym Arthur Jones yn ddylanwad mawr arall arno:

> Roedd cyflwyniad Gwilym Arthur Jones yn ei seminarau ar Athroniaeth Addysg yn heriol. Llwyddodd i'n gorfodi fel grŵp i barchu rhesymeg a phwysigrwydd hunan-ddadansoddi.

Fel ambell fyfyriwr arall, ni chafodd Ieuan Wyn fawr o foddhad efo un o'i gyfnodau Ymarfer Dysgu:

> Ni chefais ddim pleser yn y paratoad ar bapur nac o'r ymdeimlad o fod ar brawf byth a beunydd. Sylweddolais yn bur fuan bod sawl ffordd o gael Wil i'w wely. Roedd gormod o unffurfiaeth yn y disgwyliadau.

Serch hynny mae'n cydnabod iddo gael mwynhad yn y gwaith addysgu, ac, yn arbennig, yn y cydweithio efo plant, ac mae'n rhyfeddu cyn lleied o newid oedd wedi digwydd yn y sector gynradd o gymharu â'i brofiadau ohoni fel disgybl rai blynyddoedd ynghynt.

Yng nghyfnod Ieuan Wyn arferai criw o egin-feirdd gyfarfod yn nhafarn y *Menai Vaults* ym Mangor Uchaf. Ymysg y rhain roedd Hefin Llwyd, Moi Parry a John Hywyn. Bu'r criw'n cystadlu mewn eisteddfodau, a chafwyd cryn lwyddiant: yn Eisteddfod yr Urdd 1969 enillodd Gerallt Lloyd Owen y gadair, dyfarnwyd John Hywyn yn ail, a Ieuan Wyn ei hun yn drydydd. Roeddynt hefyd yn cyhoeddi eu barddoniaeth yn y *Normalydd*. Sonia Ieuan Wyn fel roedd criw o fyfyrwyr y Normal o gadarnleoedd y Gymraeg, megis Pen Llŷn a Phenllyn, yn mynychu'r *Vaults* i wrando ar gynnyrch y beirdd ifainc hyn, a'i werthfawrogi. Cydnabu na chafodd unrhyw gymhelliad penodol o du'r Normal i farddoni, efallai am ei fod yn cael ei ddiwtro ers rhai blynyddoedd, cyn dod i'r Coleg ac wedyn, gan ei fentor barddonol personol ym Methesda, Benjamin Jones (*Ben Fardd*).

Tystia Ieuan Wyn fod nifer sylweddol o fyfyrwyr cyfrwng Cymraeg y Normal, yn ystod ei gyfnod ef, yn aelodau o Gymdeithas yr Iaith Gymraeg a Phlaid Cymru, neu'n gefnogwyr iddynt. Erbyn 1969 penderfynodd Cymdeithas yr Iaith ohirio ei hymgyrch i gael Sianel Deledu Gymraeg ac Awdurdod Darlledu i Gymru. Yn hytrach, roedd y

Gymdeithas am ymgyrchu i roi pwysau ar Awdurdodau Lleol Cymru i roi lle mwy amlwg i'r Gymraeg, a dyma ddechrau ymgyrch yr arwyddion, a *Phaentio'r Byd yn Wyrdd,* chwedl Dafydd Iwan. Mewn parodi ar *Melin Trefin* Crwys, canodd Ieuan Wyn:

> Nid yw'r hogiau heno'n malu
> Ar y ffyrdd yn nhwyllwch nos;
> Aeth yr arwydd Saesneg olaf
> Dan yr ordd i ddyfnder ffos.
> Ac mae'r enwau fu yn treisio
> Ac yn llygru harddwch bro,
> Er pan farw'r hen daeogrwydd
> Wedi cael eu holaf dro.[23]

Do, bu Ieuan Wyn a nifer o'i gyd-fyfyrwyr yn brysur efo'r brws paent, yn ardal Bangor yn arbennig. Arweiniodd hyn at achos llys ym Mangor, ac, o ganlyniad, roedd ymysg nifer o fyfyrwyr y Normal a gafodd eu danfon i garchar Walton am bythefnos ym mis Mawrth 1970. Dro arall llogwyd car ganddo a'i gyd-fyfyrwyr i deithio i Lundain i feddiannu cyntedd y BBC yn *Portland Place.* Canlyniad hyn fu iddo dreulio wythnos ychwanegol yng ngharchardai *Pentonville* a *Brixton.* Roedd hefyd yn cefnogi ymgyrchoedd eraill, a thra bu Dafydd Iwan yn y carchar yn Abertawe yn 1970 bu Ieuan Wyn a'i gyfeillion yn meddiannu llysoedd a gorsafoedd yr heddlu yn yr ardal honno.

Fel rhan o weithgarwch Cymdeithas yr Iaith yn y cyfnod hwn, meddiannwyd yr hen garchar ym Miwmares a bu cefnogwyr y Gymdeithas – a'r darlithydd John Lazarus Williams o'r Normal yn eu plith – yn dod â bwyd a diod i'r ymgyrchwyr. Roedd cefnogwyr yr amrywiol ymgyrchoedd yn cyfarfod i "gynllunio a chynllwynio" yn y George yn ogystal ag yng Ngholeg Bala-Bangor.

Ym mhrofiad Ieuan Wyn ni fu unrhyw erlid ar yr ymgyrchwyr gan awdurdodau'r Coleg na disgyblu ychwaith. Yn wir, credai fod cryn gefnogaeth i'r ymgyrch o du rhai o'r staff. Enghraifft glir o'r goddefgarwch hwn oedd i griw o fyfyrwyr ofyn am ganiatâd gan y Prifathro, Dr Jim Davies, i fynd i angladd John Edward Jones ym Melin-y-wig. Bu J. E. Jones yn Ysgrifennydd Cyffredinol Plaid Cymru o 1930 i 1962, ac, yn rhinwedd ei swydd, yn flaengar yn ei ymwneud â materion y dydd, yn arbennig ym meysydd amaeth, darlledu ac addysg. Ymateb parod y Prifathro oedd, "Ewch ar bob cyfrif, hogia."

Fodd bynnag, roedd Ieuan Wyn yn barod i gydnabod bod yr holl ymgyrchu hwn – y gwrthdystio, y teithio, y llythyru ac ysgrifennu erthyglau i'r wasg – wedi effeithio ar ei waith cwrs yn y Normal, ond, "Nid oeddwn yn edifar o gwbl. Roeddwn ar dân i newid Cymru!"

• • •

Roedd hi braidd yn hwyr yn y dydd – diwedd tymor yr Hydref, 1973 – ar y rebel a'r rocar **Bryn Fôn**, Llanllyfni (1973–76), yn dod i'r Coleg. Roedd wedi cael "llond bol" ar weithio mewn swyddfa yng Nghaernarfon, a mentrodd wneud cais hwyr am le yn y Normal i astudio Addysg Gorfforol fel prif bwnc. Yn y cyfnod hwn roedd disgwyl i ymgeiswyr llwyddiannus i'r cwrs Addysg Gorfforol allu perfformio ar lefel uchel yn un o'r campau. Pêl-droed oedd gêm Bryn Fôn: roedd wedi chwarae nid yn unig dros Ysgol Dyffryn Nantlle ac i dîm ysgolion gogledd Cymru, ond hefyd i dîm enwog *Nantlle Vale*, tîm Orig Williams a Tarw Nefyn.

Harry Lloyd oedd Pennaeth yr Adran Addysg Gorfforol: "gŵr bonheddig, cwrtais oedd yn trin pob un ohonom fel oedolion". Gwahanol oedd ei atgofion o Jim Bryn Davies, aelod arall o'r Adran, y cyfeiriwyd ato gan David Meredith ynghynt. Yn ôl Bryn Fôn:

> Roedd Jim Davies yn rêl PTI (*Physical Training Instructor*), yn ein drilio fel petaem yn y fyddin. Nid oedd ganddo gydymdeimlad os byddech yn brifo. Cofio fo'n gweiddi ar fyfyriwr diniwed o Landudno oedd wedi cael anaf drwg yn y *Gym* a'i waed yn pistyllio ar y llawr. Gwaeddodd Jim Davies arno, 'What are you doing, boy? Don't drop blood on my clean floor!' Gwisgai Jim Davies dracwisg daclus, fest a siorts claerwyn bob amser.

Mentrodd Bryn Fôn gofrestru ar gwrs blwyddyn dewisol ar y Ddrama. Roedd y cwrs arbennig hwn dan ofal J. O. Roberts erbyn hynny, cyn-fyfyriwr ei hun. Tybia J. O. Roberts ei fod wedi dylanwadu ar Bryn i ddilyn gyrfa fel actor, ond, yn ôl Bryn ei hun, ychydig o ddylanwad uniongyrchol a gafodd yr actor-ddarlithydd arno mewn gwirionedd gan mai yn anaml iawn y byddai yno! –

> Bron bob tro yr awn i'r ddarlith ddrama efo J. O. byddai *notice* ar ddrws ei ystafell yn dweud 'Dim darlith heddiw'. Mae'n debyg ei fod wrthi'n ffilmio ar gyfer rhyw ddrama!

Ar ei drydydd Ymarfer Dysgu cafodd Bryn Fôn ei osod yn Ysgol (Uwchradd) Eifionydd, Porthmadog. Yn anffodus iddo, manteisiodd yr athro Addysg Gorfforol ar y cyfle i fynychu cwrs canŵio dros yr un cyfnod. Golygai hyn fod y myfyriwr druan yn gyfrifol am Addysg

Gorfforol y bechgyn trwy'r ysgol i gyd. Fel petai'r cyfrifoldeb hwnnw ddim yn ddigon, yn ôl arfer yr ysgol ar y pryd roedd disgwyl iddo, yn rhinwedd ei 'swydd' fel athro Addysg Gorfforol, fod yn gyfrifol am gosbi'n gorfforol y disgyblion 'drwg' a fyddai'n cael eu danfon ato gan yr athrawon yn eu tro. Nid oedd calon Bryn yn y cosbi efo'r slipar, a dyna un rheswm dros iddo beidio â mynd ymlaen i fod yn athro ar ôl gorffen yn y Coleg.

Bu Bryn Fôn yn un o saith o ddynion a dreuliodd "gyfnod hapus iawn" yn *Annexe* y George, adeilad bychan gyferbyn â'r George a arferai letya morwynion y *George Hotel* mewn oes arall. I aralleirio un o'i ganeuon poblogaidd:

I remember it well
At the Annexe Hostel.

Byddai aelod o staff ar ddyletswydd yr adeg hon ac arferai gysgu yn un o oruwch-ystafelloedd yr *Annexe*. Yn yr ystafell odditani cedwid offer disgo a byddai'r dynion, ar adegau, yn chwarae recordiau *roc 'n 'rôl* yn eithriadol o uchel yn hwyr y nos, er mawr ddiflastod i'r darlithydd druan!

O ran y bywyd cymdeithasol a diwylliannol, roedd Bryn Fôn yn teimlo'i fod yn cael ei dynnu i ddau gyfeiriad gwahanol. Ar un llaw, fel un a gafodd ei fagu ymysg y 'pethe' yn Nyffryn Nantlle, byd y capel a'r eisteddfod, câi ei ddenu'n naturiol at fywyd y Gymdeithas Gymraeg a'r Eisteddfod Ryng-Golegol. Ar y llaw arall, oherwydd ei aelodaeth o dîm pêl-droed y Coleg, a gynhwysai nifer o chwaraewyr di-Gymraeg, roedd hefyd yn cael ei ddenu at fywyd cymdeithasol a diwylliannol myfyrwyr di-Gymraeg yn y Normal. Bu rhaid iddo fyw efo'r tyndra hwnnw trwy gydol ei arhosiad yn y Coleg.

Trwy gyfrwng ei 'Dad' Coleg, David Cheeseborough (*Caws*), aelod amlwg o'r tîm rygbi, cafodd fynediad i'r *Hard Core Drinking Society,* a arferai gyfarfod yn nhafarn y *Three Crowns* ger *Wellfield* yng nghanol y dref. Roedd gan y Gymdeithas ei swyddogion, ei rheolau a'i defodau. Yn ôl Bryn Fôn, un o brofion mynediad i'r Gymdeithas oedd "bwyta brechdan fwstard a phupur ac wedyn yfed peint o seidar ar ei ben. Os oeddech yn mynd yn sâl roedd rhaid gwneud yr un peth eto!" Os oedd unrhyw aelod o'r Gymdeithas yn torri'r rheolau, y gosb arferol oedd gorfod "llyncu peint ar ei ben".

Mwynhaodd ei gyfnod yn chwarae pêl-droed i dîm y Coleg, hynny yng Nghynghrair y *Caernarfon and District,* yn ogystal â'r gemau yng nghystadleuaeth y *Junior Cup* a'r *Alves Cup,* sef cystadlaethau pêl-droed cyfyngedig i dimau gogledd Cymru. Byddai'r *Woolie Cup* hefyd yn gêm i'w mwynhau. Roedd gan y Normal dîm cryf iawn yr adeg hon gydag "asgwrn cefn solat": Bob Johnson (a fu ar lyfrau Lerpwl) yn chwarae *centre-forward,* Cedric Pritchard yn chwarae *centre-half* ac Iwan Vaughan, Y Bala, yn y gôl. Yn anffodus torrodd Bryn Fôn ei goes mewn gêm *Junior Cup* yn erbyn Coleg Cyncoed, Caerdydd, ar gae'r *Oval* yng Nghaernarfon. Bu raid iddo dreulio pum wythnos "hunllefus o anghyfforddus" yn ward ddamweiniau hen ysbyty'r *C&A.*

Arferai ganu yn nhafarn y *Globe,* Bangor Uchaf, gan fwynhau dynwared Elvis, Mick Jagger a Meic Stevens, ymysg eraill. Mewn noson gymdeithasol gan y Gymdeithas Gymraeg mentrodd gynnal sesiwn o ddynwarediadau, a bu'n gyfarfod llwyddiannus iawn. O ganlyniad i'r llwyddiant cerddorol amrywiol hwn, ffurfiwyd y grŵp roc Cymraeg *Crysbas* i gystadlu yn Eisteddfod Ryng-Golegol Abertawe yn 1976. A dyna ddechrau ar yrfa Bryn Fôn fel prif leisydd *Crysbas,* ac, yn ddiweddarach, *Sobin a'r Smaeliaid.*

Digwyddiad ar y stryd ym Mangor Uchaf a ysgogodd iddo gyfansoddi'r clasur o gân *Mardi Gras ym Mangor Uchaf* yn 1980, rhyw bedair blynedd ar ôl iddo adael y Normal. Meddai:

> Sylwais ar ddynes fawr, ddu, feichiog yn llenwi'r pafin ym Mangor Uchaf, fflyd o fyfyrwyr yn llifo heibio'r ddynes, a miwsig *roc 'n 'rôl* yn dod o ffenestri agored fflatiau'r myfyrwyr gerllaw caffi *Chinese* yr hen Mr Lee. A dyna chi: *Mardi Gras ym Mangor Uchaf.*

* * *

Sais a ddaeth i'r Normal, ac a wnaeth enw iddo'i hun yn ddiweddarach fel arlunydd, yw **Edward Povey**, Llundain (1974–78). Ni fu Ed Povey yng Nghymru fawr o dro cyn iddo gofrestru ar gyfer y cwrs BEd yn y Normal, gan ddewis astudio Arlunio fel ei brif gwrs. Cydnabu ei ddyled mawr i Geoffrey Lincoln, Swyddog Llety'r Coleg, am fod yn gymaint o gymorth iddo ef a'i wraig ymgartrefu yn yr ardal. Byddai Geoff Lincoln yn mynd ag ef a'i wraig am deithiau car o gwmpas Sir Fôn a mannau eraill, a daeth teuluoedd y Swyddog Llety a'r arlunydd yn ffrindiau oes: "Geoff Lincoln was an absolute angel!"

Dyma argraffiadau Ed Povey o Bennaeth Adran Arlunio'r Coleg, Selwyn Jones:

> gruff, a little scarey, a withdrawn man, but very caring . . . he was a dedicated painter for whom I had a lot of respect . . . I learnt a great deal from Selwyn . . . he was one of my most influential mentors.

Ar gyfer ei arholiad gradd derfynol bu'n gweithio'n ddiwyd ar ddarlun *The Martyr*. Roedd y darlun yn fynegiant o ffydd Bahai'r arlunydd. O gofio'i lwyddiant diweddarach fel arlunydd mae'n syndod nad oedd gan yr arholwr allanol fawr o feddwl o'r gwaith, a marciau isel a ddyfarnwyd iddo. Yn eironig iawn, bu'r myfyriwr yn gweithio ar y darlun yn y Bloc Arlunio ar safle'r Hen Goleg, a fu'n stwidio swyddogol iddo am gyfnod yn ddiweddarach yn ei yrfa.

Un arall o ddarlithwyr y Normal a gafodd argraff ar Ed Povey oedd Jim Bryn Davies, aelod nid anenwog o'r Adran Addysg Gorfforol, fel y nodwyd yn barod: "Jim Davies was a short, gruff man with a strong sense of humour."

Ymysg y criw o fyfyrwyr a oedd yn gorfod mynychu sesiynau Ymarfer Corff efo Ed Povey roedd cyn-gapten o heddlu Zambia, dyn mawr o gorff ac awdurdodol o ran ei natur. Byddai Ed a'i gyd-fyfyrwyr yn eu dyblau wrth weld y creadur hwn, yn ei siorts a'i fest, yn ceisio ymateb yn drwsgwl a thindrwm i orchmynion militaraidd Jim Davies, "Right boys, down on your buttocks!"

Un arall o aelodau'r staff a gafodd gryn ddylanwad ar Ed Povey oedd Rosemary Ratcliffe, darlithydd yn yr Adran Wyddoniaeth:

> She was a Roald Dahl kind of character. She wore spiky red glasses, rather like the 'Wicked Witch of the West'. Mrs Ratcliffe's scientific expositions fascinated and enthralled me.

Cafodd y cwrs Seicoleg Addysg hefyd argraff ddofn arno: "I became passionately interested in the psychology of learning." Cymaint felly nes i safbwynt yr addysgwr anghonfensiynol A. S. Neill ddylanwadu arno i fentro magu ei ddau fab yn ôl egwyddorion Neill.

Profiadau ym maes arlunio sydd wedi aros fwyaf yng nghof Ed Povey wrth edrych yn ôl ar ei brofiadau Ymarfer Dysgu. Cofia gyda chryn bleser am gael cymorth plant i baentio murlun yn Ysgol Hirael, Bangor, ac am wneud model enfawr o long Llychlynwyr yn Ysgol Biwmares.

Ond atgofion diflas oedd gan yr arlunydd am gyfnod Ymarfer Dysgu yn Ysgol Uwchradd Abergele:

> It was a nightmare with children literally climbing out of the windows. Just awful! As a trainee teacher I didn't have much resource; there wasn't a lot I could do. My college course gave me little or no information on how to deal with this kind of situation.

Mewn gwrthgyferbyniad llwyr, roedd ei Ymarfer Dysgu yn Ysgol Glanadda (cynradd), Bangor, yn brofiad pleserus iawn. Cafodd gyfle i gydweithio â'r plant i gynhyrchu murlun *Robin Ddu*. Rai blynyddoedd yn ddiweddarach, ar ôl bod yn dringo'r Wyddfa a galw i mewn i westy'r *Victoria* yn Llanberis, trawodd yr arlunydd ar ŵr ifanc. "Clearly he was 'one of the lads', an earring in his ear and a pint in his hand. I wrote him off altogether." Fodd bynnag, cyfarchodd y gŵr yr arlunydd, "Ed Povey?" Yna dyma'r llanc yn egluro iddo ei fod wedi ei ddysgu yn Ysgol Glanadda flynyddoedd lawer yn ôl, a'i fod wedi wylo'n hidl ar ôl ymadawiad y myfyriwr ar ddiwedd cyfnod yr Ymarfer Dysgu: "It was a very touching experience."

Fel gŵr priod yn byw ym Methesda ac yn seiclo i mewn yn ddyddiol trwy bob tywydd i'w ddarlithoedd yn y Coleg, ychydig o gyfle a gâi Ed Povey i ymwneud â bywyd cymdeithasol a diwylliannol y Normal. Yn ei oriau hamdden, tueddai i gymysgu gydag aelodau o'r ffydd Bahai ym Mangor.

Dechreuodd ei yrfa fel arlunydd proffesiynol yn syth ar ôl gorffen yn y Coleg, ac, ym mis Medi 1978, cafodd nifer o gomisiynau i baentio murluniau ym Mangor Uchaf. Yn ddiweddarach cafodd gomisiwn i baentio murlun gan ei hen Goleg. Paentiodd *The Futility of War* ar fur mewnol llyfrgell y Normal. Adlewyrcha'r murlun arbennig hwn unwaith eto ffydd Bahai'r arlunydd. Roedd hefyd wedi ei ddylanwadu'n fawr gan y ffilm wrth-ryfel *The War Game*. Yn y murlun gwelir nifer o filwyr ifainc, ofnus yn llochesu mewn ffos, ac ar y *frieze* o amgylch y murlun gwelir baneri cenedlaethol efo tyllau bwledi ynddynt. Yn ddiweddarach, penderfynodd awdurdodau'r Coleg baentio dros y murlun. Yn ôl yr arlunydd, dyma'r unig un o'i furluniau i gael ei ddifetha fel hyn. Y mae'n eironig meddwl y byddai'r murlun bellach yn werth o leiaf £30,000!

• • •

Bethan Dwyfor, Morfa Nefyn (1979–82), oedd un o'r pedwar myfyriwr cyntaf i gofrestru ar gyfer un o'r cyrsiau gradd newydd yn y Normal ar gychwyn cyfnod yr arallgyfeirio. Tra oedd hi'n gweithio yn ystod gwyliau'r haf yng ngwersyll Butlin, Pwllheli, digwyddodd wrando ar Radio Cymru a chlywed Prifathro'r Normal, Dr Jim Davies, yn sôn am un o'r cyrsiau gradd newydd a oedd yn cael eu cynnig, sef BA Cyfathrebu. Dyma fentro holi ymhellach.

Ymhen ychydig cafodd wahoddiad i ddod am gyfweliad ar gyfer y cwrs newydd, a dyna lle'r oedd hi'n crwydro safle'r Hen Goleg yn chwilio, yn aflwyddiannus, am yr ystafell ble roedd i gael ei chyfweld. Yn ddamweiniol, trawodd ar "ŵr bonheddig, golygus" a gynigiodd bàs iddi yn ei gar i Safle'r George lle roedd y cyfweliad i gael ei gynnal. Ar ôl cyrraedd Safle'r George, tywysodd y gŵr bonheddig hi i ystafell y cyfweliad ac yna ei chyfweld. Yn ddiarwybod i Bethan Dwyfor, Edwin Williams, Pennaeth yr Adran Ddrama, oedd y gŵr bonheddig!

Yn ddiweddarach yn ystod y cwrs, cafodd hi lawer i'w wneud efo Edwin Williams. Cafodd foddhad mawr o'i ddarlithoedd "difyr a diddorol" wrth iddo drin a thrafod dramodwyr mawr. J. O. Roberts oedd aelod arall yr Adran Ddrama, ac ef oedd yn gyfrifol am ochr fwy ymarferol y cwrs, ac am gynhyrchu perfformiad y Gymdeithas Ddrama. John Ronald Thomas (*John Ron*) o'r Adran Addysg oedd yn gyfrifol am roi arweiniad i'r myfyrwyr Cyfathrebu ynglŷn â gwaith camera, tra oedd newydd-iaduriaeth yng ngofal John Lazarus Williams o'r Adran Gymraeg, a Dafydd Huw Williams o'r BBC. Roedd yr awdur Emyr Humphreys hefyd yn cynorthwyo efo'r cwrs o dro i dro.

Mwynhaodd Bethan Dwyfor y cwrs tair blynedd, ac, yn arbennig felly, yr holl weithgarwch efo cynyrchiadau blynyddol y Gymdeithas Ddrama. Yn ystod ei blwyddyn gyntaf llwyfannwyd y ddrama *Amser Dyn* gan Gwyn Thomas gydag Edwin Williams yn cynhyrchu, ac roedd Neuadd John Phillips yn orlawn i'r ddau berfformiad. Tair drama fer gan Dr John Gwilym Jones gafodd eu perfformio yn ei hail flwyddyn. Bu'r dramodydd draw i gynnig gair o gyngor, a gwerthfawrogwyd hynny'n fawr gan yr actorion ifanc. Erbyn ei thrydedd flwyddyn mentrwyd cynhyrchiad "llawer mwy uchelgeisiol", sef *Yr Ymweliad* gan Friedrich Dürrenmatt, gyda J. O. Roberts yn cynhyrchu. Llwyfannwyd y cynhyrchiad yn Theatr Gwynedd yn hytrach na Neuadd John Phillips. Roedd cast o tua hanner cant yn cymryd rhan, a disgwylid i fyfyrwyr y cwrs Cyfathrebu fod yn gyfrifol am ochr dechnegol y cynhyrchiad, yn ogystal â'r marchnata. Chwaraeodd Bethan Dwyfor ran flaenllaw yr Hen Foneddiges, er, meddai, yn ddigon gonest, "Wrth edrych yn ôl credaf fod y rhan wedi bod y tu hwnt i'm gallu ar y pryd."

Erbyn 1982 roedd y Gymdeithas Ddrama wedi dechrau disodli'r Gymdeithas Gymraeg fel prif gyfrwng diwylliannol myfyrwyr y Normal. O leiaf, dyna farn Bethan Dwyfor: "Roedd y Gymdeithas Ddrama wedi tyfu i fod yn rhywbeth cryf iawn; roedd yn gyfnod difyr a bywiog." Llwyddodd y Gymdeithas hyd yn oed i ddenu myfyrwyr di-Gymraeg i gynorthwyo y tu ôl i'r llwyfan ac i gymryd rhan ar y llwyfan. Yn *Yr Ymweliad,* er enghraifft, bu nifer o fyfyrwyr di-Gymraeg yr Adran Addysg Gorfforol yn cymryd rhan yn y ddrama fel perffomwyr syrcas.

Fel rhan o'r cwrs ail flwyddyn cofia Bethan Dwyfor yn dda am ei hymweliad â Llydaw, dan arweiniad Heward Rees o'r Adran Gerdd.

Arhoswyd mewn Coleg Normal arall yn Quimper. Yn ogystal â bod yn addysgiadol, cydnebydd yr actores fod yr ymweliad hwn, y tro cyntaf iddi deithio dramor, "yn lot o sbort. Cofio'n arbennig am y tywydd braf, yfed gwin a bwyta crancod."

Profiad diddorol a buddiol arall ar y cwrs oedd y lleoliadau. Bu criw bach y cwrs Cyfathrebu yn treulio cyfnod efo'r BBC ym Mangor, yn cynorthwyo i gynhyrchu rhaglen *Merched yn Bennaf.* Yn nhrydedd flwyddyn y cwrs aethant i Gaerdydd i gael y profiad amheuthun o gymryd rhan fel *extras* yn y ffilm *Madam Wen.* Yn y lleoliad yng Nghaerdydd, cafodd Bethan Dwyfor gyfweliad efo Graham Jones, cynhyrchydd y gyfres *Coleg* ar S4C. Meddai'r actores, "Dyma lwyddo i dorri i mewn i fyd darlledu yn syth o'r Coleg i *Coleg!*" Mae'r gweddill yn hanes, fel maen nhw'n dweud.

Arferai criw Bethan Dwyfor fynychu tafarn y *Globe*, un o gyrchfannau'r Cymry ym Mangor Uchaf, bob nos Fercher, nos Wener a nos Sadwrn! Roedd yna far yn y Coleg erbyn hyn, a disgo cyfleus iawn yn yr adeilad drws nesaf: "Yr arferiad ar nos Sadwrn oedd mynd am *pub crawl* ar hyd Stryd Fawr Bangor a gorffen yn y *Globe.*" Byddent hefyd yn mynd i Gaernarfon ar ambell nos Sadwrn i glwb poblogaidd *Talybont*, i wrando ar grwpiau roc Cymraeg. Meddai'r actores, "Ar ôl yfed, beth gwell wedyn nag *Indian.*" Ymdopi â *Phenmaenmawr* fyddai hanes ei chriw ar fore Sul, cyn mentro allan am ryw ychydig o awyr iach gyda'r nos ac efallai ymweliad eto â'r *Indian.*

• • •

Erbyn hyn roedd yfed wedi dod yn weithgaredd pwysig yn ystod oriau hamdden myfyrwyr y Normal. Un oedd yn eithaf cyfarwydd â thafarndai Bangor oedd **Huw Gwyn** (Hughes), Bae Colwyn (1985–90). Prif gwrs BEd yr aderyn brith hwn oedd y Dyniaethau, ac edmygai ddarlithydd ifanc yr Adran Hanes, Bob Morris:

> Dyma ddarlithydd bywiog, brwdfrydig. Roeddwn yn ddyledus iawn iddo am ei gyngor, ei amynedd a'i brocio i'm cadw ymlaen i ddyfalbarhau â'm Traethawd Hir.

Menai Williams, Adran y Gymraeg, oedd un arall o aelodau'r staff a gafodd gryn ddylanwad arno: "Roedd gennyf barch mawr tuag at Miss Williams – person ffantastig!" Credai fod Huw John Hughes, aelod o'r Adran Addysg a'r Adran Wyddoniaeth, yn "ddoniol, difyr ac yn gwybod yn union beth roedd yn sôn amdano". Edmygai, hefyd, Cathrin Williams, Adran y Gymraeg, "Dyma ddarlithydd strêt, doedd hi ddim yn malu awyr."

Cydnebydd Huw Gwyn y byddai'n colli darlithoedd yn barhaus:

Roeddwn yn llawer rhy brysur yn gwneud pethau eraill, mwy difyr na mynychu darlithoedd. Byddwn yn gwneud ymdrech arbennig i droi i fyny i ambell ddarlithydd roeddwn yn wirioneddol fwynhau a'i werthfawrogi.

O ganlyniad i'w bresenoldeb gwael mewn darlithoedd bu 'ar y mat' sawl tro o flaen y Prifathro, Ronald Williams.

Ymwelodd Huw Gwyn â sawl ysgol yng Ngwynedd a Môn yn ystod ei gyfnodau Ymarfer Dysgu. Cafodd brofiad "anhapus iawn" yn Llangefni: roedd y dosbarth yn "un anodd" ac "ni chefais gyfle o gwbl i geisio creu perthynas efo'r plant". Fodd bynnag, stori wahanol oedd ei gyfnod Ymarfer Dysgu yn Llanllechid, efo'r pennaeth "bywiog a chroesawgar" Arwyn Oliver, a'r athro dosbarth Dilwyn Owen: "athro cŵl fu'n help mawr i mi". Yn y Benllech hefyd roedd Huw Roberts, yr athro dosbarth, wedi bod yn gefn i Huw Gwyn, "Cefais hwyl a sbort efo'r plant ym Menllech. Huw Roberts wnaeth fy nghyflwyno i *cajun music*."

Treuliodd gyfnod o Ymarfer Dysgu hapus hefyd yn Ysgol y Groeslon lle bu'r pennaeth Ifan Glyn Jones yn "groesawgar iawn ac yn rhoi rhyddid i mi wneud beth roeddwn eisiau ei wneud efo'r plant". Cafodd 'ryddid', unwaith eto, yn Ysgol Rhosgadfan, gyda'r pennaeth Gwyn Mowl:

Cofio gwneud thema ar yr Ail Ryfel Byd a'r plant yn dod â chasgliad o greiriau perthnasol i'r ysgol. Cofio diwrnod sbesial hefyd – eira mawr ond fe lwyddais i gyrraedd yr ysgol. Ychydig o'r plant oedd yn bresennol a threuliais y diwrnod yn chwarae efo'r plant yn yr eira. Diwrnod nad anghofiaf byth!

Roedd profiadau Huw Gwyn yn y neuadd breswyl yn rhai prin iawn oherwydd dim ond Tymor y Nadolig yn ei flwyddyn gyntaf a dreuliodd yn Neuadd Eryri, "cyn cael fy hel oddi yno am fod yn hogyn drwg. Mae gennyf ddyled fawr i'r Prifathro am fy nanfon o'r neuadd oherwydd gallwn bellach fyw fel stiwdant a gallwn hefyd fyw bywyd fel un o'r *Bangor Lads*."

O ganlyniad i'w ddiarddeliad, treuliodd weddill ei amser yn y Normal yn byw mewn *digs*. Y *digs* gorau y bu ynddo oedd gyferbyn â thafarn y *Globe*:

Codi'n hwyr yn y bore, picio i'r *Globe* am beint, cael gweld pwy oedd yno. Os oedd yna rywun difyr, cael peint arall, a dyna fethu cyrraedd y darlithoedd unwaith eto!

Ni fu'n ymwneud fawr ddim â bywyd swyddogol diwylliannol y Coleg; yn hytrach taflodd ei hun i mewn i'r is-ddiwylliant a oedd yn nhafarndai Bangor, ym Mar y George, yn gwylio pêl-droed ac yn dilyn y sîn roc.

Trefnodd lawer o *gigs* i grwpiau roc Cymraeg, rhai fel *Eirin Peryglus* a *Ffa Coffi Pawb* ym Mar y George a Neuadd John Phillips. Bu'n rhan o'r tîm o Gell Cymdeithas yr Iaith a fu'n trefnu dwy ffair recordiau lwyddiannus a gafodd eu cynnal yn y Coleg, yn 1985 a 1986. Sefydlodd ei gwmni recordiau ei hun, *Casetiau Huw*, gan ddefnyddio stiwdio recordio Gorwel Owen yn Rhosneigr. Roedd *Bee Bop a Lula* yn llawer mwy deniadol i Huw Gwyn na darlithoedd Coleg!

Fel un o wyrion y Parchedig Lewis Valentine, nid yw'n syndod ei fod wedi bod yn gefnogwr brwd i Gymdeithas yr Iaith. Roedd ei gysylltiad â Chell Cymdeithas yr Iaith y Normal yn mynd yn ôl i'w ddyddiau ysgol. Yn ddisgybl chweched dosbarth yn Ysgol Ramadeg Bae Colwyn, bu ef ymysg criw o bobl ifanc a dorrodd i mewn i swyddfeydd y Swyddfa Gymreig yn Llandrillo-yn-Rhos. Ymysg y protestwyr roedd nifer o fyfyrwyr o'r Coleg Normal, ac, o ganlyniad, bu Huw Gwyn yn mynychu cyfarfodydd Cell y Normal o'r Gymdeithas tra oedd yn ddisgybl ysgol. Dyna oedd un o'r prif resymau iddo wneud cais i gael mynediad i'r Coleg, sef i barhau ei gysylltiad ag aelodau'r Gell. Yn ystod ei arhosiad yn y Coleg bu'n selog yng nghyfarfodydd y Gymdeithas a fyddai, fel arfer, yn cael eu cynnal yn Neuaddau Eryri a Môn. Bu'n rhan o'r brotest ar achlysur agor swyddfeydd newydd y BBC ym Mangor a bu ef ac eraill yn ceisio meddiannu Coleg Llandrillo. Cefnogodd streicwyr 'Stiniog yn 1985, "yn casglu bwyd i'r streicwyr ac ymuno â'r llinell biced".

Bu Huw Gwyn yn brysur iawn yn ystod ei arhosiad yn y Coleg Normal: "Pum mlynedd o fyw bywyd fel myfyriwr i'r eithaf. Cael profiadau gwych a gwyllt mewn ffyrdd gwahanol!"

● ● ●

Mab Elwyn Jones-Griffith, y ceir ei hanes yn gynharach, yw **Aled Jones-Griffith**, Pen-y-groes (1988–91). Daeth i'r Coleg ar ôl treulio dwy flynedd "digon diflas" ym Manc y Midland. Tra'n ymweld â phabell y Normal yn Eisteddfod Genedlaethol Casnewydd, cafodd ei berswadio i gofrestru ar y cwrs BA Cynllunio a Rheoli'r Amgylchedd. Yn ystod ei gyfnod fel myfyriwr, yr aelod o'r staff a gafodd y dylanwad mwyaf arno oedd Pennaeth yr Adran Ddaearyddiaeth ar y pryd, John Arwel Edwards:

> Er yn drefniadol anobeithiol roedd John Arwel yn ddarlithydd annwyl a thalentog iawn. Ni ddefnyddiai nodiadau yn ei ddarlithoedd. Roedd ganddo ddawn arbennig i egluro egwyddorion Daearyddiaeth Ddynol mewn ffordd gyfoes, ddiddorol.

Cyfeiria Aled Jones-Griffith at ddiffyg trefn John Arwel Edwards ac at ei anghofusrwydd diarhebol, a'i harweiniodd at sawl tro trwstan. Er enghraifft, ar un achlysur roedd myfyrwyr y cwrs yn disgwyl yn eiddgar yn yr ystafell ddosbarth i John Arwel Edwards ddangos fideo o lwyth arbennig o Dde America, y *Chimbu*. Ond daeth draw at y dosbarth ac ymddiheuro am fod y fideo yng nghist car ei wraig, "rhywle ar Ynys Môn"!

Yn ystod ei dair blynedd yn y Normal bu Aled Jones-Griffith yn lletya yn Neuadd Eryri, ac yn warden yno yn ei flwyddyn olaf. Bellach, roedd traddodiadau a seremonïau neuaddau'r dynion wedi hen ddiflannu. Yr unig draddodiad oedd yn para oedd Wythnos y Glas, a dewis Tad a Mab Coleg. Ond, bellach, prif gyfrifoldeb y Tad Coleg oedd "mynd â'r Mab Coleg am *bender* i'r *Globe* a'i gyflwyno i dreialon 'steddfod tafarn, fel bwyta bisgedi sych ac yfed cwrw drwy deth potel babi".

Ar y cyfan, profiad digon didramgwydd oedd gweithredu fel warden, heblaw am y trafferthion arferol ar benwythnosau efo myfyrwyr wedi meddwi. Fodd bynnag, yn gynnar iawn un bore Sul, yn ystod ymgyrch losgi tai haf Meibion Glyndŵr, cafodd ei ddeffro gan blismyn "eitha anghwrtais" oedd yn mynnu cael y *master key* i agor a chwilota yn ystafelloedd rhai o'r myfyrwyr yr oedden nhw'n eu hamau o fod yn gefnogol i'r Meibion.

Er na fu'n actio cyn dod i'r Coleg, cafodd Aled Jones-Griffith ei berswadio i gymryd rhan Llywelyn Fawr yn nrama *Siwan*, a oedd yn cael ei chynhyrchu gan Rhian Mair a Jini Owen, aelodau'r Adran Ddrama. Ar gyfer chwarae rhan Llywelyn gorfu iddo dorri ei wallt yn null mynach, a thyfu barf bwch gafr er mawr sioc a siom i'w fam! Perfformiwyd y ddrama ar ddwy noson yn Neuadd John Phillips, gyda myfyrwyr, staff a theuluoedd y perfformwyr yn llenwi'r neuadd.

Chwarae pêl-droed oedd ei ddiléit arall. Cafodd ei ddewis i chwarae i dîm y Coleg yn syth ar ôl dod yno. Roedd nifer o chwaraewyr talentog yn aelodau o'r tîm yr adeg honno, rhai fel Darren Martin, Marc Roberts, Ian Williams, Geraint Jones (*Ger Siop*) a Martin Baldry. Arferai aelodau'r tîm ymarfer ar nos Lun a nos Iau, a chwarae i'r Coleg bnawn Mercher.

Yna byddai'n troi allan i dîm *Nantlle Vale* ar bnawn Sadwrn, cyn dychwelyd i'r Coleg i chwarae yn y Gynghrair Ddydd Sul! Am ddau dymor cafodd ei ddewis yn gapten ar dîm Colegau Cymru. Yn ystod ei gyfnod, roedd yr *Woolie Cup* yn parhau'n gêm "go bwysig", er, bellach, dim ond un gêm y flwyddyn oedd yn cael ei chwarae yn erbyn yr hen elyn, ac nid oedd y dorf a arferai lenwi cae Ffordd Farrar yn yr hen ddyddiau yn dod i gefnogi.

Cydnabu Aled Jones-Griffith fod bywyd cymdeithasol myfyrwyr y Normal yn ei gyfnod ef yn cylchdroi o gwmpas tafarndai Bangor, ac, fel un o griw'r pêl-droedwyr, y *Globe* oedd y brif dynfa iddo. Wedyn arferid symud i lawr i far y Coleg ar Safle'r George "i orffen y noson".

Er ei fod wedi ei dderbyn yn gyflawn aelod yng nghapel Soar (Annibynwyr), Pen-y-groes, mae'n cydnabod mai "pêl-droed a chwrw oedd 'crefydd' llawer o'i gydfyfyrwyr yn y cyfnod hwn". Ni fu'n mynd i unrhyw gapel yn ystod ei gyfnod yn y Coleg a'i ddydd Sul arferol oedd:

> chwarae pêl-droed yn y Cynghrair Sul, y gic gyntaf am ddeg. Yna, rhwng hanner dydd a thri'r prynhawn, cinio a chwpwl o beints yn y *Vic*, Porthaethwy. Stopio wedyn yn siop *Albins* ym Mangor Uchaf i brynu *4-pack* a mynd i wylio gêm bêl-droed fyw ar y teledu yn y neuadd. Gorffen y noson yn y *Globe,* gan gyrraedd yno erbyn saith mewn pryd i wylio *Come on Midffîld*!

Mae'n debyg fod argraffiadau Aled Jones-Griffith o'i gyfnod yn y Coleg yn mynegi profiad llawer o fyfyrwyr:

> Roedd cyfnod y Coleg wedi fy rhyddhau o hualau magwraeth draddodiadol Gymreig. Gwnes ffrindiau arbennig iawn tra bûm yn y Normal; roedd yna ryw agosatrwydd yn perthyn i'r Coleg bach hwn. Roeddwn yn falch o gael bod yn stiwdant yno.

• • •

Cloir yr adran hon gydag atgofion un o fyfyrwyr mwyaf lliwgar y Normal, sef **Betty Williams**, Nantlle (1992–95), un o bump o fyfyrwyr y Normal a aeth ymlaen i fod yn Aelodau Seneddol dros y Blaid Lafur. Y pedwar arall oedd Tom Jones (1920–22), ei frawd James Idwal Jones (1920–22), Alec Jones (1945–47) a Barry Jones (1959–61). Dilynodd Betty Williams y cwrs BA Cyfathrebu a hithau bellach yn bedwar deg naw oed, yn fyfyrwraig aeddfed go iawn! Yn fam i ddau o blant cafodd anawsterau ar y cychwyn i ymdopi â gofynion cwrs gradd: "Roeddwn i'n ei chael hi'n anodd canolbwyntio a chymryd nodiadau . . . Roedd fy nghorff wedi blino'n lân, a'r ymennydd wedi gorfod ymrafael â rhywbeth gwahanol, hollol newydd."[24]

Tra'n canmol cyfraniad llawer o'r darlithwyr ar ei chwrs mae'n llawdrwm ei beirniadaeth ar ambell aelod o'r staff: "Dwi'n cofio darlith un tro pryd roeddwn i'n cymryd nodiadau yn Gymraeg ac wedyn [yn] mynd i'r llyfrgell i gael llyfrau perthnasol i'r pwnc arbennig hwnnw. Deuthum ar draws llyfr Saesneg oedd bron air am air yr un fath â'r ddarlith roeddwn i newydd ei chael! Felly, doedd gen i ddim llawer o feddwl o'r darlithydd hwnnw nac un neu ddau o'i gyd-ddarlithwyr."[25]

Yn 2000, bum mlynedd ar ôl graddio, daeth Betty Williams i gysylltiad unwaith eto â'r Normal (oedd bellach wedi'i integreiddio â'r Brifysgol) wrth iddi gael ei phenodi'n Gymrawd Anrhydeddus, ac, yn ddiweddarach, mwynhaodd y fraint o weithredu fel Is-Lywydd y sefydliad.

• • •

Byddai wedi bod yn bosibl i gynnwys llawer mwy o brofiadau myfyrwyr y Cyfnod Olaf, ond, yn gam neu'n gymwys, penderfynwyd cau pen y mwdwl efo hanes Betty Williams er mwyn cadw'r bennod o fewn hyd rhesymol. Ymddiheurir yn llaes i'r cyn-fyfyrwyr hynny a fu mor barod i rannu eu profiadau coleg o'r cyfnod hwn, ond nad yw eu cyfraniadau wedi'u cynnwys.

NODIADAU

1. Rhydderch T. Jones (2002) *Cofiant Ryan*. Talybont: Y Lolfa.
2. ACN13.
3. John Albert Evans (2010) *Llanw Bwlch*. Llandysul: Gwasg Gomer. t. 33.
4. Ibid.
5. Ibid., t. 34.
6. Ibid., t. 35.
7. Ibid.
8. Ibid., t. 37.
9. David Meredith (2002) *Pwy Fase'n Meddwl*. Llandysul: Gwasg Gomer. t. 44.
10. ACN52.
11. Gerallt Lloyd Owen (1999) *Fy Nghawl fy Hun*. Caernarfon: Gwasg Gwynedd. Dyfynnir o bennod 13.
12. Gerallt Lloyd Owen (1972) *Cerddi'r Cywilydd*. Cyhoeddiadau Tir Iarll. t. 35.
13. *Yr Herald Cymraeg*, 9 Ebrill 2008.
14. ACN91.
15. Coleg Normal Bangor (1971) *Awen y Normal: cynnyrch llenyddol myfyrwyr y Coleg Normal 1968–71*. Llandysul: Gwasg Gomer. Gweler y cyflwyniad.

16. ACN13.
17. Seilir yr adran hon ar gofnodion cyfarfodydd staff y Coleg rhwng 1962 a 1968. Gweler ACN155.
18. ACN93.
19. Huw Owen, un o borthorion y Coleg a oedd, fel llawer o borthorion eraill dros y blynyddoedd, yn uchel iawn ei barch gan fyfyrwyr ac a achubodd eu cam ar sawl achlysur.
20. Dewi Jones (2010) *Ar Drywydd y Dringwyr*. Pen-y-groes: Gwasg Dwyfor. t. 47.
21. ACN155.
22. Dafydd Iwan (2002) *Cân Dros Gymru*. Caernarfon: Gwasg Gwynedd. t. 23.
23. *Awen y Normal*. t. 15.
24. Betty Williams (2010) *O Ben Bryn i Dŷ'r Cyffredin*. Caernarfon: Gwasg y Bwthyn. tt. 57–58.
25. Ibid., t. 59.

PENNOD 4

DIWEDDGLO

Wrth gyrraedd pen y dalar, mae'r sawl sy'n aredig yn bwrw trem yn ôl i weld sut siâp sydd ar ei gwysi; dyna y ceisir ei wneud yn y bennod hon. Y gamp yw ceisio costrelu'r dystiolaeth tra'n ymwybodol, ar yr un pryd, o rybudd Gwyn Erfyl: "Cymysgedd o'r gwych a'r gwachul yw pob cyfnod ac mae ceisio cymharu a gwrthgyferbynnu'n wastraff amser ac egni."[1]

Wrth geisio crisialu amryfal agweddau'r 'bywyd Normal' dros y blynyddoedd, casglwn ein sylwadau ynghyd dan saith pennawd: profiad y myfyrwyr o'r cwrs ac o Ymarfer Dysgu; bywyd yn y neuaddau preswyl; bywyd diwylliannol; bywyd crefyddol; bywyd cymdeithasol; a phrofiadau'r maes chwarae.

CWRS AC YMARFER DYSGU

Ar y cyfan, mae'r myfyrwyr sydd wedi cyfrannu i'r gyfrol hon, fel y byddai rhywun yn ei ddisgwyl, wedi bod yn fodlon ar eu dewis o brif gwrs. Yn y Cyfnod Cynnar canmolodd John Lloyd Williams gyfraniad y tiwtor John Price i'w brif gwrs, Gwyddoniaeth. Yn y Cyfnod Canol, mae Ifor Owen yn cydnabod ei ddyled i'w diwtor Celf, Keith Miller. Yn y Cyfnod Canol, hefyd, roedd y dynion oedd yn dilyn y cwrs Addysg Gorfforol fel prif bwnc yn meddwl y byd o Llew Rees. Mynega Hafina Clwyd ei gwerthfawrogiad hithau o gyfraniad aelodau'r Adran Gymraeg at ei phrif gwrs. Yn y Cyfnod Olaf cafodd May Castrey gryn foddhad o ddilyn ei dewis gwrs, Celf, ac mae Gerallt Lloyd Owen, er yn eithaf beirniadol o ambell aelod o'r staff, yn cydnabod ei ddyled i aelodau'r Adran Celf a Chrefft a'r Adran Ddrama. Ceir canmoliaeth hefyd gan Ieuan Wyn i gyfraniad gwerthfawr aelodau'r Adran Gymraeg, ac mae'r arlunydd Ed Povey yn cydnabod ei ddyled i Selwyn Jones, Pennaeth Adran Arlunio'r Coleg.

Mae pob myfyriwr dan hyfforddiant i fod yn athro yn gorfod dilyn cwrs cyffredinol ar Addysg, ac, efallai am nad oes modd osgoi'r cwrs hwn, tuedda rhai ohonynt i'w feirniadu. Yn y Cyfnod Canol cwyna Mari Evans am y darlithoedd Addysg 'diflas' a draddodwyd gan y Prifathro David Harris, ac, yn ôl Martha Jane Roberts, ni wnaeth dyfodiad y Prifathro Dr Richard Thomas wella pethau. Un o werslyfrau'r cwrs Addysg, *The Principles of Education* gan Percy Nunn, oedd yn mynd o dan groen Mari Evans, Hafina Clwyd a J. O. Roberts. Erbyn y Cyfnod Olaf, fodd bynnag, mae rhai o'r myfyrwyr yn cydnabod eu dyled i o leiaf un aelod o'r Adran Addysg, Dr Gwilym Arthur Jones, ac yn gwerthfawrogi ei gyfraniad yn fawr.

Yn y Cyfnod Cynnar a'r Cyfnod Canol, fel ei gilydd, un agwedd o'r cwrs a oedd yn ennyn llid llawer iawn o'r myfyrwyr Cymraeg eu hiaith oedd mai trwy gyfrwng y Saesneg yr oedd yr holl addysgu a'i fod yn Seisnig ei naws. Yn y Cyfnod Cynnar, mae John Lloyd Williams yn cwyno'n hallt am hyn, gan nodi bod hanes a diwylliant Cymru yn cael eu hesgeuluso gan y Coleg. Cwrs dewisol oedd y Gymraeg pan agorwyd y Coleg yn 1858, am awr bob wythnos. Ond erbyn 1863 wele'r Gymraeg yn diflannu'n gyfan gwbl o'r maes llafur. Crisialir safbwynt gwrth-Gymraeg cyffredinol y cyfnod hwn gan un o arolygwyr y Coleg, y Parchedig B. M. Cowie (AEM), pan ddywedodd yn 1860:

> Welsh parents object to their children being taught Welsh, they want them to learn English. To teach Welsh to children is therefore unnecessary. Nobody wants it. It is a hindrance and not a help to the progress of national and general education.[2]

Yn dilyn Eisteddfod Genedlaethol Aberdâr yn 1885 cychwynwyd ymgyrch bwerus gan Gymdeithas y Cymmrodorion i sicrhau statws addysgol i'r Gymraeg. Arweiniodd hyn i ddychweliad y Gymraeg i faes llafur y Normal erbyn 1894, ond digon llugoer oedd yr adfywiad.

Yn y Cyfnod Canol, ceir yr un feirniadaeth am ddiffyg parch i'r Gymraeg gan Idwal Jones, ymysg eraill, sy'n nodi mor pa amharod oedd y staff – a nifer ohonynt yn Gymry Cymraeg – i gyfarch myfyrwyr yn Gymraeg. Ategir hyn gan sylwadau Ifor Owen am naws ac ethos

Seisnigaidd y Coleg yn ei gyfnod ef, serch ymdrechion arbennig unigolion megis Ambrose Bebb.

Wrth gwrs, nid oedd sefyllfa'r Gymraeg yn y Normal yn y Cyfnod Cynnar na'r Cyfnod Canol yn wahanol i'w sefyllfa yn ysgolion a cholegau Cymru yn gyffredinol yr adeg honno. Dagrau pethau yw y credid mai'r Saesneg oedd yr unig allwedd i lwyddiant addysgol a gyrfaol.

Cwyn arall a fynegwyd oedd fod rhai darlithwyr yn defnyddio'r un hen nodiadau am flynyddoedd lawer. Tybed ai enghraifft yw hon o 'fyth coleg'? Yn y Cyfnod Canol, roedd Tom Jones yn berchen ar gasgliad cyflawn o gwrs Addysg y Prifathro David Harris a gafodd gan gyn-fyfyriwr a fu yn y Coleg flynyddoedd ynghynt. Yn y Cyfnod Canol, eto, sonia Handel Morgan fel yr oedd un o'i gyd-fyfyrwyr, Artro Evans, yn defnyddio darlithoedd Tommy Roberts a gafodd gan ei dad! Hyd yn oed yn y Cyfnod Olaf, mae Elwyn Jones-Griffith yn sôn am ddarlithoedd Daearyddiaeth Peter Ellis Jones yr oedd eu cynnwys yn union fel ei wersi yn chweched dosbarth Ysgol Dyffryn Nantlle.

•   •   •

Elfen orfodol arall ymhob cwrs ar gyfer darpar-athrawon yw Ymarfer Dysgu. Mae profiadau'r myfyrwyr yn y gyfrol hon yn awgrymu mai rhyw ŵy curad – cymysgfa o'r drwg a'r da – yw'r disgrifiad gorau o'r cyfnodau hyn.

Mae John Lloyd Williams yn feirniadol iawn o'i brofiad yn y Cyfnod Cynnar: ni chafodd fawr o hwyl arni yn Ysgol St Paul's Bangor, ac mae'n cyfeirio at ddiffyg amlwg, sef amharodrwydd y tiwtoriaid coleg a'r athrawon ysgol i gynnig cyngor i'r myfyrwyr. Dyma gŵyn sydd wedi cael ei hadleisio ar hyd y blynyddoedd mewn sawl coleg hyfforddi athrawon, mae'n debyg! Fodd bynnag, roedd John Lloyd Williams yn canmol perthnasedd y *Criticism Lesson*, a roddai gyfle i fyfyrwyr, yng nghwmni eu tiwtoriaid, i sylwi ar gryfderau a gwendidau'i gilydd a'u trafod. Roedd y *Criticism Lesson,* neu'r Wers Fodel fel y'i gelwid yn ddiweddarach, yn parhau i gael lle amlwg wrth i fyfyrwyr baratoi ar gyfer eu Hymarfer erbyn dechrau'r Cyfnod Canol. Cyfeiria Ifor Owen at y 'straen' oedd ynghlwm â'r profiad hwn.

Tynnir sylw at ddiffygion ym mharatoad a gweinyddiaeth Ymarfer Dysgu mewn colegau hyfforddi yng Nghymru rhwng 1846 a 1898 mewn traethawd ymchwil gan Llewelyn Rees, un o ddarlithwyr y Coleg Normal. Mewn gwrthgyferbyniad llwyr i reolaeth gaeth y llywodraeth ar faes llafur y colegau hyfforddi yn y cyfnod hwn, yn arbennig drwy gyfrwng y Côd Diwygiedig (1862), nid oedd unrhyw drefn na safon i'r Ymarfer Dysgu. O fewn hierarchaeth darlithwyr y colegau hyfforddi, isel iawn oedd statws y *Method Master* druan a oedd yn gyfrifol am baratoi myfyrwyr ar gyfer eu cyfnod o Ymarfer Dysgu a'u harolygu. Gan fod y disgybl-athro wedi cael profiad helaeth (pum mlynedd) o addysgu cyn dod i'r coleg, credid yn gyffredinol yn y cyfnod hwn nad oedd fawr o bwrpas mewn canolbwyntio ar baratoi myfyrwyr ar gyfer Ymarfer Dysgu. Ym Mangor, yn ogystal, roedd yna ddiffyg cydweithrediad effeithiol rhwng y Normal ac Ysgol y Garth, yr unig ysgol a ddefnyddid am rai blynyddoedd ar gyfer Ymarfer Dysgu yn y Cyfnod Cynnar. O ystyried hyn oll, does ryfedd i Llewelyn Rees ddod i'r casgliad: "In these circumstances professional training had little chance of gaining a dignified place in the education of students."[3]

Mae ambell fyfyriwr yn mynegi ei ddiolchgarwch i arweiniad athro neu bennaeth ysgol tra ar ei Ymarfer. Er enghraifft, yn y Cyfnod Canol, mae Marian Everett Roberts yn canmol cymorth parod yr artist-naturiaethwr T. G. Walker, pennaeth Ysgol Henblas, Llangristiolus. Yn yr un modd, yn y Cyfnod Olaf, mynega Huw Gwyn ei ddyled i bennaeth Ysgol y Groeslon, Ifan Glyn Jones.

Un profiad cyffredin ar hyd y blynyddoedd oedd ymdeimlad o ofn a nerfusrwydd ar ymweliad y tiwtor coleg, ymdeimlad a grisialir mewn soned gan fardd di-enw yn rhifyn Haf 1964 y *Normalydd* wrth iddo barodïo 'Y Llwynog' R. Williams Parry:

> Bum munud cyn yr egwyl pan fai cloch
>   Yr amser cinio'n gwahodd tua'r bwrdd,
> Ac annhreuliedig fwyd yr ysgol goch
>   Yn gwâdd ei hun o'r stumog, – megis hwrdd
> Ar ymwybodol droed ac uchel lef,
>   Ymsaethodd ei ryfeddod prin drwy'r ddôr;
> Minnau heb boeryn, ac o'i weled ef
>   Ddychrynais ennyd; megis cwch ar fôr
> Y siglwn, ar ganol un ofnadwy drem
>   Sydyn y siglodd yntau, ac uwchlaw
> Ei gynddeiriogrwydd ef dwy lygaid lem
>   Ymfflachiai arnaf. Yna heb ysgwyd llaw,
> Ysgubodd ei wylltineb dros yr iard;
> Digwyddodd, darfu, megis torri lard.

Nodwedd nid anfynych arall o'r Ymarfer Dysgu oedd gwrthdaro rhwng myfyriwr a'i diwtor. Yn y Cyfnod Olaf, cafodd David Meredith 'gopsan' ar ei Ymarfer Dysgu yng Nghricieth ac achoswyd cur pen i Gerallt Lloyd Owen yn ystod ei Ymarfer yng Nghefncoedycymer.

Digon cymysg dros y blynyddoedd oedd ymateb Cymry Cymraeg i dreulio cyfnodau Ymarfer Dysgu mewn ysgolion di-Gymraeg, yn arbennig rhai yn Lloegr, heb sôn am yr orfodaeth yn aml i chwilio am swyddi dros y ffin. Roedd rhai yn croesawu'r cyfle ac eraill yn ei felltithio. Fel hyn y canodd y myfyriwr Dafydd Whiteside Thomas yn 1971 mewn cerdd dan y teitl 'Dadrithiad':

> Cân ffarwel i fryniau Arfon,
> Penrhyn Llŷn ac Aberdaron,
> Dos i Lerpwl, yno'n athro
> Ti gei swydd i'th ddi-Gymreigio.[4]

Yn y Cyfnod Canol, roedd y merched yn mwynhau amodau mwy ffafriol na'r dynion ar eu Hymarfer Dysgu gan nad oedd disgwyl iddynt deithio i Lerpwl i ddysgu yn ysgolion garw ardaloedd y dociau yno.

Cafwyd llawer o newidiadau ym mhatrwm Ymarfer Dysgu dros y blynyddoedd, gyda ffasiynau'n mynd a dod. Er enghraifft, yn y 1980au anfonid myfyrwyr y flwyddyn gyntaf i'w hysgolion i ymarfer mewn parau, gan eu hannog i gynllunio, arsylwi a gwerthuso ar y cyd. Fodd bynnag, clywsom gan rai o fyfyrwyr y Cyfnod Canol fod gweithio mewn parau yn beth cyffredin bryd hynny hefyd. Ymhellach, ar ddiwedd y Cyfnod Olaf, rhoddwyd pwyslais ar ddefnyddio athrawon dosbarth i arolygu a monitro'r Ymarfer ar y cwrs tair blynedd newydd. Ond hyd yn oed yn y Cyfnod Cynnar roedd John Lloyd Williams yn cyfeirio at swyddogaeth bwysig yr athro dosbarth yn yr Ymarfer Dysgu. Bu cryn dipyn o ailddyfeisio'r olwyn, a phwy a ŵyr nad atgyfodir y gyfundrefn disgybl-athro ryw ddydd!

BYWYD YN Y NEUADDAU PRESWYL

Nodwedd amlwg o fywyd y myfyrwyr yn y neuaddau preswyl oedd y ddisgyblaeth lem. Cwyna sawl un, o gyfnod John Lloyd Williams yn y 1870au ymlaen, am y ddisgyblaeth hon, a bu enghreifftiau o wrthdaro o ganlyniad i geryddu myfyrwyr am droseddu. Tybed ai symptom o rwystredigaeth y dynion dan ddisgyblaeth drom y Cyfnod Cynnar oedd streic y myfyrwyr yn 1890?

Roedd croestynnu rhwng y myfyrwyr ac awdurdodau'r Coleg hefyd i'w weld yn y Cyfnod Canol. Yn 1934 dangosodd merched y Cyfnod Canol ddigon o blwc i herio awdurdodau'r Coleg ynglŷn â'r *blazer* swyddogol. Yng nghyfnod Handel Morgan ddiwedd y 1940au ansawdd y bwyd oedd asgwrn y gynnen rhwng y myfyrwyr ac awdurdodau'r Coleg, cynnen a arweiniodd at brotest urddasol amser cinio yn y George. Ceir sylwadau dadlennol gan Rhydderch Jones ynghylch y gwrthdaro rhwng rheolau haearnaidd y Coleg yn y cyfnod yn dilyn yr Ail Ryfel Byd a dis- gwyliadau'r genhedlaeth o ddynion yn dychwelyd o faes y gad:

> Dan system sy'n caethiwo criw o bobl ifanc dan reolau caeth, mae un o ddau beth yn sicr o ddigwydd. Un ai maent yn mynd i godi reiat, neu yn closio mewn cyfeillgarwch i ddychanu neu wrthwynebu'r system. Roeddwn wedi gweld hyn yn digwydd mewn llawer baracs dros y byd, a dyna ddigwyddodd i'r criw yn y Coleg Normal, dybia i. Ar ôl y sioc gyntaf fe ddaeth yn un o'r lleoedd hyfrytaf dan haul daear . . .[5]

Ond, heb os, achos Sheila Davies (1953) yn y Cyfnod Canol oedd penllanw'r gwrthdaro rhwng y myfyrwyr ac awdurdodau'r Coleg, neu, a bod yn fanwl gywir, rhwng y myfyrwyr benywaidd a'r Coleg. Ni chafodd yr achos ei gefnogi gan y dynion, yn bennaf am fod y dynion yn cael eu trin ychydig yn wahanol i'r merched, llawer ohonynt yn fyfyrwyr aeddfed a oedd wedi bod yn gwasanaethu yn y lluoedd arfog, ac a oedd eisoes wedi dod i delerau gyda'r drefn haearnaidd drwy ei dychanu a'i gwatwar.

Bu achos Sheila Davies yn drobwynt yn hanes y berthynas rhwng y merched ac awdurdodau'r Coleg. Yn ystod y Cyfnod Olaf, ar ôl saga'r 'ystafelloedd agored' yn y 1960au, yn raddol ond yn sicr, gwelwyd llacio ar y ddisgyblaeth haearnaidd a oedd wedi bod mor nodweddiadol o'r Normal ac o golegau hyfforddi eraill.

Tybed pa bryd y dechreuodd yr arferiad dymunol yn y neuaddau o benodi *Coll. Mother* a *Coll. Father* i hwyluso addasu'r glasfyfyrwyr i fywyd Coleg? O sylwadau'r myfyrwyr yn y Cyfnod Canol, yn enwedig o du'r merched, mae'n amlwg fod y drefn fugeiliol hon yn cael ei gwerth- fawrogi'n fawr, a pharhaodd y cyfeillgarwch rhwng sawl *Coll. Daughter a Coll. Mother* am flynyddoedd lawer, fel yn achos Morfudd Griffith a Laura Gruffydd. Erbyn y dyddiau hyn, mae Prifysgol Bangor yn gweithredu trefn 'Arweinydd Cyfoed' sy'n golygu bod myfyriwr profiadol yn gyfrifol am gynorthwyo pob glasfyfyriwr. Braf deall bod yr hen *Coll. Father / Coll. Mother* yn dal i fynd ar ei newydd wedd.

Nodwedd arbennig arall oedd yr is-ddiwylliant a grewyd gan ddynion y George yn y Cyfnod Canol, ac, yn y Cyfnod Olaf, ymdrechion dynion

Seiriol i efelychu'r patrwm arbennig hwnnw o ymddwyn. Tuedda'r dynion a fu'n lletya yn y ddwy neuadd breswyl hyn i amddiffyn y defodau a'r ragio a oedd yn rhan mor annatod o'u profiad coleg, er y byddai ambell fachgen swil a diniwed yn gweld yr holl brofiad yn bur hunllefus.

BYWYD DIWYLLIANNOL

O gofio arwyddair y Normal, *Goreu diwylliwr athraw da*, priodol oedd bwrw golwg ar weithgarwch diwylliannol y myfyrwyr. Golwg ar y diwylliant all-gyrsiol a gafwyd, a chanolbwynt y sylw oedd gweithgarwch diwylliannol gwirfoddol y myfyrwyr yn hytrach na chynnwys cyrsiau.

• • •

Yn ystod y Cyfnod Cynnar, canu oedd yn cael y sylw pennaf a'r côr meibion yn arwain y ffordd. Arferai'r côr gynnal cyngerdd blynyddol gyda'r mwyafrif o'r eitemau yn Saesneg. Roedd myfyrwyr y cyfnod yn manteisio ar unrhyw gyfle i ganu. Ar eu taith gerdded flynyddol i ben yr Wyddfa, roedd y *Seniors* yn canu ar ôl cyrraedd y copa. Yna bu'r *Juniors* yn canu bron drwy'r dydd ar eu gwibdaith flynyddol i Gaernarfon. Yn eu horiau hamdden prin, arferai'r dynion fwynhau canu pob math o ganeuon – rhai ysgafn, poblogaidd, yn ogystal ag emynau a chaneuon clasurol – yn arbennig yn y *smokers* a gynhelid, nid yn unig yn y Coleg, ond hefyd mewn mannau amrywiol yn y dref.

Erbyn y Cyfnod Canol roedd y Gymdeithas Gorawl, a sefydlwyd yn 1912, yn denu llu o fyfyrwyr i'w rhengoedd. Roedd y gymdeithas hon, wrth gwrs, yn rhoi cyfle prin i'r dynion a'r merched gymdeithasu â'i gilydd, bob nos Wener, noson ymarfer y côr. Uchafbwynt y flwyddyn i'r côr fyddai'r cyngerdd blynyddol.

Roedd y pleser mewn canu'n ymestyn i fyd pêl-droed hefyd. Dyma ddwy enghraifft o'r Cyfnod Canol o'r math o ganeuon roedd cefnogwyr pêl-droed y Normal yn eu canu yn y 1920au:

> The Normals, play football, play football,
> The forwards they dribble the ball,
> The backs and half-backs they don't slack,
> The goalie you can't beat at all.
> Play up the scarlet, play up the green,
> You're the finest fellows that we've ever seen,

You play good football when everything's said,
Play up the green and red!

There was a little sparrow who went up a little spout
And then there came a shower and washed the sparrow out.
And then there came some sunshine to dry up the rain
And then the little sparrow went up the spout again.
Singing: the Normals, the Normals are winning today, today.
Hurray for the red and the green,
You're the finest fellows that we've ever seen.
You play the good football wherever you've been.
Hurray for the red and the green![6]

Roedd merched a fu'n myfyrwyr yn y Coleg rhwng, yn fras, 1925 a 1955, yn gyfarwydd â'r *Initiation Hymn* yr arferid ei chanu ar dôn Cwm Rhondda yn ystod Wythnos y Glas. Mae'r pennill cyntaf yn nodweddiadol o sentiment teyrngarol yr emyn gyfan:

Praise and thanks to Thee, Oh Father,
Who by devious ways hast brought
Us as students here before Thee,
Now united in one thought;
For our college,
Normal College,
May we love her as we ought.

Tybed a oedd a wnelo diflaniad yr emyn deyrngarol hon tua 1955 â helynt Sheila Davies? A oedd cael gwared â'r emyn yn arwydd bach – ond arwyddocaol – o ymdrech gan awdurdodau'r Coleg i lacio rhywfaint ar y ddisgyblaeth lem a nodweddai'r Coleg cyn hynny?

Trwy'r 1960au a'r 70au bu'r Gymdeithas Gorawl yn cynnal cyngerdd blynyddol, fel arfer yn ystod Tymor yr Haf. Yn ogystal, yn yr 80au a'r 90au, cynhelid gwasanaeth Nadolig blynyddol ar ffurf naw llith a charol. Cynhelid y gwasanaeth weithiau yn y Coleg, ond, yn aml, yn un o'r eglwysi lleol, yn arbennig Eglwys y Santes Fair, Porthaethwy.

Erbyn y 1990au roedd y Gymdeithas Gorawl yn tueddu fwyfwy i gynnal cynyrchiadau arbennig, megis y perfformiad o *Stabat Mater* (Pergolesi) a *Gloria* (Vivaldi) yng Nghadeirlan Bangor yn 1993.

Cynhyrchiad olaf ond un y Gymdeithas Gorawl oedd Cyngerdd Dathlu'r Normal, a gynhaliwyd yn Neuadd John Phillips ar 16 Tachwedd 1996, pryd y cafwyd eitemau gan fyfyrwyr a chyn-fyfyrwyr. Yn eu mysg yr oedd Robin Jones (Cyflwynydd), Trefor Selway, Morien Phillips, Olwen

Rees, Bethan Dwyfor, Einir Wyn, Grês Pritchard, Margaret Edwards, Owain Glyn, Gareth Davies a'r grŵp *Cyffred*. Roedd gan bob eitem ar y rhaglen gysylltiad uniongyrchol â'r Coleg, trwy fod y cyfranwyr o gyn-fyfyrwyr yn gyfansoddwyr y gerddoriaeth, yn awduron geiriau'r caneuon, neu yn awduron y sgriptiau.

Ar 24 Hydref 1996 cynhaliwyd Gwasanaeth Ymgysegru yng nghapel Tŵr Gwyn fel rhan o'r dathliadau integreiddio, gyda chôr yn cynnwys aelodau o hen gôr merched y Normal yn cymryd rhan. Ar 15 Mawrth 1997, cynhaliwyd cyngerdd olaf y Gymdeithas Gorawl, sef Cyngerdd yr Integreiddio. Roedd y rhaglen yn cynnwys *Hymns of Praise* (Mendlessohn) a *Laudate* gan yr Athro John Harper a gomisiynwyd yn arbennig ar gyfer yr achlysur. Roedd rhan benodol i hen gôr merched y Normal yn y gwaith.

• • •

Erbyn y 1890au, roedd y Ddadl Ffurfiol wedi dechrau dod yn boblogaidd gyda chryn drafod ar bynciau fel 'Coleg Preswyl vs Coleg Dyddiol', a 'Pêl-droed vs Rygbi'. Parhaodd y myfyrwyr i gefnogi'r Gymdeithas Ddadlau hyd at y 1960au, a rhoddodd gyfle iddynt feithrin eu sgiliau areithio.

Yn yr un modd roedd y ddrama hefyd yn hynod bwysig i fywyd diwylliannol y myfyrwyr. Roedd rhyw fath o dwymyn ddrama wedi cael gafael ar fyfyrwyr y Normal erbyn y 1930au. Roedd y brwdfrydedd hwn i'w gael hefyd mewn sawl tref a phentref yn y cyfnod hwnnw. Yn y 1930au roedd saith cwmni drama yn y Coleg: dau gwmni Cymraeg (dynion a merched ar wahân), un cwmni merched Saesneg, a chwmni drama gan bob un o bedair neuadd breswyl y merched. Roedd staff y Coleg yn cael cryn bleser o ymhél â'r ddrama hefyd, yn cyfieithu ac yn cynhyrchu. Yr Ail Ryfel Byd a darfodd ar fwrlwm y ddrama yn y Normal, fel mewn sawl ardal yng Nghymru. Yn ôl y dramodydd a'r athro ysgol John Ellis Williams (cyn-Normalydd ei hun): "Roedd y rhyfel wedi chwalu nifer o'r cwmnïau drama ac wedi codi argae i atal llif cryf gweithgarwch y tridegau."[7]

Erbyn y 1950au roedd yna Gymdeithas Ddrama Saesneg, o dan ofal yr Adran Saesneg, a Chymdeithas Ddrama Gymraeg, o dan ofal yr Adran Gymraeg. Yn 1957 daeth yr Adran Ddrama i fodolaeth, a hi bellach oedd yn gyfrifol am gynhyrchu'r ddrama flynyddol. Y drefn oedd llwyfannu drama Saesneg un flwyddyn, a drama Gymraeg y flwyddyn ddilynol.

Roedd pethau wedi tawelu ym myd y ddrama erbyn ail hanner y Cyfnod Olaf. Gyda chychwyn y cwrs Cyfathrebu yn 1980, drama

Gymraeg yn unig oedd yn cael ei llwyfannu'n flynyddol o hynny ymlaen. Fodd bynnag, roedd y Gymdeithas Ddrama yn parhau yn fyw ac yn iach hyd at ddiwedd y Cyfnod Olaf, ac roedd y myfyrwyr yn cael boddhad mawr o ymarfer a pherfformio.

• • •

O'i gymharu â'r Cyfnod Cynnar, roedd peth ffyniant yn niwylliant all-gyrsiol Cymraeg a Chymreig y Coleg erbyn y Cyfnod Canol, er bod y dysgu swyddogol yn parhau drwy gyfrwng y Saesneg yn unig. Adlewyrchwyd cynnydd yn hunanhyder y myfyrwyr Cymraeg wrth iddynt sefydlu'r Gymdeithas Gymraeg yn 1918. Tybed ai dyfodiad merched i'r Coleg fu'n gyfrifol am y datblygiad hwn? Tybed, hefyd, faint o gymorth i hyrwyddo twf Cymreictod y Normal yn y Cyfnod Canol fu cefnogaeth rhai o aelodau'r staff fel Tommy Roberts ac, yn ddiweddarach, Ambrose Bebb? Carreg filltir bwysig arall yn hanes diwylliant Cymraeg y Normal yn y Cyfnod Canol fu sefydlu Adran Gymraeg y Gymdeithas Ddadlau, ond nid cyn 1952.

Yn y Cyfnod Olaf, ac yn arbennig yn y 1950au a'r 60au, roedd cryn fynd ar bartïon noson lawen y Coleg. Roedd hyn yn rhannol oherwydd fod gan rai o'r myfyrwyr geir, ac roedd hynny'n hwyluso cludo aelodau'r parti i ymweld â neuaddau pentref, neuaddau eglwys a festrïoedd capeli ledled gogledd Cymru i gynnal nosweithiau llawen i godi arian at achosion da.[8]

Roedd rheswm arall dros boblogrwydd partïon noson lawen y Normal yr adeg hon, sef bod y fath ddoniau ar gael yn y Coleg, gan gynnwys, yn y 1950au, Ryan Davies, Rhydderch Jones, Gwenlyn Parry, Robin Jones, Philip Hughes, Trefor Selway, J. O. Roberts, Morien Phillips, Olwen Rees a Margaret Williams, ac, yn ddiweddarach, Edward Morus Jones yn arwain criw o fyfyrwyr brwdfrydig y 1960au.

Yn ystod y 1950au a'r 60au, roedd cryn lewyrch hefyd ar Eisteddfod y Coleg. Y drefn oedd fod cynrychiolwyr pob blwyddyn yn cystadlu yn erbyn ei gilydd gyda beirniaid allanol yn cloriannu'r perfformiadau, a'r cyfarfodydd yn cael eu llywyddu gan aelod o'r staff. Byddai'r eistedd-fodau'n mynd ymlaen tan oriau mân y bore, gyda chystadleuaeth y corau yn uchafbwynt y noson. Erbyn y Cyfnod Olaf, staff yr Adran Gymraeg oedd yn bennaf gyfrifol am drefnu'r Eisteddfod. Yna trosglwyddwyd y cyfrifoldeb am drefnu a chynnal yr Eisteddfod i ofal y myfyrwyr a'r Gymdeithas Gymraeg. Daeth yr Eisteddfod i ben tua 1980, o bosib oherwydd diffyg sêl y myfyrwyr. Ai cyd-ddigwyddiad oedd fod tranc yr Eisteddfod wedi digwydd oddeutu'r un pryd ag y cychwynnwyd y cwrs

BEd newydd? Heb os, roedd strwythur modiwlar y cwrs newydd yn golygu bod staff yn colli cyswllt agos efo criw o fyfyrwyr yr arferent, yn yr hen gwrs, ddod i'w hadnabod yn dda dros gyfnod o dair i bedair blynedd. A oedd y cwrs newydd, felly, yn anuniongyrchol, yn golygu nad oedd y staff bellach mewn cystal sefyllfa ag o'r blaen i gynnig cefnogaeth ac anogaeth efo materion megis y *Normalydd* ac Eisteddfod y Coleg?

Erbyn y Cyfnod Olaf, a oedd yna gymaint o fri ar fywyd diwylliannol myfyrwyr Cymraeg y Coleg? Byddai myfyrwyr y Cyfnod Olaf yn sicr o ymateb yn gadarnhaol, ond, o edrych ar rai agweddau o fywyd diwylliannol myfyrwyr y cyfnod hwn, efallai fod peth sail i honiad Golygydd y *Normalydd* yn Rhifyn Haf 1953 pan ddywedodd: "Dyma flwyddyn aur y Coleg Normal!"

Bu gan y Normal Aelwyd yr Urdd a fu'n hynod lwyddiannus yn Eistedfodau'r Urdd yn ystod y 1990au cynnar. Llwyddodd yr Aelwyd i gipio sawl gwobr, yn unigolion, yn gorau, ac yn bartïon noson lawen. Yn dilyn yr integreiddio yn 1996 daeth Aelwyd y Coleg Normal ac Aelwyd John Morris-Jones Coleg y Brifysgol at ei gilydd i greu un Aelwyd.

Nid oedd diffyg talent llenyddol ymysg myfyrwyr Cymraeg eu hiaith y Cyfnod Olaf. Roedd cryn fynd ar farddoni a nifer o'r dynion yn dechrau gwneud enw iddynt eu hunain fel beirdd cydnabyddedig, gan gynnwys Gerallt Lloyd Owen, Ieuan Wyn a John Hywyn. Yn 1971 cyhoeddwyd *Awen y Normal* gan Bwyllgor Cymraeg y Coleg, adeg Eisteddfod Genedlaethol Bangor. Cynhwysai'r cyhoeddiad gynnyrch llenyddol y myfyrwyr, yn farddoniaeth a rhyddiaith. Yn ddiweddarach, yn ystod y 1980au, bu myfyrwyr y cwrs BA Cyfathrebu yn cyfrannu'n selog at atodiad arbennig blynyddol yn *Y Cymro*, a chynhyrchwyd cylchgrawn *Seren Menai* yn yr un cyfnod. Roedd y cylchgrawn hwn yn gyfrwng i fyfyrwyr y cwrs Cyfathrebu newydd ymarfer eu sgiliau dan arweiniad y newyddiadurwr profiadol, John Roberts Williams. Byddai ffrwyth eu llafur yn cael ei gyhoeddi'n flynyddol. Gwnaeth rhai o'r myfyrwyr hyn, gan gynnwys Glyn Tomos, Llŷr Edwards a Garfield Lloyd Lewis, enwau iddynt eu hunain yn ddiweddarach ym myd cyfathrebu.

•   •   •

Nodwedd amlwg arall o weithgarwch diwylliannol dynion y Cyfnod Cynnar oedd eu brwdfrydedd a'u sêl ynglŷn â chynhyrchu'r cylchgrawn Coleg, *The Normalite*, cyhoeddiad uniaith Saesneg yn y cyfnod hwnnw. Dechreuwyd cynhyrchu'r cylchgrawn yn Hydref 1896, ac, erbyn y flwyddyn academaidd 1906–07, roedd yn cael ei gyhoeddi chwe gwaith y flwyddyn a hynny'n rhwym o olygu cryn waith i'r dynion. Cynhwysai'r cylchgrawn adroddiadau gan ysgrifenyddion yr amrywiol gymdeithasau Coleg, yn ogystal ag adroddiadau manwl a chynhwysfawr am chwaraeon. Mae cryn waith creadigol hefyd i'w weld ar dudalennau'r cylchgrawn, ar ffurf storïau byrion a barddoniaeth. Ceir sawl erthygl ddifyr, hefyd, ar wahanol agweddau o fywyd y Coleg.

Erbyn y 1950au tri rhifyn o'r *Normalite* oedd yn cael eu cyhoeddi, un ar gyfer pob tymor. Roedd llawer mwy o Gymraeg yn ymddangos yn y cylchgrawn hefyd, ac, yn 1956–57, mabwysiadwyd y teitl dwyieithog *Y Normalydd – The Normalite*. Erbyn y 1960au, y patrwm blynyddol arferol oedd cyhoeddi dau rifyn yn unig, sef Rhifyn y Gaeaf a Rhifyn yr Haf. Yn 1972, wele'r argraffiad olaf o'r *Normalydd,* yn rhifyn tila ac amaturaidd ei ddiwyg a'i gynnwys wedi ei gynhyrchu â llaw ar beiriant Gestetner.

Beth oedd y rheswm am dranc y *Normalydd*? Ai diffyg brwdfrydedd o du'r myfyrwyr? A oedd gweithgareddau eraill y Cyfnod Olaf yn denu sylw'r myfyrwyr fel nad oedd ganddynt yr un ymroddiad a brwdfrydedd ynglŷn â'r cylchgrawn, o'i gymharu â myfyrwyr y cyfnodau cynt? Meddai golygydd rhifyn Hydref 1966: "Un [*Normalydd*] yn unig a gafwyd y llynedd [1965] a hynny yn fwyaf arbennig oherwydd difaterwch y myfyrwyr."

Roedd ffactor arall yn dylanwadu ar hynt y *Normalydd,* sef problemau ariannol. Wrth egluro'r oedi wrth gyhoeddi un o'r rhifynnau yn 1968, mynegodd y golygydd, John Hywyn:

> Y rheswm pennaf [am yr oedi] yw diffyg arian – hen gŵyn yng ngweithgareddau'r Coleg, a gelyn llethol y *Normalydd* eleni. Yr ergyd fwyaf oedd colli cyfraniad CYM [Cyngor y Myfyrwyr] tuag at gostau'r argraffu a'i golli'n gyfangwbl.

Pan roedd John Hywyn yn olygydd y *Normalydd* arferid archebu wyth gant o gopïau o Wasg Gee, Dinbych – 728 o fyfyrwyr oedd yn y Coleg bryd hynny. Ni werthid y cylchgrawn mewn siopau ond, yn hytrach, yn uniongyrchol i fyfyrwyr a chyn-fyfyrwyr. I gynorthwyo i dalu'r costau argraffu cafwyd rhywfaint o incwm o'r ychydig hysbysebion a welwyd yn y cylchgrawn ac arferid cynnal ambell fore coffi yn y neuaddau preswyl. Fodd bynnag, gan gofio nad oedd gwerthiant y *Normalydd* yn ddigon i dalu costau ei argraffu, a bod grant hollbwysig CYM wedi dod i ben, nid rhyfedd i'r myfyrwyr, ar ôl 1968, wynebu trafferthion ariannol enbyd with geisio parhau â'r cylchgrawn.

BYWYD CREFYDDOL

O gychwyn y Cyfnod Cynnar bu cyswllt agos rhwng myfyrwyr y Normal ac Ymneilltuaeth. Cofiwn fod y myfyrwyr cyntaf yn cael eu darlithoedd yn festri Capel Tŵr Gwyn, cyn gorffen adeiladu'r (Hen) Goleg yn 1862. Drwy gydol y Cyfnod Cynnar bu myfyrwyr y Normal yn addolwyr ffyddlon yng Nghapel Tŵr Gwyn (y Methodistiaid Calfinaidd) a Phendref (yr Annibynwyr). Yn y Cyfnod Cynnar, roedd diwrnod gwaith y dynion yn cychwyn a goffen gyda gwasanaeth crefyddol, ac roedd enwadaeth a phregethwyr yn destunau trafod yr un mor boblogaidd â phêl-droed!

Rhwng 1862 a 1897, doedd myfyrwyr ddim yn teimlo'n gartrefol yn y Tŵr Gwyn gan fod blaenoriaid y capel wedi cwyno, yn 1862, nad oedd y darnau tair a chwecheiniog yr arferai myfyrwyr y Normal eu rhoi yn y casgliad yn cyrraedd y gofynion. O ganlyniad, penderfynodd y blaenoriaid fod "gŵyr ifanc y Coleg i dalu am eu heisteddleoedd fel eraill".[9]

Erbyn 1897, roedd y blaenoriaid yn awyddus i gymodi. Chwaraeodd John Price, a oedd bellach yn Brifathro'r Coleg ac yn flaenor yn y Tŵr Gwyn er 1861, ran flaenllaw yn hyn o beth gan ddweud "ein bod fel swyddogion – a'n teuluoedd – yn trefnu i gael cyfarfod gyda'r efrydwyr er dyfod i'w hadnabod a'u dwyn i deimlo'n gartrefol ac yn gysurus yn ein plith".[10] O hynny ymlaen, bu gwell croeso i fyfyrwyr y Normal yn y Tŵr Gwyn, gwell darpariaeth ar eu cyfer, a dechreuwyd cynnal cyfarfod blynyddol arbennig ar ddechrau Tymor yr Hydref i groesawu'r myfyrwyr i'r capel.

Erbyn y Cyfnod Canol roedd nifer o fyfyrwyr Cymraeg eu hiaith yn parhau'n deyrngar i eglwysi lleol Bangor a rhai'n mynd dair gwaith y Sul i'r gwasanaethau a'r Ysgol Sul ym Mhendref a'r Tŵr Gwyn. Yn ôl Dafydd Wynn Parry:

> Bryd hynny [y blynyddoedd cynnar ar ôl yr Ail Ryfel Byd] yr oedd Ysgol Sul Tŵr Gwyn yn ffynnu gydag wyth o ddosbarthiadau oedolion. Credaf y gellir priodoli hynny i raddau helaeth i frwdfrydedd ac arweiniad Ambrose Bebb ac athro dosbarth i bymtheg a mwy o enethod Coleg y Normal.[11]

Yn ystod y Cyfnod Canol, hefyd, roedd mynd mawr ar sosials y capeli a gynhelid ar ddechrau Tymor yr Hydref, ac roedd ambell fyfyriwr barus yn ddigon powld i fynd i bob un ohonynt! Roedd diwrnod gwaith y myfyriwr yn parhau i gychwyn efo gwasanaeth boreol, ac roedd disgwyl i bob myfyriwr gael Beibl yn ei feddiant.

At hynny, yn y Cyfnod Canol, yn ogystal â mynychu oedfaon yn y capeli a'r gwasanaethau boreol yn y Coleg, byddai llawer o'r myfyrwyr yn ffyddlon iawn i gyfarfodydd wythnosol yr SCM (*Student Christian Movement*). Ond ar ôl yr Ail Ryfel Byd, roedd arwyddion fod y myfyrwyr yn dechrau cefnu ar foddion gras.

Erbyn cyrraedd y Cyfnod Olaf, mae'r llifddorau fel petai'n agor led y pen a'r trai crefyddol cyffredinol yn taro'r Normal. Tra oedd rhai fel John McBryde yn parhau i fynychu capeli ym Mangor a chyfarfodydd SCM, nid yw'r un o gyfranwyr diweddarach y Cyfnod Olaf yn cyfeirio at fynychu gwasanaethau crefyddol yn ystod eu cyfnod yn y Coleg. Erbyn y 1970au gwelwyd dirywiad sylweddol ym mhresenoldeb myfyrwyr y Coleg Normal yng nghyfarfodydd y Tŵr Gwyn, gan gynnwys yr Ysgol Sul a'r gwasanaethau.[12] Y dafarn ac nid y capel oedd prif dynfa myfyrwyr y Cyfnod Olaf.

BYWYD CYMDEITHASOL

Un o nodweddion amlycaf bywyd cymdeithasol myfyrwyr y Cyfnod Cynnar oedd pa mor ynysig, a mynachaidd hyd yn oed, oedd eu hamgylchiadau. Ond pa mor fynachaidd mewn gwirionedd oedd profiadau'r dynion hyn? Cofiwn i John Lloyd Williams gael ei geryddu gan y tiwtor John Price am ddod yn ôl i'r Coleg yn hwyr ar ôl hebrwng geneth o Fangor i'w chartref yn Llandygái. Ai eithriad prin oedd ef?

Yn y Cyfnod Cynnar, dim ond am ryw awr ar bnawn Mercher a Sadwrn y rhoddid caniatâd i'r dynion adael y Coleg, ac felly prin iawn oedd eu cyswllt â phobl y dref, heblaw trwy fynd i'r capel ar y Sul, a mynd am dro ar hyd strydoedd y dref. I raddau helaeth, roedd dynion y Cyfnod Cynnar yn gorfod eu difyrru eu hunain, a hynny, ran amlaf, drwy drafod enwadaeth, ac, at ddiwedd y bedwaredd ganrif ar bymtheg, bêl-droed. Byddai'r dynion, hefyd, yn mwynhau cynnal nosweithiau llawen anffurfiol, ac, wrth gwrs, rhaid peidio ag anghofio poblogrwydd y *smoker*.

Yn y Cyfnod Cynnar, yn ôl y *Normalite*, roedd cryn gymdeithasu rhwng myfyrwyr ac aelodau'r staff. Byddai tiwtoriaid yn cymryd rhan yn nhrafodaethau'r Gymdeithas Ddadlau, yn chwarae chwist, a hyd yn oed yn chwarae i rai o dimau'r Coleg.

Ar ddechrau'r Cyfnod Canol gwelwyd newid mawr gyda dyfodiad merched yn 1910. Fodd bynnag, ychydig o gyfle swyddogol a gâi'r dynion a'r merched i gymysgu â'i gilydd oherwydd prif gonsýrn awdurdodau'r Coleg oedd cadw'r dynion a'r merched ar wahân gan sicrhau eu bod yn cael eu darlithoedd ar safleoedd gwahanol. Pwysleisia sawl cyfrannwr mai'r unig gyfle a gâi dynion a merched y Coleg i gyfarfod oedd yn rhai o gymdeithasau'r Coleg, a chyfarfodydd y Côr Cymysg ar nos Wener yn gyfle, mae'n siŵr, i gychwyn sawl carwriaeth.

Yn y Cyfnod Canol roedd dynion y George yn ceisio denu merched y Coleg Uchaf drwy ramant y 'serenêdio'. Tybed faint o ferched y Normal a syrthiodd mewn cariad â dynion y George trwy glywed canu swynol yn y cwad fin nos?

Erbyn y 1950au roedd gan ddynion y George gyfle pellach i gyfarfod merched y Coleg Uchaf drwy fynychu'r dawnsfeydd yng Ngholeg y Brifysgol yn ogystal â dawnsfeydd poblogaidd yn *Jimmy's,* hen gwt sinc ar ganol Allt Glanrafon, yn agos at siop Morrisons heddiw, a berthynai i Eglwys Sant Iago. Roedd un o ganeuon poblogaidd dynion y George yn cyfeirio at *Jimmy's*:

> To that sweat box known as *Jimmy's*,
> To the place where *Tishy** dwells,
> To the dear old Menai Vaults we know so well.
> See the George men all assemble
> With their glasses raised on high,
> And the magic of their singing casts a spell.
> We're poor little lambs who have gone astray,
> Baa, Baa, Baa,
> Little black sheep who have lost their way,
> Baa, Baa, Baa.
> Gentlemen, Georgemen out on the spree,
> Doomed from here to eternity,
> Lord have mercy on such as we,
> Baa, Baa, Baa.[13]

Tishy: un o ddarlithwyr y Coleg Normal, T. C. H. Parry.

Arferid canu'r gân hon i dôn Americanaidd *The Wiffenpoof Song*. Enw arall arni oedd *The Baa, Baa, Baa Song*. Cafodd y gân wreiddiol ei chyfansoddi yn 1909, ac ymysg y canwyr a gafodd lwyddiant efo hi oedd Bing Crosby a Perry Como. Cafodd y gân ei chanu gan Rudy Valee yn y ffilm boblogaidd *Winged Victory* (1944) adeg yr Ail Ryfel Byd.[14] Tybed ai'r fersiwn hon oedd wedi ysgogi dynion y George i wneud parodi ohoni?

Mae gan J. O. Roberts atgofion melys am y dawnsfeydd yn *Jimmy's*:

> Ddwywaith yr wythnos byddai tyrfa o fechgyn yn drwch ar un ochr a thyrfa fwy trwchus fyth o enethod yn ein hwynebu ar yr ochr arall

. . . Rhuthr wyllt ar ddechrau pob dawns i geisio bachu'r eneth oedd wedi dwyn eich ffansi, a methu weithiau ond roedd digon o rai golygus ar ôl![15]

Y tâl mynediad i'r ddawns oedd chwe cheiniog. Fe'i cesglid wrth y drws gan Miss Cox, hen wreigan gyda bysedd seimllyd gan y byddai'n aml yn bwyta tsips tra ar ddyletswydd! Yn ôl Hafina Clwyd:

Gwaharddedig neu beidio, yno [i *Jimmy's*] yr heidiem . . . gan wthio ein chwecheiniogau poeth i law grafangus rhyw ddynes fawr dew mewn côt biws at ei thraed.[16]

Yr her i ddynion y George oedd bachu a hebrwng MOT (*Maid of the Straits*), term dynion y George am ferched y Coleg Uchaf, yn ôl i'w neuadd, gan gofio fod yn rhaid i ferched y Coleg Uchaf fod yn ôl erbyn deg yr hwyr yr adeg honno. Yna byddai'r *Georgemen* yn dychwelyd i *Jimmy's* a bachu myfyrwraig o Goleg y Santes Fair a'i hebrwng hi adref i'w neuadd breswyl, a olygai dipyn o waith tynnu i fyny allt Lôn Bobty i leoliad y coleg hwnnw. Yn ôl eto i'r ddawns a cheisio bachu nyrs o ysbyty'r C&A cyfagos a'i hebrwng yn ôl i'w *Nurses Home* cyn dychwelyd am y tro olaf i'r ddawns yn *Jimmy's* i orffen y noson efo geneth leol. Tybed a oes unrhyw sail i'r si fod yr ychydig ddynion o'r George oedd yn gallu cyflawni'r fath wrhydri yn cael eu gwobrwyo efo Medal G – 'G' am George wrth gwrs!

Pam na fentrodd dynion y George i fachu merched o Goleg y Brifysgol? Mae'n debyg nad oedd llawer o fyfyrwyr y Brifysgol yn mynychu dawnsfeydd *Jimmy's* gan fod *College Hops* mwy sidêt yn cael eu cynnal ar eu cyfer yn Neuadd Prichard Jones.[17] Fodd bynnag, roedd merched y Normal, yn ogystal â'r dynion, yn fynychwyr selog yn *Jimmy's*, a chofiwn fel yr edrychai Hafina Clwyd ymlaen yn eiddgar at ei "sesiwn gwerth chweil o roc a rôl", gan jeifio'n nwydwyllt, mae'n siŵr, i sŵn *Hound Dog* Elvis Presley a *Rock Around the Clock* Bill Hayley a'r *Comets*, record a ddewiswyd ganddi ar raglen radio *Betty a'i Phobl*, 1980.

Erbyn dechrau'r 1960au roedd *Jimmy's* yn eiddo i fudiad hipïaidd *The Woodcraft People*, ac, yn ddiweddarach, cafodd ei ddifrodi gan dân. O ganlyniad, oddeutu 1962–63 cafodd yr hen *Jimmy's* ei ddymchwel, ac, yn ei le, codwyd neuadd eglwys newydd. Erbyn 1963 roedd gan fyfyrwyr y Normal eu neuadd newydd, Neuadd John Phillips, ac yno y buont yn cynnal eu dawnsfeydd wedyn. Ond i fyfyrwyr y Normal yn y 1940au a'r 50au y lle i fynd ar nosweithiau Mawrth ac Iau oedd *Jimmy's*!

Gan fod mwyafrif myfyrwyr Cymraeg iaith gyntaf y Cyfnod Canol yn selog yng nghapeli Bangor byddai hynny, hefyd, yn rhoi cyfle i ddynion a merched y Coleg gyfarfod. Byddai sosials y capeli ar ddechrau'r flwyddyn academaidd yn rhoi cyfle eto i'r dynion a'r merched gyfarfod â phobl y tu allan i'r Coleg, gydag ambell un yn cael gwahoddiad i gael te bach yn rhai o dai aelodau'r capeli.

Erbyn y 1930au roedd y pictiwrs yn dechrau dod yn atyniad poblogaidd i fyfyrwyr y Normal, ac erbyn y 50au roedd cyfle iddynt ymweld â nifer o sinemâu ym Mangor heb anghofio 'pictiwrs bach y Borth'. Clywsom mai noson allan ddelfrydol i lawer o fyfyrwyr y Cyfnod Canol 'diniwed' hwn oedd ymweliad â'r pictiwrs ac yna sgram yn un o gaffis y dref.

Roedd picio am baned i gaffis Bangor yn hynod boblogaidd efo'r myfyrwyr drwy gydol y Cyfnod Canol. Y caffi mwyaf poblogaidd oedd *Bobi Bobs* yn y Stryd Fawr. Byddai'r *Coll. Mother* a'r *Coll. Daughter* yn aml yn cychwyn cyfeillgarwch gydol oes dros baned o de a chacen yn y caffi hwn. Erbyn y Cyfnod Olaf roedd y myfyrwyr yn parhau i fynychu'r caffis, gyda chaffi *Humphs* ym Mangor Uchaf yn gyrchfan am baned, ac, ar ambell nos Fercher, ar gyfer canu emynau. Roedd caffi *Kit Rose*, gerllaw cloc y dref, hefyd yn denu myfyrwyr yn ystod y dydd i gael gwrando ar recordiau pop a roc diweddar ar y *juke box*. Roedd safon y bwyd yno hefyd yn denu, fel y canodd bardd di-enw wrth barodïo cerdd Cynan 'Anfon y Nico' yn *Normalydd* Haf 1964:

> Pwy ddewisai fwyd y coleg
> Wedi profi peis Cit Rôs?

Erbyn y 1950au roedd rhai o'r dynion yn dechrau mentro allan am beint i dafarndai Bangor, gyda'r *Menai Vaults* yn Mangor Uchaf yn dafarn boblogaidd i aelodau'r tîm pêl-droed yr adeg honno. Erbyn y Cyfnod Olaf, roedd pethau wedi newid yn syfrdanol gyda'r merched, yn ogystal â'r dynion, yn yfed yn rheolaidd fel rhan o'u bywyd cymdeithasol. Erbyn y 1970au, y dafarn, yn hytrach na'r capel a'r caffi, oedd cyrchfan y myfyrwyr, gyda'r *Menai Vaults,* y *Gwynedd*, a'r *Globe* yn arbennig o boblogaidd ym Mangor Uchaf. I lawr yn y dref, roedd y *Three Crowns* yn dynfa, oherwydd ei leoliad cyfleus yn agos at glwb nos yr *Octagon*. Ymhellach, nid oedd yn ddigon i'r myfyrwyr fynychu tafarndai Bangor, roedd yn rhaid sicrhau bod modd diwallu eu syched ar y campws hefyd, a dyna weld agor y bar ar Safle'r George yn 1975.

Erbyn y 60au cynnar roedd chwaeth bwyta myfyrwyr wedi ehangu: nid oeddynt bellach yn fodlon ar sgram o bysgod a sglodion, ac roedd angen galw am *Chinese* yn y *Senior Chinese Cafe* ger Cae'r Ffynnon yng nghanol y dref. Yn yr 80au *Take Away* Mr Lee ym Mangor Uchaf, a anfarwolwyd gan Bryn Fôn yn ei glasur *Mardi Gras ym Mangor Uchaf*, oedd y lle i alw am bryd o fwyd ar ôl noson ar y cwrw a dawnsio disgo yn yr *Octagon*.

Elfen gymdeithasol bwysig arall oedd swyddogaeth cymdeithasau cyn-fyfyrwyr y Normal oedd wedi eu sefydlu yn y 1920au a'r 30au, yn arbennig yn nhrefi a dinasoedd mawr Lloegr, megis Lerpwl, Manceinion, Wigan a Llundain. Byddai wedi bod yn ddiddorol cael cipolwg ar gofnodion y cymdeithasau hyn i weld, er enghraifft, ymhle a pha mor aml y byddent yn cyfarfod, a beth oedd natur eu cyfarfodydd. Cawsom hanes manwl am un cyfarfod o gyn-fyfyrwyr y Normal yng nghangen Llundain yn 1932 lle bu'r cyn-fyfyriwr Frederick Attenborough yn ŵr gwadd. Mae'n debyg fod gan y cymdeithasau hyn swyddogaeth fugeiliol, drwy gynorthwyo cyn-fyfyrwyr y Normal i addasu i'w hysgolion newydd.

CHWARAEON

Yn y Cyfnod Cynnar, dywedodd John Lloyd Williams na welodd yr un o ddynion y Normal yn cymryd rhan mewn chwaraeon yn yr awyr agored, ac nad oedd unrhyw gyfleusterau yn y Coleg i hyrwyddo chwaraeon. Rhaid oedd disgwyl tan 1887 i weld pêl-droed a chriced yn y Normal, ac, erbyn 1893–94, yn ôl awdur *'Tis Sixty Years Since*, roedd cryn fynd ar y chwaraeon hyn a'r dynion yn cystadlu'n frwd i fod yn y timau.

Yn *Normalite* Rhagfyr 1898 ceir hanes y gêm rygbi gyntaf i gael ei chwarae gan dîm y Normal, a hynny ar 1 Tachwedd 1898 ar 'Gae'r Dref' (cae Ffordd Farrar o bosib). Coleg y Brifysgol – yr hen elyn – oedd y gwrthwynebwyr a'r Normal a orfu o 13 pwynt i 3.

Nodwedd arbennig iawn o chwaraeon yn y Cyfnod Canol oedd poblogrwydd y gemau darbi rhwng y Normal a Choleg y Brifysgol, gemau'r *Woolie Cup* (pêl-droed) neu'r *Humphs Cup* (rygbi). Roedd edrych ymlaen eiddgar at gemau'r *Woolie Cup* gan y cefnogwyr yn ogystal â'r chwaraewyr. Byddai'r cefnogwyr yn cynnwys nid yn unig y myfyrwyr, ond hefyd llawer o'r staff, a neb yn dangos mwy o frwdfrydedd nag Ambrose Bebb wrth iddo redeg i fyny ac i lawr ystlys y cae pêl-droed yn gweiddi ei gefnogaeth i'r Normal.

Crisiala Frank Grundy deimladau cenedlaethau o fyfyrwyr am bwysigrwydd yr *Woolie Cup* i fyfyrwyr y Normal. Er i'w sylwadau fod yn seiliedig ar ei brofiad yn ystod y blynyddoedd 1928–30, byddai ton ar ôl ton o fyfyrwyr yn amenio'i sentiment:

Ein harch-elynion ar faes y bêl-droed oedd tîm Prifysgol Bangor. Ein hunig uchelgais oedd rhoi curfa iddynt hwy yn y tair gêm a chwareid am Gwpan Woolworth, a mwy na bodlon oeddem i golli i bob tîm arall, os gallem roi cweir iddynt hwy.[18]

Does dim rhyfedd fod Frank Grundy wrth ei fodd pan lwyddodd y Normal i ennill yr *Woolie Cup* yn nhymor 1929–30, ac yntau'n aelod o'r tîm:

Ni fu cymaint rhialtwch erioed yn ein plith na'r noson honno, a bu gorymdeithio drwy strydoedd Bangor o un pen i'r llall, cyn dychwel ohonom mewn bri a gogoniant i'r Coleg, i roi'r Gwpan ar y silff uwchben y tân yn Ystafell Gyffredin [y George].[19]

Yn ystod yr Ail Ryfel Byd, gwelwyd dirywiad anorfod yng nghanlyniadau gemau timau'r Coleg gan fod y dynion yn cael eu galw i'r lluoedd arfog.

Yn y Cyfnod Olaf, roedd pêl-droed a rygbi yn parhau'n gemau hynod boblogaidd. Erbyn 1965, roedd gan y Coleg bum tîm pel-droed, gan gynnwys tîm arbennig y *Gym Gym XI*, sef tîm Cymdeithas Gymraeg y Coleg. Yn yr un flwyddyn cafodd tîm rygbi'r Coleg, a oedd yn cynnwys y chwaraewr dawnus John McBryde, dymor llwyddiannus iawn gan ennill pob un ond un o'u gemau. Y tîm rygbi hwn, os bosib, oedd yr un mwyaf llwyddiannus yn hanes y Coleg. Camsyniad fyddai meddwl fod mwyafrif chwaraewyr y tîm yn dod o dde Cymru. Yn ôl Jim Bryn Davies, cyn-fyfyriwr ac aelod o'r Adran Addysg Gorfforol, dim ond tri ohonynt oedd yn ddeheuwyr, gan gynnwys yr haneri. Roedd y rhan fwyaf o aelodau'r tîm yn dod o drefi Caernarfon a Bae Colwyn – heb anghofio Corris!

Hyd at ganol y Cyfnod Olaf, parheid i chwarae gornestau caled yn yr *Woolie Cup* a'r *Humphs Cup*, er nad oedd bellach gymaint o frwdfrydedd o du'r myfyrwyr na'r staff i gefnogi'r gemau o'i gymharu â'r Cyfnod Canol. Chwaraewyd y gemau olaf yng ngornestau'r *Woolie Cup* a'r *Humphs Cup* yn nhymor chwaraeon 1979–80.

Gyda dyfodiad y bwrdd biliards i'r George yn 1937, wele filiards, ac, yn ddiweddarach, snwcer yn dod yn gemau poblogaidd iawn ymysg y dynion. Gêm dan do arall eithaf poblogaidd yn y Cyfnod Canol oedd dartiau, ac arferid ei chwarae, nid mewn tafarndai, ond yn y George. Byddai aelodau'r staff yn herio'r myfyrwyr mewn gornestau dartiau, a chyfeirir yn aml at y darlithydd amryddawn hwnnw, Ambrose Bebb, yn arddangos ei athrylith wrth daflu dartiau!

Wrth gloi'r cipolwg hwn o brofiadau myfyrwyr ym myd chwaraeon, rhaid cydnabod bod bylchau amlwg yn yr ymdriniaeth. Er enghraifft, ni chyfeiriwyd at y timau hoci dynion nac at y timau rhedeg ar draws gwlad (yr *Harriers*). Gall y merched fod yn feirniadol iawn am fod profiadau merched y Normal o fyd chwaraeon wedi eu hanwybyddu'n llwyr, ac y mae'n amlwg fod chwaraeon yr haf, megis criced, tenis a mabolgampau wedi cael eu hesgeuluso hefyd. Gobeithir, serch hynny, fod peth o gyffro chwaraeon yn y Normal dros y blynyddoedd wedi'i gyfleu.

•   •   •

Rhoddir y gair olaf i Eifion Lloyd Jones (aelod o'r Adran Gyfathrebu yn y Normal) gan ddyfynnu o gerdd a gyfansoddwyd ganddo i ddathlu agoriad swyddogol adeilad yr Hen Goleg ar ei newydd wedd yn 1994. Mae'r bardd yn llwyddo i gyfleu hanfod arbennig yr hen sefydliad annwyl hwn a enillodd le mor amlwg ac mor gynnes yng nghalon y genedl:

> Ganol y ganrif ddiwethaf
> Y naddwyd maen a phren
> I gynnal cenedlaethau
> Ar seiliau Silwen;
> Hen arddwyr fu'n ffrwythloni'r had
> Yn gnwd goludog hyd y wlad.[20]

Gobeithio i'r gyfrol hon fod yn gyfrwng i ddwyn atgofion yn ôl i'r rhai a fu'n ffodus i fod yn fyfyrwyr yn y Normal. I'r rhai ohonoch na chawsoch y fraint honno, hyderir y bu'n gyfle i weld beth a gollwyd gennych!

NODIADAU

1. Gwyn Erfyl (Chwefror 2004) 'Yr Enigmatic Enoch', *Barn.* t. 28.
2. Llywelyn Morgan Rees (1955) *The History of the Bangor Normal College from its Inception to 1908.* Traethawd MA Prifysgol Cymru heb ei gyhoeddi. t. 76.
3. Llywelyn Morgan Rees (1968) *A Critical Examination of Teacher Training in Wales 1846–1898.* Traethawd PhD Prifysgol Cymru heb ei gyhoeddi. t. 239.
4. Coleg Normal Bangor (1971) *Awen y Normal: cynnyrch llenyddol myfyrwyr y Coleg Normal 1968–71.* Llandysul: Gwasg Gomer. t. 11.
5. Rhydderch T. Jones (2002) *Cofiant Ryan.* Talybont: Y Lolfa. t. 14.
6. Cofnodwyd geiriau'r ddwy gân mewn cyfweliad gyda **Caroline Grundy (née Thomas)**, Rhostryfan (1933–35), gweddw Frank Grundy.
7. J. Ellis Williams (1963) *Inc yn fy Ngwaed.* Llandybïe: Llyfrau'r Dryw. t. 113.
8. Ar achlysur anarferol iawn ar nos Wener Eisteddfod Caernarfon 1959, ar wahoddiad yr Archdderwydd Cynan, cludwyd aelodau o Barti Noson Lawen

y Normal yn hen *Austin 7* Robin Jones i Ynys Môn i ddifyrru gwahodd-edigion Hywel Hughes 'Bogota', *entrepeneur* a wnaeth ei ffortiwn yn allforio coffi.

9. W. Ambrose Bebb (1954) *Canrif o Hanes y Tŵr Gwyn 1854–1954*. Bangor: Capel Tŵr Gwyn. t. 193.
10. Ibid., t. 227.
11. Dafydd Wynn Parry (9 Chwefror 1996) 'Edrych yn ôl ac ymlaen', *Y Goleuad*. t. 5.
12. Ibid.
13. Cofnodwyd y geiriau gan **Ken Williams**, Amlwch (1949–51).
14. Diolch i Olwen Jones, Pennaeth olaf Adran Gerdd y Coleg Normal, am fanylion y gân a'r dôn.
15. J. O. Roberts (2005) *Ar Lwyfan Amser*. Caernarfon: Gwasg Gwynedd. t. 106.
16. Hafina Clwyd (1980) *Defaid yn Chwerthin*. Llandysul: Gwasg Gomer. t. 52
17. Gweler hefyd atgofion Gwyn Thomas (2006) *bywyd bach*. Caernarfon: Gwasg Gwynedd. t. 172.
18. Frank Grundy (1961) *Hogyn y Rhes,* Traethawd arobryn Eisteddfod Môn, Amlwch, heb ei gyhoeddi. t. 77.
19. Ibid., t. 78.
20. R. Arwel Jones (gol.) (2005) *Cerddi Arfon*. Llandysul: Gwasg Gomer. t. 56.

LLYFRYDDIAETH

Bebb, W. Ambrose (1954) *Canrif o Hanes y Tŵr Gwyn 1854–1954*. Bangor: Capel Tŵr Gwyn.

Canolfan Bedwyr (1996) *Cau Pen y Modiwl*. Bangor: Prifysgol Cymru, Bangor.

Clwyd, Hafina (1980) *Defaid yn Chwerthin*. Llandysul: Gwasg Gomer.

Clwyd, Hafina (1987) *Buwch Ar Y Lein*. Aberystwyth: Honno.

Clwyd, Hafina (1987) *Merch Morfydd*. Caernarfon: Gwasg Gwynedd.

Clwyd, Hafina (1997) *Clust y Wenci*. Llandysul: Gwasg Gomer.

Coleg Athrawol Bangor (Bangor Normal College) *At ddwyn i fyny athrawon i Ysgolion Brutanaidd y Dywysogaeth yr Adroddiad cyntaf* Gorphenaf 7, 1863 [Llyfrgell Genedlaethol Cymru XLB2162]

Coleg Normal Bangor (1958) *Bangor Normal College – Y Coleg Normal, Bangor 1858-1958*. Bangor: Coleg Normal. (adargraffwyd Gorffennaf 1996)

Coleg Normal Bangor (1971) *Awen y Normal: cynnyrch llenyddol myfyrwyr y Coleg Normal 1968–71*. Llandysul: Gwasg Gomer.

Davies, B. L. (1977) *Hugh Owen 1804–1881*. Caerdydd: Gwasg Prifysgol Cymru.

Davies, John (1990) *Hanes Cymru*. Llundain: Allen Lane, The Penguin Press.

Dent, H. C. (1977) *The Training of Teachers in England and Wales*. Llundain: Hodder and Stoughton.

Evans, John Albert (2010) *Llanw Bwlch*. Llandysul: Gwasg Gomer.

Gordon, Peter a Denis Lawton (2003) *Dictionary of British Education*. Llundain: Woburn Press.

Iwan, Dafydd (2002) *Cân Dros Gymru*. Caernarfon: Gwasg Gwynedd.

Jones, Dewi (2003) *Naturiaethwr Mawr Môr a Mynydd: bywyd a gwaith J. Lloyd Williams*. Llanrwst: Gwasg Carreg Gwalch.

Jones, Dewi (2010) *Ar Drywydd y Dringwyr*. Pen-y-groes: Gwasg Dwyfor.

Jones, Henry (1923) *Old Memories: autobiography of Sir Henry Jones*. Llundain: Hodder and Stoughton.

Jones, Peter Ellis (1979) 'The George – inn, hotel, hostel 1771–1978'. *Trans. Caerns. Hist. Soc.*, 40, tt. 105–34.

Jones, R. Arwel (gol.) (2005) *Cerddi Arfon*. Llandysul: Gwasg Gomer.

Jones, Richard (1995) *Dic Tŷ Capel*. Caernarfon: Gwasg Gwynedd.

Jones, Rhydderch T. (2002) *Cofiant Ryan*. Talybont: Y Lolfa.

Jones, Thomas William (Arglwydd Maelor) (1970) *Fel Hyn y Bu*. Dinbych: Gwasg Gee.

Lewis, D. Gerwyn (1980) *The University and the Colleges of Education in Wales 1925–78*. Caerdydd: Gwasg Prifysgol Cymru.

Maclure, J. Stuart (1969) *Educational Documents: England and Wales, 1816–1968*. London: Methuen Educational Ltd.

Meredith, David (2002) *Pwy Fase'n Meddwl*. Llandysul: Gwasg Gomer.

Owen, Gerallt Lloyd (1972) *Cerddi'r Cywilydd*. Cyhoeddiadau Tir Iarll.

Owen, Gerallt Lloyd (1999) *Fy Nghawl fy Hun*. Caernarfon: Gwasg Gwynedd.

Rees, Llywelyn Morgan (1955) *The History of the Bangor Normal College from its Inception to 1908*. Traethawd MA Prifysgol Cymru heb ei gyhoeddi.

Rees, Llywelyn Morgan (1968) *A Critical Examination of Teacher Training in Wales 1846–1898*. Traethawd PhD Prifysgol Cymru heb ei gyhoeddi.

Richards, Thomas (1960) *Atgofion Cardi*. Aberystwyth: Cymdeithas Lyfrau Ceredigion Gyf.

Roberts, Alwyn (1995) 'Uno Dau Goleg'. *Barn*. Rhif 387, t. 6.

Roberts, J. O. (2005) *Ar Lwyfan Amser*. Caernarfon: Gwasg Gwynedd.

Roberts, David (2009) *Prifysgol Bangor, 1884–2009*. Caerdydd: Gwasg Prifysgol Cymru.

Roberts, W. H. (1981) *Aroglau Gwair*. Caernarfon: Gwasg Gwynedd.

Williams, Betty (2010) *O Ben Bryn i Dŷ'r Cyffredin*. Caernarfon: Gwasg y Bwthyn.

Williams, J. Ellis (1963) *Inc yn fy Ngwaed*. Llandybïe: Llyfrau'r Dryw.

Williams, J. Lloyd (1944) *Atgofion Tri Chwarter Canrif III*. Y Clwb Llyfrau Cymreig. Dinbych: Gwasg Gee.

Williams, J. Lloyd (1945) *Atgofion Tri Chwarter Canrif IV*. Gwasg Gymraeg Foyle: Llundain.

Williams, Harri (1987) *John Phillips: arloeswr addysg*. Llandysul: Gwasg Gomer.

Williams, J. Gwynn (1985) *The University College of North Wales: foundations 1884–1927*. Caerdydd: Gwasg Prifysgol Cymru.

MYNEGAI

200